LE
LABYRINTHE

L'ÉPREUVE – Livre 1

L'auteur

James Dashner est né aux États-Unis en 1972. Après avoir écrit des histoires inspirées du *Seigneur des anneaux* sur la vieille machine à écrire de ses parents, il a suivi des études de finance. Mais, très vite, James Dashner est revenu à sa passion de l'écriture. Aujourd'hui, depuis les montagnes où il habite avec sa femme et ses quatre enfants, il ne cesse d'inventer des histoires inspirées de ses livres et de ses films préférés. *L'épreuve*, sa dernière trilogie, a rencontré un immense succès aux États-Unis. À tel point que James Dashner vient d'écrire un nouveau tome de cette série pour expliquer les derniers mystères du Labyrinthe…

Du même auteur chez Pocket Jeunesse

L'épreuve

Prequel – L'ordre de tuer

1. Le labyrinthe
2. La terre brûlée
3. Le remède mortel

JAMES DASHNER

LE LABYRINTHE

L'ÉPREUVE – Livre 1

Traduit de l'anglais (États-Unis)
par Guillaume Fournier

POCKET JEUNESSE
PKJ·

Directeur de collection :
Xavier d'Almeida

Titre original :
The Maze Runner

Publié pour la première fois en 2009
par Delacorte Press, an imprint
of Random House Children's books, New York

ISBN 978-2-266-20012-7

Pour Lynette. Ce livre représente un voyage de trois ans, et tu n'as jamais douté.

CHAPITRE 1

Sa nouvelle vie commença dans le noir complet. Il faisait froid, et l'endroit sentait la poussière et le renfermé.

Il entendit un grincement métallique. Le sol oscilla. Déséquilibré, il tomba puis recula à quatre pattes, la sueur au front malgré la fraîcheur environnante. Ses pieds heurtèrent une paroi de fer qu'il longea jusqu'à un coin. Il s'assit et ramena ses genoux contre lui en espérant que ses yeux s'habitueraient bientôt à l'obscurité.

Tout à coup, le sol s'ébranla et se mit à monter, comme un vieil élévateur dans un puits de mine.

Un fracas de chaînes et de poulies retentit, résonna contre les murs. L'ascenseur obscur se balançait, et le jeune homme fut pris de nausée ; l'odeur d'huile chaude n'arrangeait rien. Il aurait voulu pleurer mais il avait les yeux secs ; il ne put que rester là, dans le noir, à patienter.

« Je m'appelle Thomas », se dit-il.

Ce... c'était la seule chose qu'il se rappelait.

Comment était-ce possible ? Son cerveau semblait fonctionner, prendre la mesure de la situation. Tout se bousculait dans sa tête : images, souvenirs, détails sur le monde et la manière dont il tournait. Il revit de la neige sur les arbres, une rue jonchée de feuilles mortes, un hamburger qu'il était en train de manger, la lumière pâle de la lune baignant une clairière, un lac dans lequel il nageait, une grande place bruyante avec des centaines de personnes.

Et pourtant il n'aurait pas su dire d'où il venait, ni comment il s'était retrouvé dans cet ascenseur, ni qui étaient ses parents. Il ne se souvenait même pas de son nom de famille.

La cabine continua à monter en se balançant pendant un long moment ; Thomas commençait à s'habituer au fracas incessant des chaînes.

Les minutes passaient lentement. Chaque seconde lui semblait une éternité. Mais en se fiant à son instinct, il calcula qu'il montait depuis une demi-heure environ.

Curieusement, son appréhension laissa place à une vive curiosité. Il était impatient d'apprendre où il était et ce qui lui arrivait.

La cabine ralentit dans un dernier chuintement et émit un déclic sourd avant de s'immobiliser. Tout devint silencieux.

Une minute s'écoula. Puis deux. Il tâtonna dans le noir à la recherche d'une issue ; il ne sentait que le métal froid. Il poussa un gémissement de frustration ; le son résonna, avec des accents de lamentation funèbre. Le silence revint. Il cria, appela au secours, martela les parois avec ses poings.

En vain.

Thomas retourna s'asseoir dans son coin, les bras croisés. Il avait des frissons. La peur le gagnait de nouveau. Son cœur se serra, comme s'il avait voulu se glisser hors de son corps.

— Ohé ! Il y a quelqu'un ? hurla-t-il.

Les mots lui arrachaient la gorge.

Un claquement sonore retentit au-dessus de lui. Il leva la tête avec une exclamation de surprise. Une ligne mince apparut dans le plafond et s'élargit sous ses yeux. Quelqu'un ouvrait de force des volets coulissants. La lumière lui fit mal aux yeux ; il détourna la tête et se couvrit le visage avec les mains.

Il entendit des voix.

— Visez-moi un peu ce naze.

— Quel âge il peut avoir ?

— On dirait un plonk dans un tee-shirt.

— C'est toi, le plonk, espèce de guignol.

— Dis donc, ça sent les pieds là-dedans!

— J'espère que tu as profité du voyage, le bleu.

— Oui, parce que c'est un aller simple!

Thomas se sentit au bord de la panique. Les voix étaient bizarres, résonnaient curieusement; certains mots lui échappaient – quand ils ne lui étaient pas complètement étrangers. Il plissa les paupières et tourna les yeux vers le plafond. Il ne distingua d'abord que des ombres et bientôt des silhouettes: penchées au-dessus de l'ouverture, elles l'observaient et le montraient du doigt.

D'un coup, les visages se précisèrent: des garçons, certains très jeunes, d'autres plus âgés. Thomas était déconcerté. Ce n'étaient que des gosses. Ses craintes s'apaisèrent en partie, pas assez toutefois pour que les battements de son cœur se calment.

On lui descendit une corde terminée par une boucle. Après une hésitation, Thomas glissa le pied dans la boucle et se laissa hisser dans les airs. Des mains se tendirent pour l'empoigner par ses vêtements et le soulever. Le monde parut tournoyer, se fondre en un tourbillon de visages, de couleurs et de lumière. Des émotions contradictoires lui tordaient les entrailles; il aurait voulu hurler, pleurer et vomir tout à la fois. Les garçons s'étaient tus.

Quelqu'un prit la parole:

— Content de te voir, tocard. Bienvenue au Bloc.

Thomas n'oublierait jamais ces mots.

CHAPITRE 2

Des mains secourables le mirent debout et l'époussetèrent de la tête aux pieds. Toujours ébloui, Thomas vacilla sur ses jambes. Dévoré par la curiosité malgré la sensation de nausée qui ne le quittait pas, il voulut examiner ce qui l'entourait.

Les enfants le fixaient en ricanant tandis qu'il tournait lentement sur lui-même; certains tendirent la main pour le toucher. Ils devaient être une bonne cinquantaine, de toutes les tailles et de toutes les origines, les vêtements crasseux et maculés de sueur.

Thomas se sentit subitement pris de vertige. Son regard ne cessait d'aller et venir entre les garçons et l'endroit étrange où il se trouvait: une esplanade grande comme plusieurs terrains de foot, ceinte de murs gigantesques en pierre grise. Couverts de lierre, hauts d'une centaine de mètres au moins, ils formaient un carré parfait. Chacun était percé au milieu, sur toute la hauteur, d'une ouverture qui donnait accès à de longs couloirs.

— Matez le bleu, dit une voix éraillée. Il va se dévisser son sale petit cou à reluquer comme ça dans tous les coins.

Plusieurs garçons s'esclaffèrent.

— La ferme, Gally! riposta une voix plus grave.

Thomas reporta son regard sur les dizaines d'inconnus qui l'entouraient: un grand blond à la mâchoire carrée le reniflait sans expression; un petit gros le dévisageait avec de grands yeux, en se balançant d'avant en arrière sur ses talons; un Asiatique à la carrure massive le toisait, bras croisés, les manches remontées pour montrer ses biceps ; un garçon à la peau noire – celui qui l'avait accueilli – fronçait les sourcils. Les autres le fixaient en silence. Thomas devait faire une drôle de tête ; en tout cas, il ne se sentait pas dans son état normal.

— Où je suis ? demanda-t-il.

Il fut surpris par le son de sa voix, étrange, plus aigu qu'il n'aurait cru.

— Nulle part, lui répondit le garçon à la peau noire. Et je peux te dire que tu vas y rester un moment.

— Quel maton il aura ? cria quelqu'un dans le fond.

— Je te l'ai dit, guignol, rétorqua une voix nasillarde. C'est un plonk, on en fera un torcheur. Je parie tout ce que tu veux.

Le gamin gloussa comme s'il venait de lâcher une bonne blague.

Thomas se sentit gagné une fois de plus par la confusion : tous ces mots n'évoquaient pas grand-chose pour lui. « Plonk. » « Maton. » « Torcheur. » Les autres les employaient avec tellement de naturel qu'il lui semblait bizarre de ne pas les comprendre. Comme si un pan entier de vocabulaire avait disparu de sa mémoire. C'était très perturbant.

Des émotions contradictoires bouillonnaient en lui. Perplexité. Curiosité. Peur. Panique. Mais au cœur de tout ça, il y avait surtout un sentiment de désespoir absolu, comme si le monde avait pris fin et qu'on l'avait remplacé par quelque chose d'épouvantable. Il aurait voulu fuir et se cacher.

Le garçon à la voix éraillée disait :

— … je te parie même un bout de mon foie !

Thomas ne parvenait pas à repérer qui c'était.

— Je vous ai dit de la boucler ! rugit le garçon à la peau noire. Continuez à jacasser comme ça et je réduis la prochaine pause de moitié !

Ce devait être leur chef, pensa Thomas. Las de voir les autres le dévisager comme une bête curieuse, il se concentra sur le Bloc, comme l'avait appelé le garçon.

Le sol de l'esplanade, fait de gigantesques dalles, était zébré de fissures envahies par les mauvaises herbes. À droite, une bâtisse en bois offrait un contraste saisissant avec la pierre grise. Quelques arbres l'entouraient, leurs racines noueuses plongeant comme des doigts entre les pierres. À gauche, Thomas aperçut un potager : du maïs, des plants de tomates, des arbres fruitiers. Devant lui, des enclos contenaient des moutons, des cochons et des vaches. Le dernier coin était occupé par un bosquet dont les arbres les plus proches semblaient malades et près de mourir. Le ciel était d'un bleu immaculé, mais le soleil invisible. L'ombre des murs ne donnait pas d'indication précise sur l'heure : ce pouvait être tôt le matin ou tard l'après-midi. En respirant bien à fond pour se calmer, Thomas sentit de fortes odeurs de terre fraîchement remuée, de sapin, de purin et des relents de pourriture – des odeurs de ferme.

Il regarda ses ravisseurs, gêné mais désespérément avide de leur poser des questions. «Mes ravisseurs…, songea-t-il. Pourquoi est-ce que j'ai pensé ça?» Il scruta les visages, les expressions, tâchant de voir clair en eux. L'un des garçons le fixait avec des yeux brûlants de haine, comme s'il allait se jeter sur lui avec un couteau. Quand leurs regards se croisèrent, l'autre secoua la tête et s'éloigna en direction d'un banc à côté duquel se dressait un mât en fer. Un drapeau multicolore pendouillait à la tête du mât. L'absence de vent ne permettait pas d'en distinguer le motif.

Troublé, Thomas suivit des yeux le garçon jusqu'à ce qu'il se soit assis. Puis il détourna vivement la tête.

Le chef du groupe, qui pouvait avoir dix-sept ans, s'était avancé d'un pas. Il portait un tee-shirt noir, un jean, des tennis et une montre à quartz. Ces habits banals surprirent Thomas, qui aurait trouvé cohérent que tout le monde porte quelque chose de plus inquiétant – comme une tenue de prisonnier. Le garçon à la peau noire avait les cheveux courts et le menton rasé de près. Pour le reste, hormis son froncement de sourcils, il n'y avait rien d'intimidant chez lui.

— C'est une longue histoire, tocard, commença-t-il. Tu l'apprendras petit à petit. En attendant… fais simplement attention à ne rien casser. (Il tendit la main.) Je m'appelle Alby.

Thomas, ignorant sa main, se détourna sans dire un mot et s'assit au pied d'un arbre, le dos contre le tronc. La panique qu'il sentait monter en lui menaçait d'éclater. Il prit une grande inspiration et se força à accepter la situation : « Il va falloir m'y faire. La trouille ne m'aidera pas. »

— Je t'écoute, rétorqua-t-il, en s'efforçant de conserver une voix neutre. Raconte-moi cette longue histoire.

Alby se tourna brièvement vers les autres avant de lever les yeux au ciel. Thomas examina de nouveau le groupe. Il n'y avait que des garçons, d'âges divers : encore des enfants pour certains, d'autres déjà des jeunes hommes, comme Alby, qui paraissait le plus vieux. À cet instant Thomas réalisa avec effroi qu'il ne connaissait plus son âge. Son cœur se serra.

— Sérieusement, insista-t-il, abandonnant son air imperturbable, on est où ?

Alby vint s'asseoir en tailleur face à lui ; les autres garçons s'attroupèrent derrière leur camarade. Certains dressaient la tête et se hissaient sur la pointe des pieds pour mieux voir.

— Tout le monde a peur, déclara Alby, c'est humain. Si tu réagissais autrement, je t'aurais déjà balancé du haut de la Falaise parce que ça voudrait dire que tu es cinglé.

— La Falaise ? répéta Thomas, livide.

Alby se frotta les yeux.

— Plonk ! lâcha-t-il. Ce n'est pas comme ça qu'on entame ce genre de conversations… Écoute, je peux te promettre qu'on n'exécute pas les tocards dans ton genre. Essaie simplement de ne pas te faire tuer.

Il marqua une pause, et Thomas réalisa qu'il avait dû blêmir encore plus.

— Pfff, soupira Alby en se passant la main dans les cheveux. Je ne sais même pas par où commencer. Tu es le premier bleu qui débarque depuis la mort de Nick.

Thomas écarquilla les yeux. Un garçon s'avança et donna une petite tape amicale sur le crâne d'Alby.

— Attends au moins la visite, Alby, lui conseilla-t-il avec un fort accent. On ne lui a pratiquement rien dit et le pauvre gars est déjà au bord de la crise cardiaque. (Il se pencha et tendit la main à Thomas.) Je m'appelle Newt, le bleu, et on serait tous ravis si tu voulais bien excuser notre nouveau chef ici présent. Il a du plonk dans la cervelle.

Thomas serra la main du garçon — il paraissait beaucoup plus gentil qu'Alby. Il était plus grand également, même s'il devait avoir un an de moins. Ses longs cheveux blonds tombaient en cascade sur son tee-shirt. Les veines saillaient sur ses bras musclés.

— Va te faire voir, guignol, grommela Alby en faisant asseoir Newt à côté de lui. Moi, au moins, on comprend ce que je dis.

Quelques rires fusèrent et tout le monde resserra les rangs derrière Alby et Newt pour mieux les écouter.

Alby écarta les bras, paumes vers le haut.

— Cet endroit s'appelle le Bloc, d'accord? C'est là qu'on vit, qu'on mange et qu'on dort. Et nous, on est les blocards. C'est tout ce que tu as besoin de…

— Qui m'a envoyé ici? le coupa Thomas, chez qui la colère prenait le pas sur la peur. Comment est-ce que…?

Mais avant qu'il puisse terminer sa phrase, Alby l'empoignait par le tee-shirt et l'attirait vers lui.

— Debout, tocard, debout! gronda-t-il en se levant.

Thomas se leva maladroitement et recula contre l'arbre, s'efforçant d'échapper à Alby.

— Arrête de m'interrompre, c'est compris? cria Alby sous son nez. Si on te disait tout, tu mouillerais ton froc avant de t'écrouler raide. On n'aurait plus qu'à te flanquer dans un sac, et tu ne nous aurais pas servi à grand-chose, pas vrai?

Newt empoigna Alby par les épaules.

— Lâche un peu la pression, Alby. On ne peut pas dire que tu nous aides beaucoup, tu sais.

Alby lâcha Thomas et recula en respirant fort.

— On n'a pas le temps de te materner, le bleu. Ta vie d'avant est terminée, une nouvelle commence. Apprends les règles, ouvre grand les oreilles et tais-toi. Pigé?

Thomas quêta du regard le soutien de Newt. Il se sentait bouillir intérieurement; des larmes lui brûlaient les yeux.

Newt hocha la tête.

— Tu comprends ce qu'il te dit, le bleu, pas vrai?

Thomas fulminait. Il aurait voulu cogner quelqu'un. Mais il se contenta d'acquiescer de la tête.

— Tant mieux, approuva Alby. C'est ton premier jour, le bleu. Il va bientôt faire nuit, les coureurs ne vont pas tarder à rentrer. La Boîte est montée tard aujourd'hui, il ne reste plus assez de temps pour la visite. On fera ça demain matin. (Il se tourna vers Newt.) Trouve-lui un endroit où dormir.

— Je m'en occupe, promit Newt.

Alby regarda Thomas en plissant les paupières.

— D'ici quelques semaines, tu te sentiras comme chez toi, tocard. Et tu auras appris à te rendre utile. Aucun de nous ne savait rien le premier jour. Ta nouvelle vie commence demain.

Alby tourna les talons et s'éloigna vers la cabane en bois. Les autres se dispersèrent après un dernier regard en direction de Thomas.

Celui-ci ferma les yeux et respira profondément. Une sensation de vide lui noua les entrailles, bientôt remplacée par une tristesse douloureuse. C'en était trop: où avait-il débarqué? Quel était cet endroit? Une espèce de prison? Si oui, pourquoi l'avait-on envoyé là, et pour combien de temps? Les garçons s'exprimaient de manière curieuse et semblaient se ficher complètement qu'il vive ou qu'il meure. Des larmes lui brûlèrent les yeux de nouveau, mais il refusa de les laisser couler.

— Qu'est-ce que j'ai fait ? murmura-t-il. Qu'est-ce que j'ai fait… ? pourquoi on m'a envoyé ici ?

Newt lui posa la main sur l'épaule.

— Écoute, le bleu, on est tous passés par là. Le premier jour, quand on sort de cette foutue boîte, c'est toujours comme ça. Et je ne vais pas te mentir, ça n'ira pas en s'améliorant. Mais tu vas t'y faire et reprendre le dessus. On voit bien que tu n'es pas une mauviette.

— Est-ce qu'on est en prison ? voulut savoir Thomas.

Il fouilla dans sa mémoire embrumée, en quête de souvenirs susceptibles de l'éclairer.

— Arrête un peu avec tes questions, répliqua Newt. Je n'ai pas de réponses satisfaisantes, pas maintenant en tout cas. Tiens-toi tranquille et accepte le changement. Pour le reste, on verra demain.

Thomas ne dit rien ; il baissa la tête. De minuscules fleurs jaunes pointaient entre deux dalles, à la recherche du soleil qui avait disparu depuis longtemps derrière les murs du Bloc.

— Je vais te confier à Chuck, décida Newt. Un vrai tocard, mais un brave gars, au fond. Reste là, je reviens.

Newt avait à peine fini sa phrase qu'un hurlement strident, à peine humain, résonna dans le Bloc. Quand Thomas comprit que ce cri provenait de la maison en bois, son sang se glaça dans ses veines.

Newt avait sursauté, le front barré d'un pli soucieux.

— Et merde, grommela-t-il. Foutus toubibs de mes deux, ils ne peuvent pas s'occuper de lui dix minutes ? (Il secoua la tête et poussa gentiment Thomas avec le pied.) Va voir Chuckie et demande-lui de te trouver un endroit où dormir.

Là-dessus, il se dirigea vers la cabane.

Thomas se laissa glisser au pied de l'arbre et se rassit par terre ; il ferma les yeux, priant pour qu'on le réveille de ce cauchemar.

CHAPITRE 3

Thomas resta assis là un long moment, trop abattu pour bouger. Il finit par regarder à contrecœur en direction de la bâtisse. Un groupe de garçons traînaient à l'extérieur, en jetant des regards anxieux vers les fenêtres du haut comme s'ils s'attendaient à en voir surgir un monstre dans une explosion de verre et de bois.

Un froissement métallique dans les branches au-dessus de sa tête lui fit lever les yeux ; il aperçut un reflet argent et rouge, qui disparut de l'autre côté du tronc. Thomas bondit sur ses pieds et fit le tour de l'arbre, tous les sens en alerte, mais il ne vit que des branches nues, grises et brunes, qui se dressaient comme les doigts d'un squelette... et qui semblaient tout aussi mortes.

— Ça devait être un scaralame, fit une voix dans son dos.

Thomas se retourna et découvrit un garçon, trapu et grassouillet, qui le dévisageait. Il était très jeune – sans doute le plus jeune de tous ceux qu'il avait vus jusque-là, âgé de douze ou treize ans tout au plus. Ses cheveux bruns lui tombaient dans le cou et lui frôlaient les épaules. Ses yeux bleus étaient le seul charme d'un visage sans grâce, flasque et rougeaud.

Thomas le salua d'un hochement de tête.

— Un scara-quoi ?

— Un scaralame, répéta le garçon en indiquant le sommet de l'arbre. Inoffensifs, tant qu'on n'est pas assez stupide pour les toucher. (Il marqua une pause.) Tocard.

Ce dernier mot lui vint difficilement, comme s'il n'était pas encore tout à fait à l'aise avec le jargon du Bloc.

Un nouveau hurlement retentit, interminable et déchirant, et Thomas sentit son pouls s'accélérer.

— Qu'est-ce qui se passe là-dedans? demanda-t-il en indiquant la bâtisse.

— Aucune idée, répondit le joufflu, qui n'avait pas encore achevé de muer. Ben est malade comme un chien. Ils l'ont eu.

Thomas n'aimait pas beaucoup le ton malveillant qu'il avait pris en disant ça.

— Qui ça, ils?

— Je te souhaite de ne jamais le découvrir, répondit le garçon, qui paraissait beaucoup trop serein vu la situation. (Il tendit la main.) Je m'appelle Chuck. C'était moi, le bleu, jusqu'à ce que tu t'amènes.

«C'est ça, mon guide pour la nuit?» se dit Thomas. Il ne parvenait pas à se défaire d'un sentiment de malaise, auquel venait se mêler un certain agacement. Rien n'avait de sens dans cette histoire; il en avait mal à la tête.

— Pourquoi tout le monde m'appelle le bleu? demanda-t-il en serrant brièvement la main de Chuck.

— Parce que c'est toi le nouveau, expliqua Chuck, hilare.

Un autre hurlement sortit de la maison, pareil au cri d'un animal torturé.

— Mais pourquoi tu ris? reprit Thomas, horrifié. On dirait que quelqu'un est en train de mourir là-dedans.

— Il s'en remettra. On ne meurt pas quand on rentre à temps pour recevoir le sérum. C'est tout ou rien: soit on guérit, soit on meurt. Mais c'est vrai que ça fait un mal de chien.

— Qu'est-ce qui fait un mal de chien?

Le regard de Chuck se perdit dans le vague, comme s'il ne savait pas quoi répondre.

— Eh bien, la piqûre des Griffeurs.

— Les Griffeurs?

Thomas se sentait de plus en plus perdu. « Piqûre. » « Griffeurs. » Ces mots avaient une connotation inquiétante, et il n'était pas certain de vouloir savoir de quoi il s'agissait.

Chuck haussa les épaules.

Thomas lâcha un soupir de frustration et s'adossa à son arbre.

— J'ai l'impression que tu n'en sais pas beaucoup plus que moi, dit-il.

Mais c'était faux, bien sûr. Il n'avait aucun souvenir précis, aucun visage ni aucun nom en mémoire.

— Chuck, euh… j'ai quel âge, à ton avis ?

Le garçon le détailla des pieds à la tête.

— Je dirais seize ans. Et tu fais un mètre soixante-quinze, au cas où tu te poserais la question. Tu as les cheveux bruns… et tu es moche comme un morceau de viande grillé au bout d'un bâton.

Il ricana.

Thomas était tellement abasourdi qu'il ne prêta aucune attention à la dernière remarque. Seize ans ? Il se sentait beaucoup plus vieux.

— Tu es sérieux ? (Il hésita, chercha ses mots.) Comment… ?

Il ne savait même plus quoi demander.

— Ne t'en fais pas. Tu vas rester dans le cirage pendant quelques jours, mais tu vas te faire à cet endroit. Je m'y suis bien fait, moi. C'est là qu'on vit, maintenant. C'est toujours mieux que vivre sur un tas de plonk. (Il fit la grimace, anticipant peut-être la prochaine question de Thomas.) Le plonk, c'est le caca. À cause du bruit qu'il fait en tombant dans le pot de chambre.

Thomas dévisagea Chuck. Il n'en croyait pas ses oreilles.

— Euh… super, bredouilla-t-il.

Il se leva et contourna Chuck pour se diriger vers la cabane. D'une hauteur de trois ou quatre étages, elle semblait sur le point de s'écrouler d'un moment à l'autre. C'était un étrange assemblage de rondins, de planches, de lianes et de fenêtres qu'on aurait dit empilés au petit bonheur, adossé à l'immense mur de pierre couvert de plantes grimpantes. En traversant l'esplanade, Thomas huma des odeurs de feu de bois et de viande rôtie qui firent gargouiller son estomac. Savoir que les hurlements étaient ceux d'un garçon malade le faisait se sentir mieux. Tant qu'il ne pensait pas à ce qui l'avait rendu malade…

— Comment tu t'appelles ? lui demanda Chuck en courant derrière lui pour le rattraper.

— Hein ?

— C'est quoi, ton nom ? Tu ne nous l'as pas encore dit – et je sais que tu t'en souviens.

— Thomas, répondit-il machinalement.

Ses pensées suivaient déjà une autre direction. Si Chuck avait raison, il venait de se découvrir un point commun avec les autres garçons. Ils avaient tous subi le même genre d'amnésie. Ils se rappelaient leur prénom. Mais pourquoi pas ceux de leurs parents ? De leurs amis ? Ou simplement leur nom de famille ?

— Content de te connaître, Thomas, dit Chuck. Ne t'en fais pas, je vais m'occuper de toi. Je suis là depuis un mois et je connais l'endroit comme ma poche. Tu peux compter sur moi, d'accord ?

Thomas avait presque atteint la maison quand une bouffée de colère le saisit subitement. Il se retourna face à Chuck.

— Tu n'es pas capable de m'expliquer quoi que ce soit. Tu parles, que je peux compter sur toi !

Il repartit vers la porte, bien décidé à trouver des réponses à l'intérieur. D'où lui venaient ce courage et cette résolution tout à coup ? Il n'en avait aucune idée.

Chuck haussa les épaules.

— Je ne vois pas ce que je pourrais te dire de plus, fit-il. Au fond, je suis encore un bleu, moi aussi. Mais on peut quand même être amis…

— Je ne cherche pas d'amis, l'interrompit Thomas.

Il était devant la porte : une grossière planche de bois blanchi par le soleil. En la poussant, il découvrit plusieurs garçons rassemblés au pied d'un escalier branlant, aux marches et à la rambarde tordues. Un papier peint de couleur sombre, à moitié décollé, recouvrait les murs du vestibule et du couloir. Les seuls éléments de décoration étaient un vase poussiéreux sur une table à trois pieds et la photo en noir et blanc d'une vieille dame en robe blanche. L'ensemble évoquait un décor de maison hantée.

L'endroit empestait la poussière et la moisissure. Des tubes au néon grésillaient au plafond. Thomas se demanda d'où pouvait bien venir l'électricité. Il détailla la vieille dame de la photo. Avait-elle vécu ici autrefois ? S'était-elle occupée de ces garçons ?

— Tiens, voilà le bleu, lança l'un des plus âgés.

Thomas reconnut le brun qui lui avait jeté un regard assassin. Grand et maigre, il devait avoir une quinzaine d'années. Son nez ressemblait à une pomme de terre ramollie.

— À tous les coups ce tocard a fait dans son pantalon quand il a entendu le vieux Benny couiner comme une fille. Tu veux une couche, guignol ?

— Je m'appelle Thomas.

Il devait s'éloigner de ce garçon. Sans un mot de plus, il s'avança vers l'escalier, parce qu'il ne savait pas quoi faire d'autre. Mais le garçon lui barra la route en levant la main.

— Reste là, le bleu. (Il indiqua l'étage supérieur avec le pouce.) Les nouveaux n'ont pas le droit de voir ceux qui se sont fait… *prendre*. Newt et Alby sont contre.

— C'est quoi, ton problème ? rétorqua Thomas, en s'efforçant de masquer sa peur et de ne pas trop réfléchir à ce que l'autre voulait dire par « se faire prendre ». Je ne sais même pas où on est. Je veux juste un petit coup de main.

— Écoute-moi bien, le bleu. (Le garçon se renfrogna et croisa les bras.) Je suis sûr de t'avoir déjà vu quelque part. Il y a un truc louche chez toi, et je découvrirai ce que c'est.

Le sang de Thomas ne fit qu'un tour.

— Je ne t'ai jamais vu de ma vie. Je ne sais pas qui tu es, et je m'en fous pas mal, cracha-t-il.

Mais en réalité, comment l'aurait-il su ? Et comment ce garçon pouvait-il se souvenir de lui ?

L'autre ricana, puis il redevint sérieux et plissa les paupières.

— Je suis sûr de t'avoir déjà vu, tocard. On n'est pas nombreux ici à pouvoir se vanter d'avoir été piqués. (Il indiqua l'escalier.) Moi si. Je sais ce que ce gros bébé de Benny est en train de traverser. Je l'ai vécu. Et je t'ai vu pendant ma Transformation.

Il tapota le torse de Thomas avec le doigt.

— Et je te parie ton prochain repas que Benny nous racontera qu'il t'a vu, lui aussi.

Thomas soutint son regard mais ne fit pas de commentaire. La panique lui nouait les entrailles une fois de plus.

— Les Griffeurs te font mouiller ton pantalon ? railla le garçon. Tu ne tiens pas à te faire piquer, pas vrai ?

Ce mot, de nouveau. « Piquer. » Thomas s'efforça de l'ignorer et indiqua l'escalier, par où leur parvenaient les hurlements du malade.

— Si Newt est là-haut, je veux lui parler.

L'autre resta silencieux et fixa Thomas pendant de longues secondes. Puis il secoua la tête.

— Tu sais quoi ? Tu as raison, Tommy : je ne devrais pas être aussi dur envers les nouveaux. Monte donc, je suis sûr qu'Alby et Newt seront ravis de te mettre au parfum. Sérieusement, vas-y. Je suis désolé.

Il lui donna une petite tape sur l'épaule et lui montra l'escalier. Thomas le dévisagea avec méfiance. L'amnésie ne l'avait pas rendu complètement idiot.

— Comment tu t'appelles ? lui demanda-t-il pour gagner du temps avant de se décider à monter.

— Gally. Et que les choses soient bien claires, c'est moi le chef, ici, pas ces deux vieux tocards qui sont là-haut. Tu peux m'appeler capitaine Gally si tu veux.

Il sourit pour la première fois ; ses dents pourries allaient très bien avec son nez. Son haleine rappela à Thomas un vague souvenir horrible. Il sentit son estomac se soulever.

— D'accord, dit-il, exaspéré par ce garçon qu'il aurait bien cogné en pleine poire, capitaine Gally.

Il s'inclina profondément devant lui, porté par une bouffée d'adrénaline, conscient qu'il venait de franchir la ligne jaune.

Quelques gloussements fusèrent dans l'assistance, et Gally, le visage écarlate, fusilla du regard ses compagnons. Quand il se retourna vers Thomas, un pli de haine lui barrait le front et il fronçait son nez monstrueux.

— Vas-y, répéta-t-il. Et évite de te retrouver sur mon chemin.

Il indiqua l'étage sans quitter Thomas des yeux.

— D'accord, capitaine.

Thomas regarda autour de lui, mal à l'aise et furieux. Il sentait le sang lui empourprer le visage. Personne ne fit un geste pour l'empêcher de monter, à part Chuck, debout à l'entrée, qui secoua la tête.

— Tu ne devrais pas, lui dit-il. Tu es encore nouveau, tu n'as pas le droit.

— Vas-y, hésite pas, insista Gally. Monte !

Thomas commençait à regretter d'être entré dans la maison, mais il avait très envie de parler avec Newt.

Il s'engagea dans l'escalier. Les marches grinçaient et pliaient sous son poids ; si les autres n'avaient pas été là, à le regarder, il se serait arrêté, de peur de passer à travers le bois vermoulu. Il continua à monter, grimaçant à chaque marche. À l'étage, sur la gauche un palier desservait plusieurs chambres. De la lumière filtrait sous l'une des portes.

— La Transformation ! lui cria Gally d'en bas. Tu y auras droit bientôt, guignol !

Cette moquerie donna du courage à Thomas. Il s'avança d'un pas résolu vers la porte éclairée, ignorant les grincements du plancher, les rires qui lui parvenaient du rez-de-chaussée et ces mots inconnus qui lui inspiraient de la crainte. Il tendit le bras, tourna la poignée en laiton et poussa la porte.

Dans la chambre, Newt et Alby se tenaient au chevet d'un malade.

Thomas s'avança d'un pas. Ce qu'il vit lui glaça le sang. Il refoula un haut-le-cœur.

Il n'avait regardé que quelques secondes, mais ce qu'il avait entraperçu sur le lit le hanterait toute sa vie. Une silhouette pâle qui se tordait, parcourue de spasmes, le torse dénudé ; des veines d'une horrible teinte verdâtre qui saillaient comme des cordes sous la peau ; des hématomes violacés, des traces de griffures ; des yeux injectés de sang qui roulaient dans tous les sens. Cette image s'était déjà gravée dans l'esprit de Thomas quand Alby bondit pour l'empêcher de voir. Il le repoussa hors de la chambre et claqua la porte derrière eux.

— Qu'est-ce que tu fiches ici, le bleu ? rugit Alby, les lèvres retroussées et les yeux menaçants.

— Je… euh… je cherchais des réponses, murmura-t-il sans conviction.

Au fond de lui, il avait déjà capitulé. Qu'était-il arrivé à ce pauvre garçon ? Thomas s'appuya à la rambarde du palier et fixa le sol, en se demandant quoi faire.

— Ramène ton sale petit cul en bas tout de suite, lui ordonna Alby. Chuck va s'occuper de toi. Si je te revois avant demain matin, je te fais la peau. Je te balancerai moi-même du haut de la Falaise, compris ?

Thomas était humilié et terrifié. Sans un mot, il passa devant Alby et descendit les marches aussi vite qu'il osa. Ignorant les regards narquois des garçons qui l'attendaient en bas – surtout celui de Gally –, il se dirigea vers la porte et attrapa Chuck par le bras au passage.

Thomas détestait ces gens. Tous, à l'exception de Chuck.

— Emmène-moi loin d'ici, lui souffla-t-il.

Il prit conscience que Chuck était peut-être le seul ami qu'il avait en ce monde.

— D'accord, répondit Chuck, tout content qu'on puisse avoir besoin de lui. Mais d'abord, il faut aller demander quelque chose à manger à Poêle-à-frire.

— Je ne crois pas que je pourrai avaler quoi que ce soit.

Pas après la scène qu'il avait vue.

Chuck hocha la tête.

— Mais si, t'inquiète. Attends-moi au pied de l'arbre. Je te retrouve dans dix minutes.

Trop heureux de quitter la maison, Thomas s'éloigna en direction de l'arbre. Il découvrait à peine à quoi ressemblait la vie dans cet endroit et il en avait déjà assez. Il cligna des paupières à plusieurs reprises pour chasser de son esprit les terribles images.

La Transformation. C'était le nom qu'avait employé Gally.

Thomas frissonna.

CHAPITRE 4

Thomas s'adossa contre le tronc pour attendre Chuck. Il balaya du regard l'ensemble du Bloc dans lequel il semblait condamné à vivre. L'ombre s'était considérablement étirée ; elle grignotait déjà le mur d'en face couvert de plantes grimpantes.

Au moins, ça lui permettait de s'orienter : la maison en bois occupait le coin nord-ouest, plongé dans la pénombre, et le bosquet se trouvait au sud-ouest. Les cultures, où s'attardait encore une poignée de travailleurs, s'étendaient sur l'ensemble du quartier nord-est. Au sud-est, enfin, les animaux meuglaient et bêlaient dans leurs enclos.

Au centre du Bloc, le trou béant de la Boîte restée ouverte semblait l'inviter à sauter dedans pour rentrer chez lui. Tout près de l'élévateur, à moins d'une dizaine de mètres au sud, se dressait une construction basse en béton, sans fenêtre, avec pour seul accès une porte en fer d'aspect menaçant, commandée par un volant d'acier, comme dans les sous-marins. En dépit de ce qu'il venait de voir, Thomas était partagé entre la curiosité de savoir ce qui se trouvait à l'intérieur et la crainte de le découvrir.

Il venait de reporter son attention sur les immenses ouvertures au milieu des quatre murs du Bloc quand Chuck le rejoignit avec deux sandwiches, deux pommes et deux gobelets métalliques remplis d'eau. Thomas fut soulagé de le voir : il n'était pas *complètement* seul ici, après tout.

— Poêle-à-frire n'était pas très content de me voir débarquer dans sa cuisine après l'heure du repas, avoua Chuck.

Il s'assit sous l'arbre avec ses provisions. Thomas s'installa en face de lui, prit un sandwich, hésita un instant ; l'image monstrueuse qu'il avait aperçue dans la maison lui était revenue en mémoire. Néanmoins, la faim finit par l'emporter et il mordit dans son sandwich.

— Aaah, fit-il en mâchant. Je mourais de faim.

— Je te l'avais dit, triompha Chuck.

Après quelques bouchées, Thomas se résolut à poser la question qui le tenaillait.

— Qu'est-ce qu'il a, ce Ben ? Il n'a presque plus rien d'humain.

Chuck jeta un coup d'œil en direction de la maison.

— Je ne sais pas, répondit-il machinalement. Je ne l'ai pas vu.

Visiblement, il mentait, mais Thomas décida de ne pas insister.

— Ça vaut mieux, crois-moi, lui assura-t-il.

Il termina son sandwich tout en examinant les ouvertures dans les murs. C'était difficile à voir de là où ils se trouvaient, mais les rebords de pierre des issues présentaient un aspect étrange. Thomas fut pris d'une sensation de vertige à force de fixer ces murs colossaux, comme s'il les regardait d'en haut et non d'en bas.

— Il y a quoi, de l'autre côté ? finit-il par demander pour briser le silence. On est dans une espèce de château géant, ou quoi ?

Chuck se tortilla, mal à l'aise.

— En fait, euh… je ne suis jamais sorti du Bloc.

Thomas en resta abasourdi.

— Tu me caches quelque chose, déclara-t-il enfin.

La frustration de n'obtenir aucune réponse à ses questions commençait à lui porter sur les nerfs.

— Pourquoi vous faites tous autant de mystères ?

— C'est comme ça. Les choses sont bizarres, par ici, et nous ne savons pas tout. Loin de là.

Cet aveu ne paraissait pas le contrarier plus que ça. Thomas n'en revenait pas. On aurait dit que Chuck se moquait de ce qui lui arrivait. Qu'est-ce qui ne tournait pas rond chez ces garçons ? Thomas se leva et se dirigea vers l'ouverture est.

— Bon, je suppose qu'on a quand même le droit d'aller jeter un coup d'œil.

Il avait besoin d'en apprendre davantage, sans quoi il allait devenir fou.

— Holà, attends une seconde ! s'écria Chuck en lui courant après. Fais gaffe, elles vont bientôt se fermer.

Il était déjà hors d'haleine.

— Se fermer ? De quoi tu parles ?

— Eh bien, des portes, tocard !

— Quelles portes ? Je n'en vois aucune.

Thomas sentait que Chuck était sérieux, que quelque chose lui échappait. Mal à l'aise, il se rendit compte qu'il avait ralenti l'allure. Subitement, il n'était plus aussi pressé d'atteindre les murs.

— Et ces grandes ouvertures, là, tu appelles ça comment ? dit Chuck en indiquant les fentes béantes au milieu de chaque mur.

La plus proche n'était plus qu'à une dizaine de mètres.

— Des « grandes ouvertures », répliqua Thomas.

Il aurait voulu masquer son malaise sous le sarcasme mais il devait bien s'avouer que ça ne fonctionnait pas.

— Eh bien, ce sont des portes. Elles se referment tous les soirs.

Thomas, convaincu d'avoir mal entendu, leva les yeux, examina les bords de chaque mur et sentit monter en lui une peur panique.

— Comment ça, elles se referment ?

— Tu vas voir. Les coureurs vont bientôt rentrer ; et après, les murs vont se rapprocher et colmater ces brèches.

— N'importe quoi, maugréa Thomas.

Il ne voyait pas comment ces murailles monumentales pouvaient être mobiles. Il se détendit, convaincu que Chuck le faisait marcher.

Ils s'arrêtèrent au seuil de l'ouverture. Les dalles de pierre continuaient au-delà. Thomas resta bouche bée devant la masse écrasante de l'édifice.

— On appelle ça la porte de l'Est, indiqua Chuck avec une étrange fierté.

Thomas l'entendit à peine. De près, le mur était encore plus impressionnant. Large de sept mètres environ, l'ouverture se prolongeait jusqu'au sommet, très loin au-dessus d'eux. Ses bordures étaient quasiment lisses, à l'exception, sur le côté gauche, de trous coniques d'une dizaine de centimètres de diamètre creusés dans le roc tous les trente centimètres.

Sur le côté droit, des pointes de même dimension saillaient, pile en face des trous. Leur destination était évidente.

— Pas possible, s'exclama Thomas, les entrailles nouées par la peur. C'est sérieux ? Les murs se déplacent pour de bon ?

— Tu croyais que je rigolais ?

Thomas avait toutes les peines du monde à s'en convaincre.

— Je ne sais pas. J'imaginais une sorte de porte basculante ou coulissante. Comment peut-on bouger une masse pareille ? Ces murailles sont gigantesques, on dirait qu'elles sont là depuis mille ans.

L'idée de voir ces murs se refermer et le piéger dans cet endroit qu'on appelait le Bloc lui glaçait le sang.

Chuck leva les bras d'un air exaspéré.

— Je n'en sais rien ! Elles bougent, c'est tout. Et je peux te dire que ça fait un boucan terrible. C'est la même chose partout dans le Labyrinthe : les murs se déplacent tous les soirs !

Thomas se tourna brusquement vers lui.

— Qu'est-ce que tu viens de dire ?

— Hein ?

— Tu as parlé d'un labyrinthe ; tu as dit : « C'est la même chose partout dans le *Labyrinthe*. »

Chuck rougit.

— Allez, j'en ai marre. Je te laisse.

Il repartit en direction de l'arbre.

Thomas l'ignora, plus intéressé que jamais par l'extérieur du Bloc. Un labyrinthe ? Devant lui, au-delà de la porte de l'Est, des passages s'ouvraient vers la gauche, vers la droite, et droit devant. Et les murs de ces passages ressemblaient en tout point à ceux qui bordaient le Bloc. Le lierre y paraissait encore plus dense. Le sol était fait des mêmes dalles. À quelque distance, d'autres ouvertures dans les murs menaient vers d'autres chemins, et plus loin encore, à une centaine de mètres environ, il y avait un cul-de-sac.

— C'est vrai qu'on dirait un labyrinthe, murmura Thomas, en riant presque.

On avait effacé sa mémoire avant de l'envoyer dans un labyrinthe géant ! C'était tellement dingue que ça en devenait drôle.

Il eut un sursaut de surprise lorsqu'un garçon surgit de l'un des passages sur sa droite et fonça dans sa direction au pas de course. Couvert de sueur, le visage écarlate, les habits trempés, le garçon passa devant lui sans ralentir ni lui accorder un regard. Il se dirigea droit vers le bâtiment en béton à proximité de la Boîte.

D'autres coureurs surgirent, dans le même état, et regagnèrent le Bloc par les trois autres ouvertures. Ce labyrinthe ne devait pas être un endroit très agréable pour qu'ils en reviennent tous aussi épuisés.

Intrigué, il les regarda se regrouper devant la grosse porte en fer du bâtiment ; l'un des garçons tourna le volant rouillé, en grognant sous l'effort. Chuck avait parlé de coureurs, tout à l'heure. Qu'allaient-ils donc faire à l'extérieur du Bloc ?

La porte finit par se débloquer, et les garçons l'ouvrirent dans un crissement métallique assourdissant. Ils s'engouffrèrent à l'intérieur puis la refermèrent derrière eux. Thomas resta planté là, à chercher une explication.

Une traction sur sa manche le tira de ses pensées : Chuck était revenu.

Un flot de questions fusa de sa bouche.

— Qui sont-ils, et qu'est-ce qu'ils fabriquaient là-dehors ? Qu'est-ce qu'il y a dans ce bâtiment ? (Thomas pivota et indiqua la porte de l'Est.) Pourquoi vivez-vous dans un foutu labyrinthe ?

— Je ne te dirai plus rien, répliqua Chuck. Je crois que tu ferais mieux d'aller te coucher tôt. Tu auras besoin d'être en forme demain. Ah ! (Il s'interrompit, leva un doigt et décolla son oreille droite.) Ça va bientôt être l'heure.

— L'heure de quoi ? demanda Thomas, étonné de voir Chuck se comporter subitement en adulte et non plus comme un gamin désireux de se faire un ami.

Un grand « boum » retentit, suivi par un horrible grondement. Thomas trébucha et tomba à quatre pattes. Le sol tremblait ; il jeta des regards affolés autour de lui, paniqué. Les murs se refermaient – ils se refermaient pour de bon ! – alors qu'il était à l'intérieur du Bloc. Une bouffée de claustrophobie monta en lui, menaçant de l'étouffer, comme s'il avait de l'eau dans les poumons.

— Du calme, le bleu ! lui cria Chuck par-dessus le vacarme. C'est seulement les murs !

Thomas l'entendit à peine, fasciné par la fermeture des portes. Il se releva et recula de quelques pas pour mieux observer la scène. Il ne parvenait pas à en croire ses yeux.

Le mur gigantesque à sa droite semblait défier toutes les lois de la physique. Il glissait sur le sol en soulevant des étincelles et un nuage de poussière. Le grondement faisait vibrer ses os. Thomas s'aperçut que ce mur était le seul à bouger ; il se rapprochait de celui de gauche. Thomas se tourna vers les autres portes. Sa tête lui donna l'impression de pivoter plus rapidement que son corps, et il fut pris de vertige. Partout, seul le mur de droite se déplaçait vers celui de gauche.

«Impossible! se dit-il. Comment peut-on faire ça?» Il dut lutter contre l'envie de courir entre les pans avant qu'ils se referment et de s'enfuir du Bloc.

Il s'efforça de comprendre le mécanisme à l'œuvre sous ses yeux. Une image de son passé lui revint brièvement en mémoire. Il voulut s'y raccrocher, la retenir, en la complétant par des visages, des noms, un lieu, mais elle s'estompa aussitôt. Une pointe de tristesse creva le tourbillon de ses émotions.

Il regarda le mur de droite terminer sa course et insérer sans résistance ses pointes dans les trous correspondants. Un «boum» sonore résonna à travers le Bloc tandis que les quatre portes se refermaient pour la nuit.

Un calme surprenant envahit Thomas; il poussa un soupir de soulagement.

— Waouh, commenta-t-il.

— Ce n'est rien, comme dirait Alby, murmura Chuck. On s'y habitue, au bout d'un moment.

Thomas jeta un dernier regard autour de lui. L'atmosphère était différente, à présent que les murs étaient clos. Il réfléchit aux raisons d'une telle précaution et se demanda ce qui était le pire : se dire qu'on les enfermait à *l'intérieur*, ou qu'on voulait les protéger de ce qui se trouvait à *l'extérieur*. Cette réflexion balaya aussitôt le calme qu'il avait pu ressentir, car elle suscitait un million de possibilités, toutes inquiétantes, concernant ce qui pouvait rôder dans le Labyrinthe.

— Amène-toi, lui dit Chuck en le tirant par la manche. Crois-moi, quand la nuit tombe, il vaut mieux être au lit.

Thomas n'avait pas le choix. Il suivit son compagnon.

CHAPITRE 5

Ils gagnèrent l'arrière de la ferme – comme Chuck appelait cet amoncellement bringuebalant de planches et de fenêtres.

— Où on va ? voulut savoir Thomas.

Il se sentait oppressé par la proximité écrasante du mur, du Labyrinthe. Il devait s'arrêter de penser, sans quoi il allait devenir fou. Pour se raccrocher au réel, il tenta une plaisanterie :

— Si tu espères un bisou pour la nuit, tu rêves.

Chuck ne prit pas la peine de se retourner.

— Ta gueule, suis-moi !

Thomas poussa un soupir et haussa les épaules. Ils se faufilèrent sur la pointe des pieds jusqu'à une petite fenêtre poussiéreuse d'où filtrait de la lumière. Thomas entendit des bruits à l'intérieur.

— La salle de bains, souffla Chuck.

— Et alors ?

— J'adore faire ça aux autres. C'est mon petit plaisir avant d'aller au lit.

— Faire quoi ? demanda Thomas, qui voyait bien que Chuck préparait une sale blague. Je devrais peut-être…

— Chut ! Regarde…

Chuck grimpa sans bruit sur une caisse en bois. Il s'accroupit pour que personne ne puisse le voir de l'intérieur. Puis il leva la main et frappa doucement au carreau.

— C'est débile, chuchota Thomas. (Le moment semblait

vraiment mal choisi pour ce genre de farce. Ça pouvait être Newt ou Alby à l'intérieur.) Je n'ai pas envie d'avoir des problèmes. Je me tire!

Chuck mit sa main sur sa bouche pour s'empêcher de pouffer. Sans prêter attention à Thomas, il toqua une deuxième fois.

Une ombre vint masquer la lumière, puis quelqu'un releva la fenêtre à guillotine. Thomas se plaqua contre la maison. Il n'arrivait pas à croire qu'il s'était laissé entraîner dans ce genre de gamineries. Il savait que, si la personne sortait la tête, elle ne manquerait pas de les voir, Chuck et lui.

— Qui est là? cria une voix vibrante de colère.

Thomas retint son souffle: Gally!

Tout à coup, Chuck se dressa devant l'ouverture comme un diable hors de sa boîte en criant à pleins poumons. Un grand fracas à l'intérieur indiqua que son stratagème avait fonctionné, et, à en croire le chapelet de jurons qui s'ensuivit, Gally n'appréciait pas du tout. Il hurla:

— Je vais te faire la peau!

Mais Chuck avait déjà sauté de sa caisse et détalait. Thomas se figea en entendant Gally ouvrir la porte et se ruer hors de la salle de bains.

Thomas finit par s'arracher à sa stupeur et partit à la suite de son nouvel – et seul – ami. Il tournait le coin quand Gally sortit de la ferme en vociférant, la bave aux lèvres.

Il pointa aussitôt le doigt vers Thomas.

— Viens ici! rugit-il.

Thomas rentra la tête dans les épaules. Tout semblait indiquer qu'il allait prendre une raclée.

— Ce n'était pas moi, je te jure, protesta-t-il.

Et puis, en regardant approcher le garçon, il se rendit compte qu'il n'y avait pas de quoi être terrorisé. Gally n'était pas si imposant. En fait, Thomas était largement de taille à se défendre.

— Pas toi, hein? grogna Gally. (Il s'approcha lentement et s'arrêta juste devant Thomas.) Comment sais-tu qu'il s'est passé quelque chose, si tu n'y es pour rien?

Thomas ne répondit pas, mal à l'aise.

— Ne me prends pas pour une truffe, le bleu, cracha Gally. J'ai bien reconnu ce gros lard de Chuck derrière la vitre. (Il pointa le doigt et martela le torse de Thomas.) Mais tu as intérêt à décider vite fait qui tu veux avoir comme ami et comme ennemi, tu m'entends? Encore un truc dans ce genre, et ça va saigner – peu importe que ce soit ton idée ou pas. Compris, le nouveau?

Avant que Thomas ait pu répondre, Gally avait tourné les talons.

— Désolé, murmura Thomas, avec une grimace en réalisant à quel point ça devait paraître stupide.

— Je te connais, grogna Gally sans se retourner. Je t'ai vu dans la Transformation, et je finirai par savoir qui tu es.

Thomas le regarda rentrer dans la ferme. Sa mémoire se résumait à peu de choses, mais il était certain de ne jamais avoir détesté quelqu'un aussi fort. Il fut surpris de constater à quel point il haïssait ce garçon. Quand il se retourna, il découvrit Chuck, debout derrière lui, qui fixait ses chaussures avec un air gêné.

— Merci beaucoup, mon pote, lui lança-t-il.

— Désolé…, soupira Chuck. Si j'avais su que c'était Gally, je ne l'aurais pas fait, je te jure.

Thomas éclata de rire. Une heure plus tôt, il aurait parié qu'il ne rirait plus jamais.

Chuck le dévisagea, méfiant, puis grimaça un sourire.

— Quoi?

Thomas secoua la tête.

— Ne t'excuse pas. Il l'avait bien mérité, ce tocard. C'était super.

Il se sentait beaucoup mieux.

*

Deux heures plus tard, Thomas était allongé dans un sac de couchage à côté de Chuck. Ils s'étaient installés sur un coin d'herbe en bordure du potager : c'était une grande pelouse qu'il n'avait pas remarquée plus tôt, et que plusieurs garçons avaient choisie pour dormir. Thomas trouvait ça étrange, mais, apparemment, il n'y avait pas assez de place à l'intérieur de la ferme.

Le regard perdu dans les étoiles, il écoutait les murmures des conversations. Le sommeil le fuyait. Il ne parvenait pas à se défaire du désespoir qui lui pesait sur le corps et sur l'esprit – la gaieté engendrée par le bon tour joué à Gally n'avait pas duré. Ç'avait été une longue journée, aussi étrange qu'interminable. Il éprouvait par-dessus tout une profonde tristesse.

Chuck interrompit le cours de ses pensées.

— Eh bien, le bleu, tu as survécu à ta première journée.

— Tout juste.

« Pas maintenant, Chuck, aurait-il voulu dire. Je ne suis pas d'humeur. »

Chuck se redressa sur un coude et se tourna vers Thomas.

— Tu vas découvrir pas mal de choses au cours des prochains jours. T'inquiète, on s'y fait vite.

— Hum, je suppose, oui. À commencer par votre argot. D'où il sort, d'ailleurs ?

Certaines de leurs expressions lui semblaient provenir d'une langue étrangère.

Chuck se rallongea.

— Je ne sais pas. Je ne suis là que depuis un mois, tu sais.

Thomas commençait à se poser des questions à propos de Chuck. Est-ce qu'il lui disait bien tout ? C'était un garçon vif, drôle, et qui paraissait sans méchanceté, mais est-ce qu'on pouvait s'y fier ? Au fond, il était aussi mystérieux que tout ce qu'on trouvait dans le Bloc.

Quelques minutes s'écoulèrent, et Thomas, enfin rattrapé par la fatigue de cette longue journée, sentit le sommeil l'engourdir. Mais soudain, une pensée jaillit dans son esprit. Une pensée inattendue, dont il n'aurait su dire d'où elle lui venait.

Tout à coup, le Bloc, les murs, le Labyrinthe – tout ça lui semblait... familier. Un grand calme se répandit en lui, et pour la première fois depuis son arrivée il n'eut plus l'impression que le Bloc était le pire endroit au monde. «Que s'est-il passé? se dit-il. Qu'est-ce qui a changé?» Bizarrement, la sensation que tout irait bien le mettait mal à l'aise.

Il sut alors ce qu'il devait faire. Cette sensation était étrange et familière à la fois. Mais il était convaincu de ne pas se tromper.

— Je veux faire partie de ceux qui vont dans le Labyrinthe, dit-il à voix haute, ignorant si Chuck était encore éveillé.

— Hein?

Thomas perçut une pointe d'irritation dans la voix de Chuck.

— Les coureurs, insista-t-il. Je veux en faire partie.

— Tu ne sais même pas de quoi tu parles, grommela Chuck en roulant sur le flanc. Dors!

Avec une assurance surprenante, Thomas déclara:

— Je veux devenir coureur.

— Oublie ça pour l'instant.

Surpris par sa réaction, Thomas prévint Chuck:

— Pas la peine d'essayer de me...

— Thomas, mon ami, laisse tomber.

— J'en parlerai demain avec Alby.

«Un coureur, songea Thomas. Je ne sais même pas ce que c'est. J'ai perdu la boule, ou quoi?»

Chuck rit doucement.

— Espèce de gros plonk. Essaie de dormir.

Mais Thomas ne put s'empêcher de continuer.

— Il y a quelque chose, dans cet endroit... un truc familier.

— Dors !

Puis Thomas fut frappé d'une révélation – comme si plusieurs pièces du puzzle venaient de s'emboîter. Il ne savait pas encore à quoi ressemblerait le tableau final, mais ses paroles lui vinrent toutes seules, comme si on les lui avait soufflées :

— Chuck, je crois que... je suis déjà venu ici.

Il entendit son compagnon s'asseoir et lâcher une exclamation de surprise. Mais il lui tourna le dos et refusa d'en dire plus, de peur de perdre ce sentiment nouveau, ce calme rassurant qui l'emplissait tout entier.

Il s'endormit beaucoup plus facilement qu'il ne s'y attendait.

CHAPITRE 6

Thomas fut réveillé par quelqu'un qui le secouait. Il ouvrit les yeux d'un coup et découvrit un visage tout près du sien. Autour de lui, le Bloc était encore plongé dans la pénombre du petit matin. Il fit mine de parler mais on lui plaqua une main froide sur la bouche. La panique commençait à le gagner, quand il reconnut son agresseur.

— Silence, le bleu. Tu ne voudrais pas réveiller Chuckie, quand même?

C'était Newt, celui qui semblait faire office de lieutenant.

Quoique surpris, Thomas se sentit aussitôt rassuré. Il ne put s'empêcher d'éprouver de la curiosité. Que lui voulait le garçon? Il hocha la tête, fit de son mieux pour dire oui avec les yeux, jusqu'à ce que Newt retire sa main.

— Amène-toi, lui souffla-t-il. (Il lui prit la main et le mit debout – avec une telle force que Thomas eut l'impression qu'il allait lui arracher le bras.) Je voudrais te montrer un truc avant que tout le monde soit levé.

Thomas était désormais complètement réveillé.

— D'accord, dit-il, prêt à le suivre où il voudrait.

Il savait qu'il aurait dû se montrer plus prudent: après tout, il n'avait aucune raison de se fier à qui que ce soit pour l'instant; mais la curiosité prit le dessus. Il se pencha pour enfiler ses chaussures.

— Où on va?

— Suis-moi, c'est tout. Et reste près de moi.

Ils se faufilèrent entre leurs compagnons endormis. Thomas faillit trébucher plusieurs fois sur un corps. Il écrasa une main, ce qui lui valut un coup de poing sur le tibia.

— Désolé, chuchota-t-il, ignorant le regard noir que lui lançait Newt.

Quand ils atteignirent les dalles de pierre grise, Newt partit au pas de course en direction du mur ouest. Thomas hésita. Pourquoi courir ? Puis il secoua la tête et suivit le mouvement.

Il faisait encore sombre, mais les rares obstacles se détachaient comme des ombres noires, et il n'eut aucun mal à trouver son chemin. Il s'arrêta en même temps que Newt, juste à côté du mur qui les dominait de toute sa masse comme un gratte-ciel – encore une image qui venait de remonter à la surface trouble de son amnésie. Thomas remarqua ici et là de petites lumières rouges sur le mur, qui bougeaient et clignotaient.

— Qu'est-ce que c'est ? murmura-t-il d'une voix qui lui parut frêle.

Ces lueurs intermittentes avaient quelque chose d'inquiétant.

Newt se tenait à moins d'un mètre du rideau de lierre qui recouvrait le mur.

— Quand tu auras besoin de le savoir, je te le dirai.

— Bah, c'est un peu débile de vouloir me montrer un truc si c'est pour ne pas répondre à mes questions, observa Thomas, qui s'étonnait lui-même de son audace. Tocard, ajouta-t-il avec tout le sarcasme dont il était capable.

Newt pouffa, mais se reprit très vite.

— Je t'aime bien, le bleu. Ferme-la, maintenant, et regarde.

Newt s'avança, plongea les mains dans le lierre et mit au jour un carreau de verre poussiéreux de moins d'un mètre de côté. Il était opaque pour l'instant, comme s'il était peint en noir.

— Qu'est-ce qu'on est censés voir ? demanda Thomas.

— Relax, mon pote. Ça va venir.

Plusieurs minutes s'écoulèrent. Thomas piétinait sur place. Comment Newt pouvait-il rester là, parfaitement immobile, à contempler le noir?

Puis il se produisit quelque chose.

Une lueur fantomatique traversa le carreau de verre; elle jeta toutes sortes de reflets colorés sur Newt, comme s'il se tenait au bord d'une piscine éclairée par le fond. Thomas se figea, les paupières mi-closes, tâchant de distinguer ce qui se trouvait de l'autre côté. Il sentit une grosse boule se former dans sa gorge. «Qu'est-ce que c'est que ça?» se dit-il.

— De l'autre côté, c'est le Labyrinthe, chuchota Newt, les yeux écarquillés, comme en transe. Notre vie entière tourne autour du Labyrinthe. Chaque seconde de notre putain de vie est consacrée au Labyrinthe, à résoudre une énigme qui n'a peut-être même pas de solution, tu comprends? Je tiens à te montrer pourquoi il faut prendre ça au sérieux. Pourquoi ces foutus murs se referment tous les soirs. Et pourquoi tu n'as vraiment pas intérêt à te retrouver coincé là-bas.

Newt se recula, sans laisser retomber le lierre. Il fit signe à Thomas de prendre sa place et de regarder à travers le carreau de verre.

Thomas se pencha, le nez collé à la surface froide. Il mit une seconde à découvrir ce que Newt voulait qu'il voie. Il en eut le souffle coupé comme si un vent glacial l'avait figé en glaçon.

Une créature massive, de la taille d'un bœuf informe, se traînait sur le sol de l'autre côté. Elle glissa sur le mur d'en face, puis bondit sur le carreau de verre avec un choc sourd. Thomas poussa un cri étouffé et se jeta en arrière, tandis que la créature rebondissait sans dommage sur le verre.

Il respira bien à fond, deux fois, puis revint se pencher au carreau. Il faisait trop sombre pour distinguer tous les détails; des lueurs étranges, provenant d'une source inconnue, lui dévoilèrent des reflets métalliques et des scintillements de chair. Des appendices sortaient du corps de la créature, terminés par de redoutables instruments : une lame de scie, des cisailles, de longues tiges de métal inquiétantes.

La créature était le fruit d'un mélange abominable de bête et de machine. Elle donnait l'impression de sentir qu'on l'observait, de savoir ce qui se trouvait entre les murs du Bloc, et d'être désireuse de pénétrer à l'intérieur pour se repaître de chair humaine. Thomas sentit une terreur glacée se répandre dans son torse et l'empêcher de respirer. Il était convaincu de n'avoir jamais rien vu d'aussi épouvantable.

Il battit en retraite. Le courage qu'il avait éprouvé la veille au soir s'était dissipé d'un seul coup.

— Qu'est-ce que c'est que ce truc ? demanda-t-il.

Il avait le ventre tellement noué qu'il doutait de pouvoir remanger un jour.

— On appelle ça des Griffeurs, lui répondit Newt. Tu parles d'une saloperie, hein ? Heureusement, ils ne sortent que la nuit, quand les murs sont fermés.

Thomas se racla la gorge. Oserait-il un jour s'aventurer dans le Labyrinthe ? Son envie de rejoindre les coureurs venait d'en prendre un coup. Et pourtant il *devait* le faire. Il le sentait au plus profond de son être, même après ce qu'il venait de voir.

Newt fixait le carreau de verre d'un air absent.

— Maintenant, tu sais ce qui rôde à l'intérieur du Labyrinthe, mon pote. Comme ça, tu as compris qu'on n'est pas là pour rigoler. Te voilà dans le Bloc. On compte sur toi pour nous aider à faire ce qu'on attend de nous.

— À savoir ? interrogea Thomas, qui avait très peur d'entendre la réponse.

Newt le dévisagea bien en face. Thomas put distinguer les moindres détails de son visage, de sa peau et de son front barré d'un pli sévère.

— Trouver la sortie de ce foutu Labyrinthe pour rentrer chez nous, dit Newt.

*

Deux heures plus tard, alors que les portes s'étaient rouvertes en faisant trembler le sol, Thomas s'assit, devant la ferme, à une vieille table de pique-nique bancale. Il songeait aux Griffeurs, à ce qu'ils pouvaient bien faire là, dehors, pendant la nuit. À ce qu'on devait ressentir en face de créatures aussi terribles.

Il s'efforça de chasser leur image de sa tête et de penser à autre chose. Aux coureurs, par exemple. Ils venaient de partir sans un mot : ils avaient couru vers le Labyrinthe à toute vitesse et disparu dans les passages. Il se les représenta mentalement tout en mangeant ses œufs au bacon sans parler à personne, pas même à Chuck, qui mangeait en silence à côté de lui. Il n'avait qu'une envie : qu'on le laisse tranquille.

C'était plus fort que lui, son cerveau ne parvenait pas à digérer la situation. Comment un tel labyrinthe, avec des murs aussi énormes, si vaste que des dizaines de garçons n'avaient pas pu en trouver la sortie, pouvait-il exister ? Et, plus important, à quoi pouvait-il bien servir ? Que faisaient-ils là ? Et depuis combien de temps ?

Malgré toutes ces interrogations, ses pensées revenaient invariablement à l'image du Griffeur. Sa silhouette menaçante s'imposait à lui chaque fois qu'il clignait des paupières.

Thomas ne comprenait rien à tout cela. Sauf une chose. Il était destiné à devenir coureur. D'où lui venait donc cette conviction ? Surtout maintenant qu'il avait vu ce qui rôdait dans le Labyrinthe ?

Une tape sur l'épaule le sortit de ses cogitations ; il découvrit Alby debout derrière lui, les bras croisés.

— Bien dormi ? lui lança ce dernier. Il y avait une belle vue au carreau, ce matin ?

Thomas se leva, espérant que l'heure des réponses avait enfin sonné – ou qu'au moins il allait trouver moyen de s'arracher à ses pensées lugubres.

— Assez belle pour me donner envie d'en savoir plus à propos de cet endroit, répondit-il avec prudence. Il ne voulait pas que l'autre se remette en colère.

Alby hocha la tête.

— Toi et moi, tocard. En route pour la visite! (Il tourna les talons puis s'arrêta, un doigt en l'air.) Aucune question avant la fin, d'accord? Je n'ai pas le temps de bavarder avec toi toute la journée.

— Mais… (Thomas s'interrompit en voyant Alby froncer les sourcils. Pourquoi ce garçon se sentait-il obligé d'être aussi désagréable?) Mais alors, dis-moi tout. Je veux tout savoir.

Il avait décidé la veille au soir de ne plus parler à personne de sa sensation d'être déjà venu dans cet endroit. Mieux valait sans doute garder ça pour lui.

— Je te dirai ce que j'aurai envie de te dire, le bleu. Allons-y.

— Je peux venir? demanda Chuck.

Alby se pencha et lui tordit l'oreille.

— Aïe! s'écria Chuck.

— Tu n'as rien de mieux à faire, tête de pioche? Tu n'as pas du torchage qui t'attend?

Chuck leva les yeux au ciel, puis se tourna vers Thomas.

— Amuse-toi bien.

— Je vais essayer.

Il se sentait soudain désolé pour Chuck. Il aurait bien voulu que les autres le traitent mieux. Mais il n'y pouvait rien pour l'instant: il était temps de partir.

Il emboîta le pas à Alby.

CHAPITRE 7

Ils commencèrent par la Boîte, fermée pour le moment. Le jour s'était levé; les ombres s'allongeaient dans la direction opposée à celle de la veille. Thomas n'apercevait toujours pas le soleil, mais il allait sûrement pointer d'une minute à l'autre au-dessus du mur est.

Alby indiqua la porte à double battant, dont la peinture blanche s'écaillait.

— Ça, c'est la Boîte. Une fois par mois, elle nous amène un bleu comme toi. Ça ne rate jamais. Une fois par semaine, elle nous livre du matériel, des vêtements, de la nourriture. On n'a pas besoin de grand-chose, on produit pratiquement tout ce qu'il nous faut.

Thomas hocha la tête, dévoré par l'envie de poser des questions.

— En fait, on ne sait rien à propos de la Boîte, poursuivit Alby. Ni d'où elle vient, ni par où elle passe, ni qui la charge. Les tocards qui nous l'envoient ne nous disent rien. On est fournis en électricité et en vêtements, et les animaux et le jardin nous procurent l'essentiel de la nourriture. On a essayé de renvoyer un nouveau dans la Boîte, une fois : cette saleté n'a pas voulu se refermer avant qu'on le sorte de là.

Thomas aurait bien voulu savoir ce qu'il y avait sous les battants de la porte en l'absence de la Boîte, mais il retint sa langue.

Alby continua à parler, sans se donner la peine de se tourner vers Thomas.

— Le Bloc se divise en quatre parties : le jardin, l'abattoir, la ferme et le terminus. Tu retiendras ?

Thomas secoua la tête, confus.

Alby cligna des paupières avant de continuer ; on aurait dit qu'il avait mille fois mieux à faire que d'être ici. Il indiqua le coin nord-est, où se trouvaient les champs et le verger.

— Le jardin : là où on fait pousser les fruits et les légumes. L'eau arrive par des tuyaux dans le sol, sinon on serait tous morts de soif depuis longtemps. Il ne pleut jamais ici. (Il indiqua le coin sud-est, avec la grange et les enclos.) L'abattoir : où on élève et où on tue les bêtes. (Il tendit le doigt vers la cabane bringuebalante.) La ferme : deux fois plus grande qu'à l'arrivée des premiers d'entre nous, parce qu'on n'arrête pas de l'agrandir à mesure qu'on nous envoie du bois et du matériel. Elle ne paie pas de mine, mais c'est mieux que rien. De toute manière, la plupart d'entre nous préfèrent dormir dehors.

Thomas se sentit pris de vertige. Tant de questions tournaient dans sa tête qu'il ne parvenait plus à s'y retrouver.

Alby indiqua le coin sud-ouest, le bosquet bordé d'arbres malades et de bancs.

— Là, c'est le terminus. Le cimetière se trouve au fond, au milieu des arbres. Pas grand-chose à en dire. On vient là pour s'asseoir et souffler un moment, ou traîner un peu, selon l'humeur. (Il se racla la gorge, visiblement désireux de changer de sujet.) Tu vas passer les deux prochaines semaines à bosser pour chaque maton, jusqu'à ce qu'on sache ce qui te convient le mieux. Torcheur, briqueton, ensacheur, sarcleur. On trouvera bien. On trouve toujours. Amène-toi.

Alby partit en direction de la porte sud, située entre le terminus et l'abattoir. Thomas le suivit en fronçant le nez à cause de l'odeur de bouse qui lui parvenait des enclos. « Un cimetière ? se dit-il. Pourquoi un cimetière, alors qu'il n'y a que des ados ici ? » Il faillit interrompre son guide mais s'obligea à garder le silence.

Frustré, il tourna son attention vers les animaux.

Plusieurs vaches se pressaient autour d'une mangeoire remplie de foin. Des cochons se vautraient dans une mare de boue ; seuls leurs petits mouvements de queue de temps à autre indiquaient qu'ils étaient en vie. Un autre enclos renfermait des moutons, et on voyait aussi une basse-cour avec des poules et des dindes en cage. Des garçons s'affairaient parmi les bêtes. Ils donnaient l'impression d'avoir travaillé dans une ferme toute leur vie.

« Pourquoi je me souviens de ces animaux ? » s'étonna Thomas. Il connaissait chacun, ce qu'ils mangeaient, à quoi ils ressemblaient. Pourquoi gardait-il en mémoire ce genre de choses, alors qu'il ne se rappelait plus où il avait bien pu voir de telles bêtes, ni avec qui ? La complexité de son amnésie le déroutait complètement.

Alby lui indiqua la grange, dont la peinture rouge délavée prenait la couleur de la rouille.

— C'est là que travaillent les trancheurs. Sale boulot, ça. Vraiment. Mais si tu aimes le sang, ça te plaira peut-être.

Thomas secoua la tête. Le nom ne lui disait rien qui vaille. Tandis qu'ils continuaient la visite, il tourna son regard vers la partie du Bloc qu'Alby avait appelée le terminus. À mesure qu'ils étaient plus proches du coin, les arbres poussaient plus dru et les buissons devenaient touffus. L'ombre était profonde sous les branches. En levant la tête, Thomas put enfin voir le soleil, mais il le trouva bizarre, plus orange qu'il n'aurait dû. Un exemple de plus de son amnésie sélective.

Il regarda de nouveau le terminus – le disque brillant restait imprimé sur sa rétine – et soudain il aperçut de nouveau les lumières rouges. Elles scintillaient et clignotaient dans les taillis. « Qu'est-ce que c'est que ça ? » se demanda-t-il, agacé qu'Alby ne lui ait pas donné la réponse. Tous ces mystères devenaient insupportables.

Alby s'arrêta. Ils avaient atteint la porte sud ; les deux murs qui la bordaient les dominaient de toute leur hauteur. Les pierres grises étaient craquelées, couvertes de lierre, plus vieilles que tout ce que Thomas pouvait imaginer. Il se dévissa le cou pour observer le sommet, et il eut la sensation étrange de regarder *en bas* et non en haut. Il recula d'un pas, impressionné une fois de plus par la masse écrasante de la structure, puis se tourna vers Alby qui se tenait dos à la porte.

— Dehors, c'est le Labyrinthe, déclara celui-ci.

Au-delà des murs du Bloc, on apercevait d'immenses couloirs semblables à ceux qu'il avait vus le matin par le carreau. Il frissonna, comme si un Griffeur risquait de leur foncer dessus d'un moment à l'autre. Il fit un pas en arrière avant même de se rendre compte de ce qu'il faisait. « Du calme ! » se dit-il, gêné.

Alby continua.

— Ça fait deux ans que je suis là. Je suis le plus ancien. Ceux qui étaient là avant moi sont tous morts. (Thomas sentit son pouls s'accélérer.) Deux ans qu'on s'escrime à chercher la sortie. Tu parles ! Ces foutus murs se déplacent pendant la nuit, comme les portes. Pas facile d'en dresser le plan, ça non.

Il indiqua d'un coup de menton le bâtiment de béton dans lequel les coureurs s'étaient engouffrés la veille au soir.

Une barre douloureuse s'enfonça dans le crâne de Thomas – il devait absorber trop de choses d'un seul coup. Ils étaient enfermés là depuis plus de deux ans ? Les murs du Labyrinthe se déplaçaient aussi ? Combien d'entre eux étaient morts ? Il s'avança machinalement pour jeter un coup d'œil dans le Labyrinthe, comme s'il allait trouver les réponses à ses questions imprimées sur les murs.

Alby lui posa la main sur le torse et le repoussa.

— Pas question de te laisser sortir, tocard.

Thomas ravala sa fierté.

— Pourquoi ça ?

— Tu crois que je t'ai envoyé Newt ce matin uniquement pour le plaisir ? Mec, c'est la règle numéro un, et tu as plutôt intérêt à te la rentrer dans le crâne. Personne – personne, tu m'entends ? – n'a le droit de pénétrer dans le Labyrinthe en dehors des coureurs. Si tu y vas, et que tu ne te fasses pas tuer par les Griffeurs, c'est nous qui te ferons la peau. Pigé ?

Thomas hocha la tête en bougonnant, convaincu qu'Alby en rajoutait. Enfin, il l'espérait… Mais désormais, il en était sûr, il allait devenir un coureur. Rien ne l'en empêcherait. Au fond de lui, il savait qu'il devait sortir du Bloc et s'enfoncer dans le Labyrinthe. Malgré tout ce qu'il avait appris, tout ce qu'il avait vu, il en éprouvait un besoin viscéral, plus fort que la soif ou la faim.

Un mouvement discret sur le mur à gauche de la porte sud capta son attention. Surpris, il se tourna juste à temps pour apercevoir un reflet argenté. La chose disparut sous le lierre.

Thomas pointa le doigt vers le mur.

— Qu'est-ce que c'était que ça ? s'écria-t-il.

Alby ne se donna pas la peine de regarder.

— Pas de questions jusqu'à la fin, tocard. Combien de fois je vais devoir te le répéter ? (Il lâcha un soupir.) Un scaralame – c'est comme ça que les Créateurs nous observent. Tu n'as pas intérêt à…

Il fut interrompu par le mugissement d'une sirène qui semblait provenir de toutes les directions. Thomas se boucha les oreilles en regardant autour de lui ; son cœur cognait follement à l'intérieur de sa poitrine. Quand il se retourna vers Alby, il se figea.

Alby ne semblait pas effrayé. Plutôt… confus. Surpris. La sirène continuait à mugir.

— Qu'est-ce qui se passe ? demanda Thomas.

Il commençait à se lasser de ces moments de panique successifs.

— C'est curieux…, répondit simplement Alby qui examinait le Bloc en plissant les yeux.

Thomas vit que les garçons dans les enclos levaient la tête eux aussi, l'air tout aussi perplexes. L'un d'eux, un petit maigrichon couvert de boue, cria à Alby :

— C'est quoi, cette embrouille ?

Il regardait Thomas en disant ça.

— Je me le demande, murmura Alby d'une voix distante.

Mais Thomas n'y tenait plus.

— Alby! Qu'est-ce qui se passe?

— La Boîte, guignol, la Boîte! répondit l'autre avant de partir d'un pas vif vers le centre du Bloc.

— Eh bien, quoi? insista Thomas sur ses talons.

«Parle-moi!» avait-il envie de hurler.

Mais Alby n'ajouta rien de plus et ne ralentit pas. À mesure qu'ils se rapprochaient de la Boîte, Thomas vit des dizaines d'autres garçons accourir de partout. Il s'efforçait de se convaincre que tout irait bien, qu'il y avait forcément une explication raisonnable. Il aperçut Newt.

— Newt! Tu sais ce qu'il y a? cria-t-il.

Newt jeta un coup d'œil dans sa direction, puis hocha la tête et s'approcha, étonnamment calme au milieu de la confusion. Il lui donna une bourrade dans le dos.

— Il y a qu'un nouveau va sortir de la Boîte. (Il marqua une pause, comme s'il s'attendait à ce que Thomas soit impressionné.) Tout de suite.

— Et alors?

Thomas se rendit compte que le calme apparent de Newt était en réalité de l'incrédulité… peut-être même de l'excitation.

— Et alors? répéta Newt, bouche bée. On n'a jamais vu deux nouveaux débarquer durant le même *mois*, et encore moins à un jour d'intervalle.

Là-dessus, il partit au pas de course vers la ferme.

CHAPITRE 8

La sirène s'arrêta enfin. Une petite foule s'était rassemblée autour des portes métalliques que Thomas avait franchies seulement la veille. «C'était hier? songea-t-il. Je ne suis là que depuis hier?»

On lui toucha le coude; en levant la tête, il vit que Chuck l'avait rejoint.

— Comment ça va, le bleu? lui demanda Chuck.

— Impeccable, répondit-il, même si rien n'était plus éloigné de la vérité. (Il indiqua les portes de la Boîte.) Pourquoi tout le monde réagit comme ça? On est tous arrivés par là, non?

Chuck haussa les épaules.

— Je ne sais pas. Jusqu'à maintenant, les arrivées ont toujours été régulières. Une fois par mois, le même jour. Peut-être que ceux qui tirent les ficelles se sont aperçus qu'ils avaient commis une erreur avec toi et ont envoyé quelqu'un d'autre pour te remplacer.

Il donna à Thomas un coup de coude dans les côtes. Celui-ci lui jeta un regard noir.

— Tu commences à me gonfler, je te jure.

— Oui, mais on est copains maintenant, non?

Chuck rit pour de bon cette fois, en reniflant bruyamment.

— Tu ne me laisses pas vraiment le choix!

Mais l'autre avait raison: Thomas avait besoin d'un ami et Chuck ferait parfaitement l'affaire.

Le garçon croisa les bras, l'air très satisfait de lui-même.

— Content que ce soit réglé. On a tous besoin d'un copain par ici.

Thomas empoigna Chuck par le col d'un air faussement menaçant.

— D'accord, mon pote, alors appelle-moi Thomas. Sinon, je te balance dans le trou après le départ de la Boîte. (Voilà qui lui donnait une idée.) Attends une seconde, est-ce que vous avez déjà… ?

— Oui, on a essayé, l'interrompit Chuck.

— Essayé quoi ?

— De descendre dans la Boîte après une livraison, reprit Chuck. Ça ne marche pas. Elle ne se referme que si elle est complètement vide.

Thomas se souvint qu'Alby le lui avait déjà dit.

— Oui, je le savais, mais est-ce que vous avez… ?

— On a essayé aussi.

Thomas se retint de gémir ; son nouvel ami commençait à l'agacer.

— Tu sais, c'est pénible de discuter avec toi. Vous avez essayé quoi ?

— De descendre dans le trou après le départ de la Boîte. Impossible. On peut ouvrir les portes, mais il n'y a que du vide, rien d'autre. Pas de corde, *nada*.

Comment était-ce possible ?

— Est-ce que vous avez essayé de… ?

— Oui.

Cette fois-ci, Thomas geignit.

— D'accord, quoi ?

— De jeter des trucs dans le trou. On ne les a jamais entendus toucher le fond. Et pourtant, on a écouté longtemps.

Thomas marqua une pause avant de continuer : il n'avait pas envie de se faire couper la parole une fois de plus.

— Tu es télépathe, ou quoi ?

— Non, simplement très intelligent, répondit Chuck avec un clin d'œil.

— À l'avenir, évite les clins d'œil, l'avertit Thomas, amusé.

Chuck avait beau l'énerver, il y avait chez lui quelque chose d'attachant. Thomas respira un grand coup et se tourna vers la foule rassemblée autour du trou.

— On va devoir attendre encore combien de temps ?

— En général, une demi-heure après la sirène.

Thomas réfléchit un instant. Ils avaient forcément négligé un détail.

— Tu es sûr, pour le trou ? Est-ce que vous avez déjà… ? (Il attendit l'interruption, en vain.) Est-ce que vous avez déjà essayé de fabriquer une corde ?

— Oui, il y a longtemps. Avec du lierre. Une longue corde. On peut dire que ça n'a pas très bien marché.

— Comment ça ?

— Je n'étais pas là, mais on m'a raconté que le pauvre gars qui s'était porté volontaire est descendu sur trois mètres environ avant de se faire couper en deux.

— Hein ? (Thomas s'esclaffa.) Je ne te crois pas.

— Ah oui ? J'ai vu ses os, gros malin. Tranchés net. On les a conservés pour rappeler aux suivants de ne pas recommencer la même bêtise.

Thomas s'attendait à voir Chuck sourire ou éclater de rire. Mais rien ne vint.

— Tu es sérieux ?

Chuck le dévisagea, l'air grave.

— Je ne te mentirais pas, le bl… enfin, Thomas. Viens, allons voir la tête du nouveau. Je n'arrive pas à croire que tu ne seras resté un bleu que pendant une journée. Sale veinard.

Alors qu'ils s'approchaient du trou, Thomas posa la seule question qu'il n'avait pas encore formulée.

— Comment sais-tu qu'il ne s'agit pas de provisions ou de matériel ?

— La sirène ne se déclenche que pour les personnes, répondit Chuck. Les provisions sont livrées chaque semaine à la même heure. Tiens, regarde.

Il s'arrêta pour lui montrer quelqu'un dans la foule : Gally, qui les fusillait du regard.

— Ben, mon vieux ! gloussa Chuck. Il peut vraiment pas t'encadrer, lui !

— Oui, grommela Thomas, je m'en étais rendu compte.

Et c'était réciproque.

Chuck lui décocha un nouveau coup de coude et les deux amis rejoignirent l'attroupement. Thomas patienta en silence ; la vue de Gally lui avait coupé l'envie de parler.

— Pourquoi tu ne lui demandes pas quel est son problème ? suggéra Chuck avec un air de défi.

Thomas se croyait suffisamment courageux pour ça, mais cette idée ne lui disait rien qui vaille.

— Parce qu'il a plus de copains que moi. Ce ne serait pas très malin de me battre avec lui.

— C'est vrai, mais tu es plus intelligent. Et je parie que tu es plus rapide. Je suis sûr que tu pourrais te le prendre avec tous ses potes.

L'un des garçons qui se tenaient devant eux leur jeta un regard sombre.

« Sans doute un ami de Gally », se dit Thomas.

— Et si tu la bouclais cinq minutes ? souffla-t-il à Chuck.

Une porte claqua derrière eux. Thomas se retourna et vit Alby et Newt venir de la ferme. Ils avaient l'air épuisés tous les deux.

Thomas se rappela Ben et le spectacle épouvantable de sa souffrance.

— Parle-moi de cette histoire de Transformation. Qu'est-ce qu'ils fabriquaient là-dedans avec ce pauvre Ben ?

Chuck haussa les épaules.

— Je ne sais pas exactement. Les Griffeurs ont un sale effet sur leurs victimes, un truc très douloureux qui les secoue de la tête aux pieds. Ceux qui sont passés par là ne sont plus jamais les mêmes.

Thomas flaira l'occasion d'obtenir enfin une réponse valable.

— Comment ça ? Et quel rapport avec les Griffeurs ? C'est de ça que parlait Gally quand il disait avoir été piqué ?

— Chut !

Chuck posa un doigt sur ses lèvres.

Thomas faillit crier sa frustration. Il se promit de faire parler Chuck plus tard, que l'autre en ait envie ou non.

Alby et Newt fendirent la foule jusqu'au premier rang, juste devant les portes de la Boîte. Tout le monde se tut, et Thomas put entendre les grincements et le cliquetis de l'élévateur, qui lui rappelèrent son trajet cauchemardesque de la veille. Une grande tristesse l'envahit. Il revécut ces quelques minutes terribles quand il avait repris connaissance dans le noir, complètement amnésique. Il se sentait désolé pour le pauvre garçon qui allait bientôt les rejoindre.

Un choc sourd annonça que l'étrange ascenseur était arrivé à destination.

Thomas allongea le cou tandis que Newt et Alby venaient se poster de part et d'autre des portes. Une fente barra le rectangle de métal en plein milieu. Deux poignées en arceaux étaient fixées de chaque côté. Ils tirèrent dessus en même temps et les portes s'ouvrirent avec un grincement métallique tandis qu'un nuage de poussière s'éleva autour de la dalle.

Un silence complet s'abattit sur les blocards. Newt se pencha au-dessus de la Boîte.

— Nom de… ! souffla-t-il.

Alby regarda à son tour.

— Pas croyable, murmura-t-il, comme s'il était en transe.

Les questions fusèrent de toute part tandis que la foule se bousculait pour se rapprocher de l'ouverture. « Qu'est-ce qu'il peut bien y avoir là-dedans ? » se demanda Thomas.

— Vos gueules ! cria Alby.

Il se redressa.

— Deux nouveaux en deux jours. Et maintenant, ça. Ça fait deux ans que c'est la même routine, et maintenant, ça ! (Il se tourna vers Thomas.) Qu'est-ce qui se passe ici, le bleu ?

Thomas le regarda, les joues rouges et le ventre noué.

— Comment veux-tu que je le sache ?

— Alby, dis-nous ce qu'il y a, putain ! s'écria Gally.

D'autres murmures s'élevèrent.

— Fermez-la, bande de tocards ! gueula Alby. Dis-leur, Newt.

Newt jeta un dernier coup d'œil dans la Boîte puis se tourna vers les autres, le visage grave.

— C'est une fille, annonça-t-il.

Tout le monde se mit à parler en même temps ; Thomas saisit quelques bribes.

— Une *fille* ?

— Tu déconnes !

— De quoi elle a l'air ?

— Quel âge elle a ?

Thomas se retrouvait plongé dans la confusion la plus totale. « Une fille ? » Il ne s'était même pas encore demandé pourquoi il n'y avait que des garçons dans le Bloc. À peine s'il avait eu le temps de s'en apercevoir.

Newt réclama le silence une fois de plus.

— Et... et..., bafouilla-t-il, avant de tendre le doigt vers la Boîte. J'ai l'impression qu'elle est morte !

*

Deux garçons empoignèrent les cordes tressées avec du lierre et firent descendre Alby et Newt dans la Boîte pour qu'ils en sortent la fille. Les blocards étaient sous le choc ; ils allaient et venaient autour du trou, le visage grave, en shootant dans des cailloux sans un mot.

Gally était l'un de ceux qui tenaient les cordes, prêts à hisser Alby, Newt et la fille. Thomas l'étudia de près. Une lueur inquiétante brillait dans ses yeux, une sorte de fascination malsaine. Soudain, Thomas eut peur de lui.

La voix d'Alby leur cria du fond du trou qu'on pouvait les remonter, et Gally et les autres se mirent à tirer sur les cordes. Quelques grognements plus tard, le corps inerte de la fille émergeait au grand jour. Ils l'allongèrent sur le sol. Aussitôt, tout le monde se pressa autour d'elle. Seul Thomas resta en retrait. Le silence sépulcral lui donnait le frisson, comme s'ils venaient de rouvrir une tombe récente.

Néanmoins, il avait eu le temps d'apercevoir la fille. Elle était mince, mesurait à peine un mètre soixante-dix. Âgée de quinze ou seize ans, elle avait des cheveux d'un noir de jais. Mais ce qui frappait surtout chez elle, c'était son teint très pâle, d'une blancheur laiteuse.

Quelques instants plus tard, les garçons s'écartèrent, et Thomas vit Newt qui le montrait du doigt.

— Amène-toi, le bleu, fit-il rudement.

Thomas sentit son pouls s'accélérer. Il avait les mains moites. Qu'est-ce qu'on lui voulait encore? Il s'avança à contrecœur. «Oh, relax! Tu n'as rien fait de mal», pensa-t-il pour se rassurer. Mais il avait la sensation étrange d'avoir quelque chose à se reprocher…

Il rejoignit Newt et Alby agenouillés auprès de la fille. En dépit de sa pâleur, elle était plutôt jolie. Très belle, même. Des cheveux soyeux, une peau parfaite, des lèvres délicates, de longues jambes… Ça le rendait malade de détailler une morte de cette façon, mais il ne parvenait pas à détourner les yeux. «Elle ne va pas rester longtemps comme ça, se dit-il. Elle va bientôt pourrir.» Cette pensée morbide le surprit.

— Tu la connais, tocard? demanda Alby, qui paraissait à cran.

Thomas fut choqué par cette question.

— Hein? Bien sûr que non. Je ne connais personne.

— Ce n'est pas ce que…, commença Alby, avant de s'interrompre avec un soupir de frustration. Je veux dire : est-ce qu'elle te rappelle quelqu'un? Tu n'as pas l'impression de l'avoir déjà vue?

— Non. Pas du tout.

Thomas contempla ses chaussures, mal à l'aise, puis il ramena son attention sur la fille.

Alby fronça les sourcils.

— Tu es sûr?

Il ne croyait pas un mot de ce que lui racontait Thomas. Il paraissait en colère.

«Qu'est-ce qu'il s'imagine?» songea Thomas. Il regarda Alby bien en face et lui répondit fermement :

— Oui. Pourquoi?

— Oh, la ferme, marmonna Alby en se penchant sur le corps inerte. Je ne crois pas aux coïncidences. En deux jours, deux bleus, l'un vivant et l'autre mort…

Thomas se sentit gagné par la panique.

— Vous ne croyez quand même pas que c'est moi…, commença-t-il en bredouillant.

— Arrête, l'interrompit Newt. Personne ne t'accuse de l'avoir tuée.

Thomas fut pris de vertige. Il était convaincu de n'avoir jamais vu cette fille auparavant… Pourtant, une pointe de doute s'insinua dans son esprit.

— Je vous jure que c'est la première fois que je la vois, leur assura-t-il néanmoins.

Il en avait marre qu'on l'accuse de tout.

— Est-ce que tu…?

Avant que Newt ait pu terminer sa question, la fille se redressa brusquement sur les fesses. Elle respira un grand coup, ouvrit les yeux et cligna des paupières en découvrant la foule rassemblée autour d'elle. Alby poussa un cri et bascula en arrière. Newt, bouche bée, recula. Thomas n'esquissa pas un geste; les yeux rivés sur elle, il resta pétrifié.

La fille jetait des regards affolés autour d'elle. Ses lèvres roses tremblotaient tandis qu'elle marmonnait des propos incompréhensibles. Puis elle déclara d'une voix creuse et rauque :

— *Tout va bientôt changer.*

Thomas la dévisagea avec stupéfaction tandis qu'elle retombait sur le sol, les yeux vitreux. Son bras droit se tendit d'un mouvement sec vers le ciel. Elle serrait un papier froissé dans son poing.

Thomas essaya d'avaler sa salive, mais il avait la bouche sèche. Newt s'avança et desserra les doigts de la fille pour récupérer le papier. Il le déplia d'une main tremblante, puis se mit à genoux pour l'étaler sur le sol. Thomas se pencha par-dessus son épaule.

Quelques mots étaient griffonnés en lettres noires :

C'est la dernière.
Il n'y en aura pas d'autre.

CHAPITRE 9

Le silence s'abattit sur le Bloc. On aurait dit qu'un vent surnaturel avait balayé la cour en aspirant tous les sons. Newt avait lu le message à voix haute pour ceux qui ne pouvaient pas le voir. Les blocards restaient là, bouche bée.

Pas de cris, pas de questions… Tous avaient les yeux rivés sur la fille, qui semblait dormir à présent. Sa poitrine se soulevait et retombait à un rythme rapide. Contrairement à ce qu'ils avaient cru, elle était bien vivante.

Newt se leva. Thomas espérait qu'il allait leur fournir une explication calme et rassurante. Au lieu de quoi il se contenta de froisser le papier dans son poing. Les veines se gonflèrent sur le dos de sa main. Thomas avait la gorge nouée.

Alby mit ses mains en porte-voix et cria :

— Medjacks !

Deux garçons plus âgés s'avancèrent : un grand, avec une coupe en brosse et un nez énorme, l'autre plus petit, dont les tempes grisonnaient déjà.

— Qu'est-ce qu'on fait d'elle ? demanda le grand d'une voix étonnamment aiguë.

— Qu'est-ce que j'en sais ? rétorqua Alby. C'est vous les medjacks, tocards ! À vous de me le dire.

« Medjacks, se répéta Thomas. Ce doit être ce qui se rapproche le plus d'un médecin par ici. » Le petit s'agenouillait déjà auprès de la fille pour lui prendre le pouls et coller son oreille à sa poitrine.

— Hé! Pourquoi c'est Clint qui passe en premier? cria quelqu'un dans le fond. (Plusieurs rires gras s'élevèrent.) Après, c'est moi!

«Comment peuvent-ils plaisanter là-dessus? songea Thomas, écœuré. Cette fille est à moitié morte.»

Alby plissa les paupières; il retroussa les lèvres en un rictus dépourvu de toute trace d'humour.

— Celui qui met les mains sur cette fille, prévint-il, je l'envoie dormir dans le Labyrinthe en compagnie des Griffeurs. C'est le bannissement, direct! (Il marqua une pause et pivota lentement pour que chacun puisse voir sur son visage qu'il ne plaisantait pas.) Personne n'y touche, c'est compris? Personne!

C'était bien la première fois que Thomas se félicitait d'entendre une mise en garde d'Alby.

Le petit medjack acheva son examen et se redressa.

— J'ai l'impression que ça va. La respiration est correcte, et le pouls normal. Un peu lent, peut-être. À mon avis, elle est dans le coma. Jeff, aide-moi, on va la porter à l'intérieur.

Le grand medjack se pencha pour la soulever par les aisselles tandis que Clint l'attrapait par les chevilles. Thomas aurait bien voulu pouvoir faire quelque chose. Il doutait de plus en plus de ce qu'il avait affirmé auparavant. Il avait bien l'impression de connaître cette fille, même s'il ne se rappelait rien à son sujet. Cette idée le troublait, et il jeta un regard inquiet autour de lui, comme s'il avait peur qu'on ne lise dans ses pensées.

— À trois, prévint Jeff. (Il avait l'air ridicule avec sa grande carcasse pliée en deux comme une mante religieuse.) Un… deux… trois!

Ils la soulevèrent d'un coup, si fort qu'ils faillirent la lancer en l'air. Thomas se retint de leur crier de faire attention.

— On va la mettre en observation, annonça Jeff. On pourra toujours lui faire avaler de la soupe si elle ne se réveille pas dans les heures qui viennent.

— Contentez-vous de garder un œil sur elle, dit Newt. Elle doit avoir quelque chose de spécial, sinon on ne l'aurait pas envoyée ici.

Alby se pencha au-dessus de la fille pendant qu'on l'emportait.

— Mettez-la dans la chambre à côté de celle de Ben et surveillez-la jour et nuit. Si elle fait quoi que ce soit, je veux être prévenu. Qu'elle parle dans son sommeil ou qu'elle aille aux chiottes, je m'en fiche, venez m'avertir tout de suite.

— D'accord, bougonna Jeff.

Clint et lui s'éloignèrent avec la fille en direction de la ferme, tandis que les blocards se dispersaient en échafaudant toutes sortes d'hypothèses.

Thomas observa la scène en silence. Les accusations à peine voilées qu'on lui avait lancées quelques minutes plus tôt prouvaient que les autres soupçonnaient quelque chose, mais quoi ? Il ne savait déjà plus où il en était, être accusé de cette manière ne faisait qu'empirer les choses. Comme s'il avait lu dans ses pensées, Alby s'approcha et le saisit par l'épaule.

— Tu ne l'avais jamais vue avant, hein ?

Thomas hésita avant de répondre.

— Non… Enfin, je crois pas.

Il espérait que sa voix ne trahissait pas son trouble. Et s'il la connaissait bel et bien ? Qu'est-ce que ça voudrait dire ?

— Tu es sûr ? insista Newt, juste derrière Alby.

— Je… Non, je ne crois pas. Fichez-moi la paix avec ça, d'accord ?

Thomas avait hâte que la nuit tombe, pour qu'il puisse être tranquille et aller dormir.

Alby secoua la tête puis lâcha l'épaule de Thomas et se tourna vers Newt.

— Il y a un truc louche là-dedans. Convoque un rassemblement.

Il avait parlé si bas que Thomas fut probablement le seul à l'entendre. Ça ne lui disait rien de bon. Alors que Newt et le chef s'éloignaient, il fut soulagé de voir approcher Chuck.

— Chuck, c'est quoi, un rassemblement ?

Son ami se fit un plaisir de lui répondre :

— Une réunion de tous les matons. Ils font ça chaque fois qu'il arrive quelque chose de bizarre ou de terrible.

— Ah, d'accord… J'imagine que les événements d'aujourd'hui rentrent dans les deux catégories. (Le ventre de Thomas se mit à gargouiller, interrompant le cours de ses pensées.) Tu crois qu'on pourrait trouver un truc à grignoter ? Je meurs de faim.

Chuck le dévisagea en haussant les sourcils.

— Voir cette fille tomber dans les pommes t'a donné faim ? Tu es encore plus cinglé que je le pensais.

Thomas soupira.

— Trouve-moi un truc à manger, c'est tout.

*

La cuisine, bien que modeste, contenait tout le nécessaire pour se préparer un bon repas. Un grand four, un micro-ondes, un lave-vaisselle, quelques tables. Tout semblait vieux et usé, mais l'endroit était propre. En voyant l'équipement électroménager et la disposition familière, Thomas eut l'impression que des souvenirs – des souvenirs tangibles – étaient sur le point de resurgir dans sa mémoire. Mais une fois encore, il lui manquait les éléments essentiels : les noms, les visages, les lieux, les événements. C'était à s'arracher les cheveux.

— Assieds-toi, lui dit Chuck. Je vais nous dénicher quelque chose. Mais je te préviens, c'est la dernière fois. Tu as de la chance que Poêle-à-frire ne soit pas là parce qu'il a horreur qu'on pille son frigo.

Thomas était content qu'ils soient seuls. Il tira une chaise devant une table en plastique et s'assit.

— Cette histoire est complètement dingue. Comment on a pu se retrouver là ? Il y a quelqu'un qui nous a envoyés. Quelqu'un de malintentionné.

— Ça ne sert à rien de se plaindre, répondit Chuck. Prends la situation comme elle est et n'y pense plus, c'est tout.

— Ben voyons.

Thomas regarda par la fenêtre. Le moment lui paraissait le bon pour poser l'une des innombrables questions qui se bousculaient sous son crâne.

— Alors, dis-moi un peu qui nous fournit l'électricité ?

— On s'en fiche, du moment qu'on l'a.

« Pas de réponse, songea Thomas. Ça ne m'étonne pas ! »

Chuck posa deux assiettes de sandwiches et de carottes sur la table. Le pain était épais et blanc, les carottes orange vif. Thomas se mit à saliver ; il attrapa son sandwich et mordit dedans à pleines dents.

— Mmm, fit-il, la bouche pleine. Au moins, la bouffe est bonne.

Thomas put terminer son casse-croûte sans que Chuck prononce un seul mot. Heureux d'avoir pu profiter de ces quelques instants de silence, il décida qu'à partir de maintenant il allait cesser de râler et prendre les choses en main.

Après sa dernière bouchée, il s'adossa à sa chaise.

— Alors, Chuck, lança-t-il en s'essuyant la bouche avec une serviette, dis-moi un peu ce que je dois faire pour devenir un coureur.

— Tu ne vas pas recommencer ? protesta Chuck.

— Alby m'a conseillé de faire des essais auprès des différents matons. Quand est-ce que j'aurai ma chance avec les coureurs ?

Thomas attendit patiemment que Chuck lui réponde enfin quelque chose d'utile.

Celui-ci leva les yeux au ciel, pour bien montrer à quel point la question était stupide.

— Ils seront de retour dans quelques heures. Tu n'auras qu'à leur demander à ce moment-là.

— Que font-ils quand ils rentrent tous les soirs? Dans ce bunker en béton?

— Des plans. Ils mettent leurs notes au propre et se réunissent avant d'oublier ce qu'ils ont vu.

Des cartes. Thomas en resta abasourdi. C'était la première fois qu'il entrevoyait une issue potentielle à leur situation.

— Ils discutent, analysent leurs découvertes et tout ça. Il faut dire qu'ils passent plus de temps à courir qu'à prendre des notes. C'est bien pour ça qu'on les appelle des coureurs.

Thomas réfléchit. Se pouvait-il que le Labyrinthe soit si vaste qu'ils n'en aient toujours pas trouvé la sortie au bout de deux ans? Ça paraissait impossible. Et puis, il se souvint de ce que lui avait dit Alby au sujet des murs qui se déplaçaient. Et s'ils étaient condamnés à rester là toute leur vie?

«Condamnés.» Cette idée lui inspira un sentiment de panique, et l'étincelle d'espoir que le repas avait allumée en lui s'éteignit aussitôt.

— Chuck, tu crois qu'on est des criminels? Je veux dire, qu'on aurait pu tuer des gens, ou quelque chose comme ça?

— Hein? (Chuck le dévisagea comme s'il avait perdu la tête.) D'où tu sors une idée pareille?

— Réfléchis une seconde. On est tous amnésiques. On vit dans un endroit sans issue, gardé par des monstres assoiffés de sang. Ça ne te fait pas penser à une prison?

L'hypothèse lui paraissait de plus en plus crédible.

— Je dois avoir douze ans, protesta Chuck en pointant le doigt sur son torse. Treize ans, à tout casser. Tu crois vraiment que j'aurais pu commettre un truc qui m'aurait valu la prison à vie?

— Peut-être pas, mais ce qui est sûr, c'est que tu te retrouves enfermé ici. Tu crois qu'on est dans un camp de vacances, là ?

Chuck réfléchit un moment.

— Je ne sais pas. C'est toujours mieux que…

— Oui, je sais, que de vivre sur un tas de plonk.

Thomas se leva et repoussa sa chaise sous la table. Il aimait bien Chuck, mais il était impossible d'avoir une discussion intelligente avec lui. Sans parler de la frustration et de l'agacement que ça faisait naître en lui.

— Bon, je vais faire un tour. À ce soir !

Thomas quitta la cuisine avant que Chuck ne propose de l'accompagner. Dans le Bloc, la vie avait repris son cours normal : chacun vaquait à ses activités, les portes de la Boîte s'étaient refermées, le soleil brillait.

Comme sa visite avait été écourtée, Thomas décida d'explorer le Bloc par lui-même. Il se dirigea d'abord vers le coin nord-est, où les maïs semblaient prêts à être récoltés. Il vit aussi d'autres plantations : des tomates, des laitues, des petits pois, et bien d'autres qu'il ne reconnut pas.

Il prit une profonde inspiration, savourant les odeurs de terre retournée et de végétation. Il s'attendait à ce que cela ranime chez lui des souvenirs agréables, mais non. En s'approchant, il vit plusieurs garçons biner les champs et arracher les mauvaises herbes. L'un d'eux le salua de la main et lui adressa un sourire. Un vrai sourire.

« Cet endroit n'est peut-être pas si mal, après tout, songea Thomas. Il ne peut pas y avoir que des crétins. » Il se remplit les poumons une dernière fois puis s'arracha à ses pensées ; il lui restait encore beaucoup de choses à voir.

Il se rendit dans le coin sud-est et observa de nouveau les enclos de fortune. Il n'y avait pas de chevaux. « Dommage, se dit Thomas. Des cavaliers auraient été plus rapides que des coureurs. » Il avait déjà dû travailler au contact d'animaux avant d'aboutir au Bloc, parce que leurs odeurs et leurs cris lui paraissaient familiers.

L'endroit ne sentait pas aussi bon que le potager, mais ç'aurait pu être bien pire. Au fil de sa visite, Thomas mesurait à quel point le Bloc était bien entretenu. Il était impressionné par l'organisation et le travail que cela supposait. On imaginait facilement à quelle vitesse leurs conditions de vie se dégraderaient si les blocards se montraient paresseux ou stupides.

Pour finir, il se dirigea vers le coin sud-ouest. Arrivé au petit bois, il fut surpris par un mouvement fugace à ses pieds, suivi d'une série de cliquetis. Il baissa les yeux juste à temps pour entrevoir un objet métallique – une sorte de rat robot – scintiller au soleil avant de disparaître entre les arbres. La chose se trouvait déjà à plus de trois mètres quand il réalisa qu'il ne s'agissait pas d'un rat, mais plutôt d'une espèce de lézard, avec au moins six pattes le long de son torse argenté.

Un scaralame. «C'est comme ça que les Créateurs nous observent», avait dit Alby.

Une lueur rouge balaya le sol devant la créature, comme si elle provenait de ses yeux. La logique souffla à Thomas que son esprit lui jouait des tours, mais il aurait juré avoir vu le mot WICKED – méchant – écrit en grosses lettres vertes sur son dos. Un détail aussi étrange méritait qu'on s'y intéresse de plus près.

Thomas courut après la bestiole. Quelques instants plus tard, il pénétrait dans le bois. Tout s'assombrit subitement.

CHAPITRE 10

Thomas fut surpris par l'obscurité. Depuis le centre du Bloc le petit bois ne paraissait pas si vaste – un hectare, tout au plus. Néanmoins les grands arbres avec leurs troncs épais, serrés les uns contre les autres, et le feuillage formaient un écran impénétrable au-dessus de sa tête. Il y régnait une lumière verdâtre crépusculaire, comme s'il ne restait plus que quelques minutes de jour.

C'était magnifique et un peu effrayant à la fois.

Thomas s'enfonça à travers les fourrés sans ralentir. Des branchages cinglèrent son visage. Un tapis de feuilles et de brindilles crissait sous ses pas.

Il gardait l'œil rivé sur le scaralame qui détalait au ras du sol. Plus il s'enfonçait dans le bois, plus sa lueur rouge devenait visible.

Thomas avait parcouru ainsi une dizaine de mètres, en perdant du terrain à chaque seconde, quand le scaralame bondit sur un arbre imposant et se mit à escalader le tronc. Le temps que Thomas parvienne au pied de l'arbre, la bestiole avait disparu dans le feuillage.

Il l'avait perdue.

Une brindille craqua quelque part sur sa droite et il tourna vivement la tête dans cette direction. Il retint son souffle, tous les sens en éveil.

Un autre craquement retentit – plus fort, cette fois, comme si quelqu'un avait cassé une branche sur son genou.

— Qui est là ? interrogea Thomas à haute voix.

Un frisson de peur lui chatouilla l'échine. Sa voix roula sous les branches et résonna à travers le sous-bois. Il resta immobile, pétrifié, tandis que le silence s'imposait à l'exception du gazouillis de quelques oiseaux. Mais personne ne lui répondit. Puis il n'y eut plus aucun bruit suspect.

D'instinct, Thomas partit dans la direction d'où était venu le craquement. Il écartait les branchages sur son chemin et les laissait retomber bruyamment derrière lui. Il plissa les paupières le temps que ses yeux s'habituent à la pénombre croissante ; il regrettait de ne pas avoir de lampe torche.

— Il y a quelqu'un ? appela-t-il.

Il était un peu rassuré que le bruit ne se soit pas répété. Sans doute n'était-ce qu'un animal. Un autre scaralame, peut-être. À tout hasard, il lança :

— C'est moi, Thomas. Le nouveau. Enfin, jusqu'à ce matin.

Il fit la grimace et secoua la tête. Mieux valait prier pour que personne ne l'entende : il devait passer pour un idiot complet.

Toujours pas de réponse.

Il contourna un grand chêne et s'arrêta net. Un frisson glacé lui parcourut le dos. Il était parvenu au cimetière.

La petite clairière, d'une dizaine de mètres carrés tout au plus, était envahie par les mauvaises herbes. Thomas y vit plusieurs croix de fortune, faites de morceaux de bois liés par une ficelle. On les avait peintes en blanc, en toute hâte, comme en attestaient les coulures et les parties oubliées. Des noms étaient gravés dans le bois.

Thomas s'avança d'un pas hésitant pour s'agenouiller

devant la croix la plus proche. Il faisait tellement sombre qu'il avait l'impression de regarder à travers une brume noire. Les oiseaux s'étaient tus, et le bruit des insectes était presque inaudible. Thomas se rendit compte à quel point l'atmosphère était lourde et humide : des gouttelettes de sueur se formaient sur son front et sur le dos de ses mains.

Il se pencha sur la première tombe. Elle paraissait récente et portait le nom de Stephen – terminé par un « n » minuscule, juste au bord, parce que celui qui l'avait gravé avait mal estimé la place nécessaire.

« Stephen, songea Thomas, saisi d'un sentiment de tristesse auquel il ne s'attendait pas. Qu'est-ce qui a bien pu t'arriver ? Chuck t'a tellement soûlé que tu en es mort ? »

Il se redressa et marcha jusqu'à la tombe suivante, presque entièrement recouverte de broussailles. Quel que soit celui à qui elle appartenait, il avait dû être l'un des premiers à mourir, car elle semblait la plus ancienne. La croix portait le nom de George.

En regardant autour de lui, Thomas compta une douzaine de tombes. Deux semblaient tout aussi fraîches que celle de Stephen. Un reflet argenté attira son attention. Cela ne ressemblait pas au scaralame qui l'avait entraîné dans le bois, mais c'était tout aussi intrigant. Il s'avança entre les croix et parvint devant une tombe recouverte d'une plaque en plastique ou en verre, aux contours souillés de terre. Il plissa les paupières pour distinguer ce qui se trouvait derrière, puis ouvrit de grands yeux en comprenant ce qu'il voyait : les restes d'un corps en décomposition.

Malgré son écœurement, Thomas se pencha plus près, poussé par la curiosité. La tombe, étonnamment petite, ne contenait que la partie supérieure du défunt. Il se rappela le récit de Chuck à propos du garçon qui avait tenté de descendre dans la Boîte au bout d'une corde, et qui s'était fait couper en deux. Il y avait des mots gravés sur la plaque. Thomas les déchiffra avec difficulté :

Un tocard averti en vaut deux :
on ne peut pas s'échapper par la Boîte.

Il faillit ricaner : cette épitaphe moqueuse lui paraissait trop ridicule pour être vraie. Il s'en voulut aussitôt. Secouant la tête, il se dirigea vers les autres croix. Soudain, une nouvelle brindille craqua.

Puis une autre. Et une autre. De plus en plus près. Il faisait de plus en plus sombre.

— Qui est là ? cria-t-il d'une voix tremblante.

Il devait bien admettre qu'il était terrifié.

Au lieu de répondre, la personne qui l'espionnait renonça à toute discrétion et se mit à courir vers Thomas. Il l'aperçut enfin : un garçon décharné, qui boitait bizarrement.

— Qu'est-ce que… ?

Le garçon jaillit d'entre les arbres avant qu'il ait pu finir sa phrase. À peine Thomas eut-il le temps de distinguer sa peau blafarde et ses yeux exorbités qu'il poussa un grand cri et tenta de s'enfuir. Trop tard ! L'autre bondit et s'abattit sur lui, l'empoignant par les épaules. Thomas roula au sol. Il sentit une croix lui infliger une écorchure profonde avant de se briser sous son poids.

Il se débattait comme un fou, tandis que son agresseur s'efforçait de lui grimper dessus en agitant ses membres squelettiques. On aurait dit un monstre de cauchemar, mais Thomas savait qu'il devait s'agir d'un blocard, sans doute un malheureux qui avait perdu la raison. Il l'entendait claquer des dents – un bruit horrible, clac, clac, clac ! Puis une douleur fulgurante le traversa quand le garçon referma ses mâchoires sur son épaule.

Thomas poussa un hurlement ; la décharge d'adrénaline lui avait donné un coup de fouet. Il posa les deux mains à plat sur le torse de son agresseur et le repoussa, les bras tendus, les muscles bandés. L'autre finit par lâcher prise. Il bascula en arrière, et une autre croix se brisa sous lui.

Thomas se redressa, le souffle court, et put enfin dévisager son agresseur.

C'était le malade de la ferme.

Ben.

CHAPITRE 11

Ben ne portait qu'un short, et sa peau très blanche était tendue sur ses os. Ses veines saillaient, animées de pulsations. Ses yeux injectés de sang fixèrent Thomas avec une expression féroce.

Ben s'accroupit, prêt à se lancer de nouveau à l'attaque. Un couteau fit son apparition dans son poing droit. Thomas, terrorisé, avait du mal à réaliser qu'il ne rêvait pas.

— Ben !

Thomas leva les yeux. Alby se tenait à l'orée de la clairière, simple fantôme dans la lumière déclinante. Le soulagement l'envahit, car Alby tenait un grand arc, avec une flèche pointée droit sur Ben.

— Ben, répéta Alby. Arrête ça tout de suite si tu veux vivre.

Thomas se tourna vers Ben, qui jetait un regard haineux à Alby ; il pointait la langue entre ses lèvres pour les humecter. « Qu'est-ce qui ne va pas chez lui ? » se demanda Thomas. Le garçon s'était changé en monstre. Pourquoi ?

— Tu te trompes de cible, hurla Ben. (Il se tourna vers Thomas.) C'est ce tocard qu'il faut éliminer !

Sa voix était empreinte de folie.

— Ne sois pas idiot, Ben, dit calmement Alby sans baisser son arme. Thomas vient à peine d'arriver ; tu n'as pas à t'en faire pour lui. C'est la Transformation qui t'a mis la tête à l'envers. Tu aurais dû rester au lit.

— Il n'est pas des nôtres! rugit Ben. Je l'ai vu… il… c'est une ordure. Il faut le tuer! Laisse-moi lui mettre les tripes à l'air!

Malgré lui, Thomas fit un pas en arrière, horrifié par ce qu'il venait d'entendre. Que voulait dire Ben en racontant qu'il l'avait vu? Pourquoi le traitait-il d'ordure?

Alby, imperturbable, continuait à tenir Ben en joue. Ses mains ne tremblaient pas sur l'arc, à croire qu'il avait pris appui sur une branche.

— Laisse-nous en décider avec les autres matons. En attendant, ramène ton cul à la ferme.

— Il veut nous emmener avec lui, insista Ben. Il veut faire sortir tout le monde du Labyrinthe. Autant sauter directement du haut de la Falaise! Autant nous étriper les uns les autres!

— Mais qu'est-ce que tu racontes? intervint Thomas.

— *Ta gueule!* vociféra Ben. Ferme ta sale gueule de traître!

— Ben, prévint Alby d'un ton calme, je vais compter jusqu'à trois.

— Ordure, ordure, ordure…, murmura Ben, presque comme une incantation.

Il se balançait d'avant en arrière, en faisant passer son couteau d'une main dans l'autre, l'œil rivé sur Thomas.

— Un.

— Ordure, ordure, ordure…

Ben sourit. Ses dents brillaient d'une lueur verdâtre dans la lumière pâle.

Thomas aurait voulu s'en aller loin d'ici. Mais il en était incapable; il était hypnotisé, trop effrayé pour bouger.

— Deux, compta Alby d'une voix lourde de menace.

— Ben, reprit Thomas en s'efforçant de prendre un ton raisonnable, je ne suis pas… Je ne sais même pas de quoi tu…

Ben poussa un hurlement étranglé et bondit, le couteau brandi devant lui.

— *Trois!* cria Alby.

La flèche fendit l'air en sifflant, puis atteignit sa cible dans un horrible bruit.

La tête de Ben partit violemment vers la gauche. Il tomba sur le ventre, sans émettre aucun son.

Thomas courut vers lui. La flèche sortait de la joue de Ben. Son sang, beaucoup moins abondant que Thomas ne l'aurait cru, suintait, noir comme de l'huile dans la pénombre. Ben ne bougeait plus ; seul le petit doigt de sa main droite tressaillait encore. Thomas se retint de vomir. Ben était-il mort à cause de lui ? Était-ce sa faute ?

— Viens, lui dit Alby. Les coffreurs s'occuperont de lui demain.

« Que s'est-il passé ? se demanda Thomas, pris de vertige, en contemplant le corps sans vie. Qu'est-ce que j'avais fait à ce pauvre type ? »

Il leva la tête en quête de réponses et constata qu'Alby était déjà parti.

*

Ébloui par le soleil, Thomas ferma les yeux en émergeant du bois. Il boitait ; sa cheville lui faisait un mal de chien, bien qu'il ne se souvienne pas de se l'être tordue. Il tâta doucement d'une main l'endroit où Ben l'avait mordu, tout en se tenant le ventre de l'autre. Il revit Ben, la tête inclinée sur le côté, avec la flèche qui pointait de sa joue et le sang qui s'écoulait le long de la hampe jusqu'au sol…

Il tomba à genoux au pied d'un arbre noueux et vomit, agité de spasmes. Il frissonnait de tout son corps. Il avait l'impression que ses nausées ne s'arrêteraient jamais.

Et puis une idée le frappa.

Il se trouvait au Bloc depuis à peine vingt-quatre heures. Une journée. Pas plus. Il fit le compte de toutes les choses horribles qui s'étaient produites depuis son arrivée.

Ça ne pouvait que s'améliorer.

*

Cette nuit-là, Thomas resta allongé face au ciel étoilé. Chaque fois qu'il fermait les yeux, il revoyait l'image monstrueuse de Ben en train de lui sauter dessus, le visage déformé par la folie. Même les yeux ouverts, il aurait juré entendre le bruit atroce de la flèche quand elle avait traversé la joue du malheureux.

Il n'oublierait jamais ces quelques minutes terribles dans le cimetière.

— Dis-moi quelque chose, implora Chuck pour la cinquième fois depuis qu'ils s'étaient installés dans leurs sacs de couchage.

— Non, répondit Thomas.

— Tout le monde sait ce qui s'est passé. C'est déjà arrivé, tu sais, un tocard qui se fait piquer par un Griffeur, qui pète les plombs et qui se jette sur quelqu'un. Ne va pas croire que tu sois spécial.

Thomas trouva que Chuck, en plus d'être agaçant, devenait franchement insupportable.

— Chuck, tu as de la chance que je n'aie pas l'arc d'Alby sous la main.

— Eh, je voulais juste…

— La ferme, Chuck ! Essaie de dormir.

Thomas n'avait vraiment aucune envie de discuter pour l'instant.

Au bout d'un moment, son « copain » finit par s'endormir, et les autres aussi, à en croire les ronflements qui résonnaient dans le Bloc.

Quelques heures plus tard, Thomas était le seul encore éveillé. Il aurait voulu pleurer, mais il se retint. Il aurait voulu aller trouver Alby et le cogner, sans raison, mais il se retint. Il aurait voulu hurler, ruer, cracher, ouvrir la Boîte et sauter dans le trou, mais il se retint.

Il ferma les yeux, refoula les images et les idées noires qui l'assaillaient, et finit par s'endormir à son tour.

*

Le lendemain matin, Chuck dut arracher Thomas de son sac de couchage et le traîner jusqu'au vestiaire. Thomas se laissa faire mollement, en proie à la migraine et ne songeant qu'à retourner se coucher. Le petit déjeuner passa comme un rêve ; une heure plus tard, Thomas ne se souvenait même plus de ce qu'il avait mangé. Il avait l'impression que quelqu'un lui tapait directement sur le cerveau.

Hélas, d'après ce qu'il avait cru comprendre, les siestes étaient très mal vues au Bloc, où tout le monde travaillait dur.

Il se tenait avec Newt devant la grange de l'abattoir, prêt à débuter sa première séance de travail sous les ordres d'un maton. Malgré son réveil difficile, il était excité à l'idée d'apprendre quelque chose, et aussi d'oublier Ben et le cimetière. Les vaches meuglaient, les moutons bêlaient et les porcs couinaient tout autour de lui. Non loin de là, un chien aboya, et Thomas se prit à espérer que Poêle-à-frire n'avait pas l'intention de donner une signification nouvelle aux mots « hot dog ». « Un hot dog, songea-t-il. Quand est-ce que j'en ai mangé un pour la dernière fois ? Et avec qui ? »

— Oh, Tommy, tu m'écoutes ?

Thomas s'arracha à sa rêverie et se concentra sur Newt, qui lui parlait depuis un bon bout de temps ; il n'avait pas retenu un seul mot de son discours.

— Euh, oui, désolé. Je n'ai pratiquement pas fermé l'œil de la nuit.

Newt grimaça un sourire.

— On ne peut pas te le reprocher. Tu as passé un sale quart d'heure, hier. Tu dois me prendre pour un tocard, de vouloir te faire trimer après un épisode pareil.

Thomas haussa les épaules.

— C'est probablement ce que j'ai de mieux à faire pour penser à autre chose.

Newt hocha la tête, un vrai sourire aux lèvres.

— Tu es un malin, Tommy. C'est pour ça qu'on veille à ce que tout le monde travaille ici. Ceux qui se laissent aller commencent à déprimer et baissent les bras. C'est aussi simple que ça.

Thomas acquiesça en shootant machinalement dans un caillou.

— Comment va la fille?

Si quelque chose avait pénétré le brouillard de cette longue matinée, c'était bien l'image de la fille. Il voulait en savoir plus à son sujet, et comprendre l'étrange lien qui les unissait tous les deux.

— Toujours dans le coma. Elle dort. Poêle-à-frire lui prépare des soupes que les medjacks lui donnent à la petite cuillère. Elle a l'air d'aller bien, sinon.

— C'est vraiment bizarre.

Thomas était convaincu que, sans l'agression et la mort de Ben au cimetière, il aurait pensé à la jeune fille toute la nuit. Il aurait voulu savoir qui elle était et s'ils se connaissaient vraiment.

— Oui, admit Newt, je crois que «bizarre» est le mot.

Thomas chassa la fille de son esprit et regarda par-dessus l'épaule de Newt la grange aux murs rouge délavé.

— Alors, par quoi on commence? Par traire les vaches, ou par zigouiller les petits cochons?

Newt rit, et Thomas se rendit compte que c'était le premier rire qu'il entendait depuis son arrivée.

— Les nouveaux commencent toujours par un stage chez les trancheurs. Ne t'inquiète pas, la découpe de la viande pour Poêle-à-frire n'est qu'un aspect du boulot. Les trancheurs s'occupent de tout ce qui a un rapport avec le bétail.

— Dommage que je ne me rappelle rien de mon ancienne vie. Si ça se trouve, j'adorais tuer les animaux.

Il voulait plaisanter, mais Newt ne parut pas sensible à son humour. Il lui indiqua la grange du menton.

— Tu seras bientôt fixé. Viens, je vais te présenter Winston ; c'est lui le maton.

*

Winston était un garçon couvert d'acné, petit et râblé, qui semblait beaucoup trop apprécier son boulot. «On l'a peut-être envoyé ici parce que c'était un tueur en série», songea Thomas.

Durant la première heure, Winston lui présenta les animaux et lui fit découvrir la grange. Le chien, un labrador noir du nom de Brailleur, prit Thomas en affection et resta collé à ses basques durant toute la visite. Quand Thomas lui demanda d'où il sortait, Winston répondit que le chien était là depuis le début. On avait dû l'appeler comme ça par dérision, parce qu'il était plutôt calme.

La deuxième heure se passa au contact des bêtes : les nourrir, les panser, réparer une barrière, ramasser le plonk. *Le plonk.* Thomas s'aperçut que l'argot du Bloc lui devenait peu à peu familier.

La troisième heure fut la plus pénible. Thomas dut regarder Winston égorger et dépecer un porc pour la cuisine. En s'éloignant pour la pause de midi, Thomas se promit deux choses : d'abord, qu'il ne deviendrait pas un trancheur ; et ensuite, qu'il n'avalerait jamais plus rien qui provienne d'un cochon.

Winston lui avait dit de partir sans l'attendre, car il comptait rester encore un peu à l'abattoir. Cela convenait tout à fait à Thomas. Ce gars-là lui donnait froid dans le dos.

Il passait devant la Boîte quand il eut la surprise de voir un coureur déboucher du Labyrinthe par la porte ouest : un Asiatique aux bras musclés et aux cheveux bruns coupés court, qui semblait un peu plus âgé que lui. Le garçon fit trois pas dans le Bloc puis s'arrêta, plié en deux, les mains sur les genoux, essoufflé. Avec son visage empourpré et ses vêtements trempés de sueur, on aurait dit qu'il venait de courir un marathon.

Thomas le dévisagea, dévoré par la curiosité. C'était la première fois qu'il avait l'occasion de parler à un coureur. Et puis, à en juger par ce qu'il avait pu constater depuis deux jours, celui-là rentrait de bonne heure. Thomas s'avança, bien décidé à lui poser des questions.

Mais avant qu'il ait eu le temps d'ouvrir la bouche, le garçon s'écroula sous ses yeux.

CHAPITRE 12

Thomas demeura pétrifié pendant quelques secondes, ne sachant pas s'il devait s'approcher. Et si le garçon avait un sérieux problème ? S'il avait été... piqué ? Et si... ?

Thomas se secoua ; de toute évidence, le coureur avait besoin d'aide.

— Alby ! cria-t-il. Newt ! Que quelqu'un aille les chercher !

Il piqua un sprint jusqu'au garçon et s'agenouilla auprès de lui.

— Hé... ça va ?

Le coureur, la tête au creux du bras, respirait bruyamment. Il était conscient, mais il semblait épuisé.

— Je... je vais bien, haleta-t-il en reprenant son souffle, avant de lever les yeux. Et toi, tu es qui, tocard ?

— Je suis nouveau ici.

Thomas se rendit compte alors que les coureurs, étant dans le Labyrinthe toute la journée, n'avaient pas pu assister aux derniers événements. Ce gars était-il au courant pour la fille ? Sans doute qu'on lui en avait parlé.

— Je m'appelle Thomas. Je suis arrivé il y a deux jours.

Le coureur se redressa en position assise. Ses cheveux noirs étaient poissés de sueur.

— Ah oui, Thomas, souffla-t-il. Le nouveau. Toi et la fille.

Alby s'approcha au pas de gymnastique, visiblement inquiet.

— Qu'est-ce que tu fais là, Minho ? Il s'est passé un truc ?

— Relax, Alby, rétorqua le coureur qui semblait reprendre des forces. Rends-toi plutôt utile et va me chercher de l'eau, j'ai laissé tomber mon sac là-dehors.

Alby fit mine de ne pas avoir entendu. Il flanqua un coup de pied dans le tibia de Minho – trop fort pour que ce soit amical.

— Qu'est-ce qui s'est passé ?

— Je peux à peine parler, guignol ! s'écria Minho d'une voix enrouée. Va me chercher à boire !

Alby jeta un coup d'œil à Thomas. Il lui adressa un bref sourire qui s'effaça aussitôt sous un air sévère.

— Minho est le seul tocard qui peut me parler sur ce ton sans se faire balancer du haut de la Falaise.

Sur quoi, il tourna les talons et partit au pas de course vers la ferme. Thomas n'en revenait pas.

Il se tourna vers Minho.

— Il te laisse lui donner des ordres ?

Minho haussa les épaules, puis s'essuya le front d'un revers de main.

— Quoi, tu as peur de cette grande gueule ? Va falloir t'endurcir un peu. Sacrés nouveaux…

Cette pique vexa Thomas plus qu'elle n'aurait dû, compte tenu du fait qu'il ne connaissait ce gars-là que depuis trois minutes.

— Je croyais que c'était le chef ?

— Le chef ? (Minho poussa un grognement sarcastique.) Oui, tu peux l'appeler chef si tu veux. Ou peut-être même El Presidente. Ou, encore mieux, l'amiral Alby. Ça, c'est bien.

Il se frotta les yeux en ricanant.

Thomas ne savait plus quoi penser. Il n'aurait pas su dire si Minho était sérieux ou non.

— Alors qui est le chef, si ce n'est pas lui ?

— Quand on ne comprend rien, on la ferme, le bleu. (Minho soupira, puis continua en marmonnant dans sa barbe.)

Pourquoi tous les tocards qui s'amènent ici posent toujours les mêmes questions débiles ? C'est soûlant.

— Qu'est-ce que tu voudrais qu'on fasse, alors ? riposta Thomas, qui commençait à s'énerver.

— Que vous écoutiez ce qu'on vous dit en évitant de vous la ramener. Voilà ce que je voudrais.

Minho l'avait regardé en face pour la première fois, et Thomas eut un mouvement de recul malgré lui. Il comprit aussitôt qu'il avait commis une erreur : l'autre ne devait pas s'imaginer qu'il pouvait lui parler comme ça.

Il se redressa sur les genoux de manière à toiser le garçon.

— Oui, je suis sûr que c'est exactement ce que tu as fait quand c'était toi le nouveau.

Minho le dévisagea avec attention, puis déclara :

— J'ai été l'un des premiers blocards, tête de pioche. Ferme un peu ton clapet tant que tu ne sais pas de quoi tu parles.

Thomas, de moins en moins intimidé et surtout fatigué d'être pris pour un imbécile, se leva pour partir. Minho le retint par le bras.

— Assieds-toi, mec. Je te fais marcher, c'est tout. C'est trop marrant. Tu verras, quand le prochain nouveau... (Il s'interrompit, le front barré d'un pli soucieux.) Sauf qu'il n'y aura plus de nouveau, pas vrai ?

Thomas se détendit et s'assit, surpris par ce brusque changement d'attitude. Il repensa à la fille avec son billet qui les prévenait qu'elle serait la dernière.

— J'imagine que non.

Minho l'examina entre ses paupières plissées.

— Tu as vu la fille, hein ? Tout le monde a l'air de croire que tu la connais.

Thomas fut aussitôt sur la défensive.

— Je l'ai vue, mais je n'ai pas l'impression qu'on se connaisse.

Il se sentit coupable de mentir, même si ce n'était pas un gros mensonge.

— Elle est mignonne?

Thomas hésita. Il ne pensait pas à elle en ces termes depuis qu'elle s'était redressée, son message à la main, en déclarant : « Tout va bientôt changer. » Mais il se souvint à quel point il l'avait trouvée belle.

— Plutôt mignonne, oui.

Minho se laissa retomber sur le dos, les yeux clos.

— J'en étais sûr. À condition d'aimer les filles dans le coma, évidemment.

Il ricana.

— Évidemment.

Thomas avait bien du mal à déterminer s'il appréciait Minho ou non ; sa personnalité semblait changer d'une minute à l'autre. Au bout d'un long moment, il se risqua à demander :

— Alors... tu as trouvé quelque chose d'intéressant, aujourd'hui ?

Minho ouvrit grand les yeux ; son regard se posa sur Thomas.

— Tu sais quoi ? D'habitude, c'est la question la plus débile qu'on puisse poser à un coureur. (Il referma les yeux.) Mais pas aujourd'hui.

— Comment ça ? demanda Thomas, tout excité.

« Une réponse, songea-t-il. Enfin une réponse, s'il vous plaît ! »

— Attendons le retour de l'Amiral. J'ai horreur de me répéter. En plus, il n'aura peut-être pas envie que tu sois au courant.

Thomas soupira. Il n'était pas surpris.

— Dans ce cas, dis-moi au moins pourquoi tu as l'air aussi fatigué. Tu cours tous les jours, non ?

Minho se redressa en grognant et s'assit en tailleur.

— Oui, le bleu, tous les jours. Disons que je me suis un peu excité et que j'ai couru plus vite que d'habitude.

— Pourquoi ? insista Thomas, désespérément avide d'en apprendre davantage sur ce qui se passait dans le Labyrinthe.

Minho leva les mains.

— Je te l'ai dit, mec, patience! On attend l'amiral Alby.

Le ton de sa voix adoucit la déception de Thomas ; il décida qu'il aimait bien Minho.

— C'est bon, je la boucle. Mais assure-toi qu'Alby me laisse écouter les nouvelles.

Minho le dévisagea une seconde.

— D'accord, le bleu. C'est toi, le patron.

Alby revint quelques instants plus tard avec un grand gobelet en plastique rempli d'eau. Minho le lui prit des mains et le vida d'un trait.

— Bon, dit Alby, je t'écoute. Qu'est-ce qu'il y a ?

Minho haussa les sourcils, avec un coup de menton en direction de Thomas.

— Ne t'en fais pas pour ce tocard, reprit Alby. Tu peux parler devant lui, je m'en fiche.

Thomas prit son mal en patience tandis que Minho se levait en grimaçant à chaque mouvement. Tout dans son attitude criait sa fatigue. Le coureur s'appuya contre le mur et les dévisagea froidement l'un et l'autre.

— J'ai trouvé un cadavre, annonça-t-il.

— Hein ? s'exclama Alby. Un cadavre de quoi ?

Minho sourit.

— Un cadavre de Griffeur.

CHAPITRE 13

Alby avait l'air incrédule de celui à qui on vient d'apprendre qu'il peut se faire pousser des ailes et s'envoler.

— Je ne suis pas d'humeur à rigoler, prévint-il.

— Écoute, répliqua Minho, à ta place je serais sceptique, moi aussi. Mais tu peux me croire, j'en ai vraiment trouvé un. Un gros, en plus !

« Ça n'est jamais arrivé avant », songea Thomas.

— Tu as trouvé un Griffeur mort…, répéta Alby.

— Oui, Alby, s'impatienta Minho. À trois kilomètres d'ici environ, près de la Falaise.

Alby regarda le Labyrinthe, puis Minho.

— OK… mais pourquoi tu ne l'as pas ramené avec toi ?

Minho eut un petit rire, entre le grognement et le gloussement.

— Tu as forcé sur la bibine ou quoi ? Ces machins doivent peser une demi-tonne, mec. De toute façon, ne compte pas sur moi pour y toucher. Même si on m'offrait un billet de sortie pour partir d'ici.

Alby insista.

— De quoi il avait l'air ? Ses piquants étaient rentrés ou sortis ? Est-ce qu'il bougeait encore ? Est-ce que sa peau était encore luisante ?

Toutes sortes de questions se pressaient dans la tête de Thomas. Pourtant, il tint sa langue. Il ne voulait pas leur rappeler sa présence et risquer qu'ils décident de poursuivre la discussion en privé.

— Il faudrait que tu voies ça par toi-même, répondit Minho. C'est... bizarre.

— Bizarre?

Alby semblait perplexe.

— Écoute, je suis crevé, j'ai faim et le soleil me tape sur le crâne. Mais si tu veux y aller tout de suite, on doit pouvoir faire l'aller-retour avant la fermeture des murs.

Alby consulta sa montre.

— Mieux vaut attendre demain.

— Ça, c'est la réflexion la plus intelligente de la semaine, approuva Minho.

Il s'écarta du mur, décocha à Alby un petit coup sur le bras puis partit vers la ferme en boitant. Il semblait avoir mal partout. Il leur lança par-dessus son épaule:

— Je devrais retourner dehors, mais tu parles! je vais plutôt aller taper un peu dans le ragoût de Poêle-à-frire.

Thomas ressentit une certaine déception. Minho avait sans doute bien mérité de se reposer et de manger un morceau, mais il aurait tellement voulu en apprendre davantage.

Alby se tourna vers lui et le surprit en lui disant:

— Si tu sais quelque chose et que tu ne me le dises pas...

Thomas commençait à en avoir assez d'être accusé sans arrêt. Il regarda l'autre bien en face et lui demanda avec franchise:

— Pourquoi tu me détestes à ce point?

Dans l'expression d'Alby se mêlaient la perplexité, la colère et le choc.

— Te *détester*? Mec, tu n'as vraiment rien appris depuis que tu es sorti de la Boîte! Ça n'a rien à voir avec la haine, l'amour, l'amitié... La seule chose qui compte, c'est de survivre. Alors arrête de jouer les chochottes et fais fonctionner un peu ton cerveau!

Thomas eut l'impression d'avoir été giflé.

— Mais… tu n'arrêtes pas de m'accuser…

— Parce que je ne crois pas aux coïncidences, tête de pioche! Tu débarques ici, et le lendemain, c'est le tour de la fille avec son billet. Après, Ben essaie de te mordre et on trouve le cadavre d'un Griffeur. Je ne vais pas rester assis les bras croisés jusqu'à ce que je découvre ce qui se passe.

— Je ne *sais* rien, Alby. Je ne sais même pas où j'étais il y a trois jours, et encore moins pourquoi Minho est tombé sur le cadavre. Alors, lâche-moi!

Alby se pencha légèrement en arrière en regardant Thomas d'un air absent. Puis il dit:

— Tranquille, gamin. Il va falloir grandir un peu et te mettre à réfléchir. Personne ne t'accuse de quoi que ce soit. Mais si tu te rappelles quelque chose, si tu as la moindre impression de déjà-vu, tu as intérêt à m'en parler tout de suite. Promets-le-moi!

«Quand j'aurai retrouvé la mémoire, songea Thomas. Et seulement si j'ai envie de te mettre au courant.»

— D'accord, je veux bien, mais…

— Promets-le-moi!

Thomas hésita, dégoûté par l'attitude d'Alby.

— C'est bon, capitula-t-il. Tu as ma parole.

Là-dessus, Alby tourna les talons et s'éloigna.

*

Thomas se trouva un bel arbre à l'orée du bois, qui donnait beaucoup d'ombre. Pas vraiment pressé de reprendre le travail auprès de Winston le Boucher, il avait surtout envie de rester seul un moment. De plus c'était l'heure du déjeuner. Adossé au tronc, il pria pour qu'une brise se lève mais il n'y avait pas le moindre souffle de vent.

Il venait à peine de fermer les paupières quand Chuck troubla sa tranquillité.

— Thomas! Thomas! cria le garçon en courant vers lui, très agité, le visage brillant d'excitation.

Thomas se frotta les yeux en gémissant; il aurait donné n'importe quoi pour faire une sieste d'une demi-heure. C'est seulement quand Chuck s'arrêta devant lui, hors d'haleine, qu'il consentit enfin à lever la tête.

— Oui?

Chuck lui annonça la nouvelle mot à mot, entre deux respirations haletantes.

— Ben... Ben... n'est... pas... mort.

Toute trace de fatigue disparut aussitôt chez Thomas. Il bondit sur ses pieds et se retrouva nez à nez avec Chuck.

— Quoi?

— Il... est encore... en vie. Les coffreurs ont voulu le récupérer... la flèche n'avait pas touché le cerveau... les medjacks l'ont retapé!

Thomas se tourna vers le bois, dans lequel le malade l'avait attaqué.

— Tu rigoles? Je l'ai vu...

Thomas éprouvait un mélange d'émotions contradictoires: soulagement, confusion, peur d'une nouvelle agression...

— Eh bien, moi aussi, rétorqua Chuck. Pourtant, il est enfermé au gnouf, avec un énorme pansement qui lui cache la moitié du visage.

Thomas lui fit face.

— Au gnouf?

— Tu sais, la prison. Au nord de la ferme. (Chuck indiqua la direction.) Comme on l'a bouclé aussi vite, les medjacks ont dû le soigner là-bas.

Thomas se frotta les yeux. Il ressentit une intense culpabilité: il avait été soulagé que Ben soit mort, de savoir qu'il n'aurait plus jamais à l'affronter.

— Qu'est-ce que les autres comptent faire de lui?

— Les matons se sont réunis ce matin; leur décision a été

unanime, apparemment. J'ai l'impression que Ben va regretter que la flèche l'ait raté.

Thomas plissa les paupières avec perplexité.

— Comment ça ?

— Il sera banni ce soir, pour avoir essayé de te tuer.

— Banni ? Qu'est-ce que ça veut dire ?

Thomas n'avait pu s'empêcher de poser la question. Ça ne devait pas être très encourageant si Chuck estimait que c'était pire que la mort.

Chuck ne répondit pas ; il se contenta de *sourire*, malgré l'annonce inquiétante qu'il venait de faire. Le garçon partit en courant, sans doute pour raconter la nouvelle à un autre.

*

Le soir venu, Newt et Alby convoquèrent tous les blocards à la porte est, environ une demi-heure avant sa fermeture, alors que les premières ombres du crépuscule se répandaient dans le ciel. Les coureurs étaient rentrés et s'étaient enfermés dans la mystérieuse salle des cartes, en claquant la porte derrière eux ; Minho les y avait précédés. Alby leur avait demandé de se dépêcher, parce qu'il voulait qu'ils soient tous revenus vingt minutes plus tard.

Thomas n'avait pas encore digéré le sourire de Chuck quand il lui avait appris le bannissement de Ben. Il ne savait pas exactement en quoi consisterait ce châtiment, mais cela ne lui disait rien qui vaille. Surtout maintenant qu'ils étaient tous réunis à quelques pas du Labyrinthe. « Ils ne vont quand même pas le jeter dehors, au milieu des Griffeurs ? » songea-t-il.

Les autres blocards discutaient à voix basse. Thomas, les bras croisés, ne disait pas un mot. Il attendait que le spectacle commence. Il resta immobile jusqu'à ce que les coureurs ressortent de leur bâtiment, visiblement épuisés, encore perdus dans leurs pensées. Minho fut le premier à apparaître. Thomas se demanda s'il n'était pas le maton des coureurs.

— Amenez-le! cria Alby, l'arrachant à ses réflexions.

Thomas, laissant retomber ses bras le long du corps, chercha Ben des yeux à travers le Bloc, gagné par l'appréhension. Que ferait le garçon quand il le verrait?

Trois des blocards parmi les plus costauds émergèrent de l'arrière de la ferme, en traînant Ben sur le sol. Le pauvre était en haillons; un épais bandage, taché de sang, lui enveloppait la tête et la moitié du visage. Refusant de poser le pied par terre pour aider ses geôliers, il avait l'air aussi mort que la dernière fois que Thomas l'avait vu. À un détail près.

Il avait les yeux écarquillés de terreur.

— Newt, murmura Alby, apporte la perche.

Newt hocha la tête et se dirigea aussitôt vers la cabane où l'on rangeait les outils du jardin. De toute évidence, il s'attendait à cet ordre.

Thomas ramena son attention sur Ben. Le malheureux ne cherchait même pas à résister. Quand ils rejoignirent la foule, les gardiens redressèrent Ben devant Alby, leur chef, tandis que Ben inclinait la tête, refusant de croiser le moindre regard.

— Tu l'as bien cherché, Ben, déclara Alby.

Puis il hocha la tête et se tourna vers la cabane à outils.

Thomas suivit son regard juste à temps pour voir Newt en ressortir. Il tenait plusieurs tubes d'aluminium, qui s'encastraient les uns dans les autres pour former une perche de six ou sept mètres de long. Quand il eut terminé de les assembler, il empoigna un curieux objet à une extrémité et revint vers le groupe en traînant le tout derrière lui. Le tintement métallique de la perche sur les dalles arracha un frisson à Thomas.

Toute cette affaire l'horrifiait. Il ne pouvait pas s'empêcher de se sentir responsable, même s'il n'avait rien fait pour provoquer Ben. Mais la culpabilité était là, comme une maladie dans son sang.

Newt s'arrêta devant Alby et lui remit la perche. Thomas put enfin distinguer ce qui se trouvait à son extrémité : une boucle en cuir, fixée au métal par un rivet. Un gros fermoir permettait de l'ouvrir et de la refermer. Sa fonction était évidente.

Il s'agissait d'un collier.

CHAPITRE 14

Thomas regarda Alby ouvrir le collier puis le fixer au cou de Ben. Ce dernier leva enfin les yeux quand le fermoir claqua avec un bruit sec. Des larmes brillaient dans ses yeux. Les blocards l'observaient sans un mot.

— S'il te plaît, Alby, implora Ben d'une voix si tremblante que Thomas ne pouvait pas croire que c'était le même garçon qui avait tenté de lui ouvrir la gorge avec ses dents. C'était à cause de la Transformation, je te le jure. Je ne l'aurais jamais tué. J'ai pété les plombs durant une seconde, c'est tout. Je t'en prie, Alby, je t'en *supplie.*

Chacun de ses mots frappait Thomas comme un coup de poing dans le ventre, renforçant sa culpabilité et sa confusion.

Sans répondre, Alby tira sur le collier afin de s'assurer qu'il était bien fermé. Il s'éloigna de Ben en faisant glisser sa main sur toute la longueur de la perche. Parvenu au bout, il l'empoigna fermement et se tourna face à la foule, les yeux injectés de sang, le visage déformé par la colère, le souffle court. Thomas lui trouva tout à coup un air maléfique.

Alby prit la parole d'une voix grave, presque cérémonieuse, s'adressant à tout le monde sans regarder personne en particulier.

— Ben des bâtisseurs, tu es condamné au bannissement pour avoir tenté d'assassiner Thomas. Les matons ont rendu leur verdict, et leur décision est irrévocable. Tu ne pourras plus revenir parmi nous. Jamais. (Il marqua une longue pause.) Matons, venez prendre avec moi la perche du bannissement!

Thomas s'irrita de ce lien établi en public entre Ben et lui… avec la responsabilité que cela faisait peser sur lui. Se retrouver de nouveau au centre de l'attention générale n'éveillerait que de nouveaux soupçons. Sa culpabilité se changea en colère. Il ne voulait plus qu'une chose: que Ben disparaisse, et qu'on en finisse.

Un à un, plusieurs garçons sortirent des rangs et s'avancèrent vers la perche; ils l'empoignèrent à deux mains, comme pour un jeu de tir à la corde. Newt était parmi eux, ainsi que Minho, confirmant à Thomas qu'il était bien le maton des coureurs. Winston le Boucher les rejoignit également.

Quand ils furent tous en place – dix matons à intervalles réguliers entre Alby et Ben –, un grand calme s'abattit sur le Bloc. On n'entendait plus que les pleurnichements de Ben, qui s'essuyait le nez et les yeux. Il jetait des regards affolés à gauche et à droite, tandis que le collier l'empêchait de se retourner pour voir la perche et les matons.

Les sentiments de Thomas évoluèrent. Quelque chose ne tournait pas rond chez Ben, c'était évident. Avait-il vraiment mérité son sort? N'aurait-on pas pu essayer de le soigner? Thomas allait-il passer le restant de ses jours à s'en vouloir?

— Pitié! hurla Ben en désespoir de cause. Je vous en supplie, aidez-moi! Vous ne pouvez pas me faire ça!

— Ta gueule! rugit Alby.

Mais Ben l'ignora et continua ses supplications tout en essayant de détacher son collier.

— Au secours! Aidez-moi, s'il vous plaît!

Il regardait ses anciens compagnons avec des yeux implorants. Tous se détournèrent de lui. Thomas se rangea vivement derrière un garçon plus grand que lui pour s'épargner la confrontation avec Ben. «Pas question de croiser son regard encore une fois», se dit-il.

— Si on avait laissé des tocards comme toi commettre ce genre de trucs, lança Alby, on n'aurait jamais survécu si longtemps. Matons, préparez-vous !

— Non, non, non, marmonnait Ben. Je vous jure que je ne le ferai plus. Plus jamais ! Je vous en prie...

Son cri aigu fut couvert par le fracas de la porte en train de se refermer. Le mur de droite coulissa vers la gauche avec un grondement caverneux en faisant jaillir des étincelles. Le Bloc se refermait pour la nuit... Le sol de pierre tremblait sous leurs pieds, et Thomas se demanda s'il aurait la force d'assister à la scène jusqu'au bout.

— Maintenant ! cria Alby.

Les matons poussèrent la perche vers le Labyrinthe, et la tête de Ben partit en arrière. Il cria plus fort que le bruit de la porte et se laissa tomber à genoux ; mais le maton le plus proche, un costaud aux cheveux bruns et au visage grimaçant, le releva sans ménagement.

— Non ! hurla Ben, la bave aux lèvres, tandis qu'il se débattait en tirant sur son collier.

Cependant, la force des matons, irrésistible, poussait le condamné hors du Bloc dont la porte était presque refermée.

— Non ! répéta-t-il. Nooooon !

Il s'efforça de planter ses pieds sur le seuil, mais ne put résister qu'une fraction de seconde. La perche le propulsa dans le Labyrinthe avec une secousse. Il se retrouva un mètre hors du Bloc, à se débattre furieusement avec son collier. Les murs de la porte étaient quasiment scellés.

Au prix d'un ultime effort, Ben parvint à pivoter pour faire face aux blocards. Les yeux fous, les lèvres écumantes, la peau tendue sur les veines et les os, il n'avait pratiquement plus rien d'humain.

— Tenez bon ! cria Alby.

Ben poussa alors un hurlement interminable, si perçant que Thomas se couvrit les oreilles : un cri bestial, démentiel, qui avait sûrement dû lui déchirer les cordes vocales. Au dernier moment, le maton le plus proche détacha l'ultime tronçon de la perche et ramena l'outil à l'intérieur du Bloc, abandonnant le pauvre garçon à son bannissement. Les cris s'interrompirent quand le mur acheva de coulisser dans un terrible bruit.

Thomas ferma les yeux. Il découvrit avec surprise qu'il avait les joues inondées de larmes.

CHAPITRE 15

Pour la deuxième nuit d'affilée, Thomas se coucha hanté par l'image de Ben. Vivrait-il sa situation autrement si leurs routes ne s'étaient pas croisées ? Thomas parvenait presque à se convaincre qu'il serait heureux, très excité par l'apprentissage de sa nouvelle existence, concentré sur son objectif de devenir coureur. Presque... Car, au fond de lui, il savait bien que Ben ne représentait que l'un de ses nombreux problèmes.

À présent, Ben était banni parmi les Griffeurs, qui avaient dû l'emporter dans leur tanière et lui infliger le sort qu'ils réservaient à leurs proies. Malgré les nombreuses raisons qu'il avait de lui en vouloir, Thomas ne pouvait s'empêcher de le plaindre.

D'après les atroces derniers moments de Ben, il ne doutait plus de l'importance de cette règle fondamentale selon laquelle seuls les coureurs pouvaient sortir dans le Labyrinthe, et uniquement dans la journée. Sans oublier que Ben avait déjà été piqué, et qu'il savait peut-être mieux que quiconque ce qui l'attendait.

« Pauvre gars », songea Thomas.

Il frissonna et roula sur le côté. Plus il y réfléchissait, moins la carrière de coureur paraissait séduisante. Et pourtant, inexplicablement, elle l'attirait toujours autant.

*

Le lendemain matin, l'aube commençait à peine à colorer le ciel que les bruits du Bloc l'arrachaient au sommeil le plus profond qu'il avait connu depuis son arrivée. Il s'assit, se frotta les yeux pour essayer de chasser son engourdissement; puis il renonça et se recoucha en espérant que personne ne viendrait le déranger.

Ça ne dura pas.

Une minute plus tard, on le secouait par l'épaule. Quand il rouvrit les yeux, il découvrit Newt penché sur lui. «Quoi encore?» se dit-il.

— Debout, flemmard.

— C'est ça, bonjour. Quelle heure est-il?

— Sept heures du matin, le bleu, répondit Newt avec un sourire moqueur. Après tout ce que tu as subi ces deux derniers jours, je me suis dit que je pouvais te laisser dormir un peu.

Thomas s'assit, très contrarié de ne pas pouvoir traîner encore une heure ou deux.

— Tu m'as laissé dormir? Vous avez tous des horaires de paysans, ou quoi?

Les paysans, comment se faisait-il qu'il se rappelle autant de choses à leur sujet? Décidément, son amnésie lui réservait bien des surprises.

— Eh bien, maintenant que tu en parles…

Newt s'assit en tailleur à côté de lui. Il resta silencieux un moment, à regarder le va-et-vient des blocards.

— J'ai l'intention de te mettre avec les sarcleurs, aujourd'hui. Pour voir si ça te convient mieux que le charcutage des petits cochons.

Thomas en avait plus qu'assez d'être traité comme un bébé.

— Tu ne pourrais pas arrêter de m'appeler comme ça?

— Quoi, petit cochon?

Thomas secoua la tête avec un sourire forcé.

— Non, «le bleu». Je ne suis plus le nouveau, maintenant. C'est la fille. Moi, c'est Thomas.

L'image de la fille inanimée s'imposa à lui et lui remit en mémoire son impression de la connaître. La tristesse l'envahit, comme si elle lui manquait et qu'il avait hâte de la revoir. «C'est ridicule, songea-t-il. Je ne connais même pas son nom.»

Newt haussa les sourcils.

— Mince alors! Tu t'es trouvé une paire de couilles pendant la nuit?

Thomas l'ignora et demanda:

— C'est quoi, un sarcleur?

— Un gars qui se casse le cul à bosser dans le jardin, à biner, arracher les mauvaises herbes, planter les graines et tout ça.

Thomas hocha la tête.

— Qui est le maton?

— Zart. Un gars sympa, sauf pour les feignants. C'est le costaud qui se tenait devant hier soir.

Thomas ne releva pas. Le bannissement de Ben le mettait mal à l'aise; il préféra changer de sujet.

— Pourquoi tu m'as réveillé?

— Quoi, tu n'aimes pas commencer la journée en découvrant mon visage amical penché sur toi?

— Pas spécialement. Alors...

Mais avant de pouvoir terminer sa phrase, il fut interrompu par le grondement des portes qui s'ouvraient pour la journée. Il se tourna vers la porte est, s'attendant presque à découvrir Ben debout de l'autre côté. Au lieu de quoi il vit Minho en train de s'étirer. Celui-ci s'avança et ramassa quelque chose.

C'était l'extrémité de la perche avec le collier au bout. Minho ne parut pas y prêter une grande attention; il se contenta de la jeter à un autre coureur, qui partit la ranger dans la cabane à outils.

Thomas, perplexe, se tourna vers Newt. Comment Minho pouvait-il se montrer aussi nonchalant?

— Qu'est-ce que...?

— Il n'y a eu que trois bannissements, Tommy. Tous aussi pénibles que celui auquel tu as assisté hier soir. Et chaque fois, les Griffeurs ont laissé le collier sur le pas de la porte. J'en ai froid dans le dos rien que d'y penser.

Thomas dut en convenir.

— Que font-ils de ceux qu'ils attrapent?

Newt haussa les épaules. Il n'avait pas envie de lui raconter.

— Bon, alors, parle-moi des coureurs, suggéra Thomas.

Il voulait tout savoir à leur sujet. Même après la scène de la veille au soir, même après avoir vu le Griffeur à travers le carreau, il en avait *besoin*.

Newt le dévisagea d'un air soupçonneux.

— Ces gars-là sont les meilleurs d'entre nous. Tout repose sur eux.

Il ramassa un caillou, le lança et le regarda ricocher sur les dalles.

— Pourquoi tu n'en es pas un?

Newt ramena vivement son regard sur Thomas.

— Je l'étais, jusqu'à ce que je me blesse à la jambe il y a quelques mois. Je ne me suis jamais complètement rétabli.

Il se baissa pour se masser d'un geste machinal la cheville droite, avec une brève grimace. Thomas eut l'impression que sa douleur était due davantage au souvenir qu'à une séquelle physique.

— Comment est-ce que tu t'es fait ça? demanda Thomas.

Il se disait que plus il ferait parler Newt, plus il apprendrait de choses.

— En voulant échapper aux Griffeurs, qu'est-ce que tu crois? Ils étaient à deux doigts de m'avoir. (Newt marqua une pause.) Quand je pense que j'ai failli subir la Transformation, j'en ai encore froid dans le dos.

La Transformation. C'était le sujet idéal pour tâcher d'obtenir des réponses.

— Parle-moi de ça, tiens. Qu'est-ce qui se transforme? Est-ce qu'on devient forcément cinglé, comme Ben?

— Ben était un cas extrême. Je croyais que tu voulais parler des coureurs?

Thomas comprit au ton de Newt qu'il valait mieux ne pas insister. Ce refus d'aborder la question ne fit que renforcer sa curiosité, même s'il n'était pas mécontent d'en revenir aux coureurs.

— D'accord, je t'écoute.

— Comme je te l'ai dit, ces gars-là sont les meilleurs.

— Comment sont-ils choisis? Vous faites passer des épreuves pour voir qui sont les plus rapides?

Newt lui jeta un regard de dégoût avant de grogner.

— Je te croyais plus malin que ça, le bleu... ou Tommy, comme tu préfères. Le fait de courir vite n'est qu'un aspect de la question. Et pas le plus important.

— Comment ça?

— Quand je dis «les meilleurs», c'est dans tous les domaines. Pour survivre dans ce foutu Labyrinthe, il faut être astucieux, rapide et fort. Il faut savoir prendre des décisions en un clin d'œil, peser les risques. Il n'y a pas de place pour les casse-cou ni les timides. (Newt allongea les jambes et s'appuya sur les mains.) C'est l'enfer, là-dehors, tu sais? Ça ne me manque pas.

— Je croyais que les Griffeurs ne sortaient que la nuit?

— En général, oui.

— Alors, qu'y a-t-il de si terrible dans le Labyrinthe?

Qu'est-ce qu'il ignorait encore?

Newt soupira.

— La pression. Le stress. La disposition des murs qui change tous les jours, alors qu'on essaie de s'en faire une image mentale pour trouver la sortie. La mémorisation de ces foutus plans. Le pire, c'est qu'on n'est jamais sûr de pouvoir revenir. Dans un labyrinthe normal, ce serait déjà dur. Mais avec celui-là, qui se modifie tout le temps, il suffit d'une erreur pour se retrouver enfermé dehors avec les bestioles. Ce n'est pas un boulot pour les petites têtes ou les enfants gâtés.

Thomas fronça les sourcils. Il ne comprenait pas ses motivations. Surtout après la nuit dernière. Mais elles ne faiblissaient pas. Il en avait des fourmis dans les jambes.

— Pourquoi toutes ces questions? voulut savoir Newt.

Thomas hésita, rechignant à formuler son souhait à voix haute.

— Je veux devenir coureur.

Newt le dévisagea bien en face.

— Ça ne fait même pas une semaine que tu es là, tocard. Tu as déjà envie de mourir?

— Je suis sérieux.

Cela paraissait absurde, même à ses yeux, mais Thomas se sentait sûr de lui. En fait, son envie de rejoindre les rangs des coureurs était la seule chose qui le faisait tenir, qui lui permettait d'accepter son sort.

Newt continua à le fixer.

— Moi aussi. Laisse tomber. Personne n'est devenu coureur dès le premier mois, encore moins dès la première semaine. Tu dois d'abord faire tes preuves. Après, on te recommande au maton.

Thomas se leva et entreprit de rouler son sac de couchage.

— Newt, je ne rigole pas. Je ne vais pas arracher des mauvaises herbes toute la journée, je deviendrais cinglé. Je ne sais pas ce que je faisais avant de débarquer ici, mais je sens au fond de moi que je suis fait pour être un coureur. J'en suis capable.

Newt le dévisagea.

— Personne ne dit le contraire. Mais oublie pour l'instant.

— Mais…

— Écoute, Tommy, fais-moi confiance. Si tu commences à raconter partout que tu es trop fort pour faire le paysan, que tu te sens prêt à rejoindre l'élite et tout ça, tu vas te faire plein d'ennemis. Laisse tomber.

Se faire des ennemis était bien la dernière chose que Thomas voulait. Malgré tout, il décida d'essayer une autre approche.

— Très bien, j'en parlerai à Minho.

— Bonne chance, tocard. Les coureurs sont élus par l'assemblée des matons, et si tu penses que je suis coriace, eux, crois-moi, ils vont te rire au nez.

— Mais je pourrais peut-être devenir un excellent coureur. On perd du temps à attendre.

Newt se leva à son tour et agita son doigt sous le nez de Thomas.

— Écoute-moi bien, le bleu. Ouvre grand tes oreilles, OK ?

Curieusement, Thomas ne se sentait pas du tout intimidé. Il leva les yeux au ciel, puis hocha la tête.

— Tu ferais mieux de garder ça pour toi avant que tout le monde soit au courant. Ici, ça ne fonctionne pas comme ça, et notre survie à tous dépend de la bonne marche du système.

Il marqua une pause. Thomas ne dit rien, redoutant le sermon qui allait suivre.

— L'ordre, continua Newt. L'ordre ! Répète-toi ce foutu mot encore et encore dans ta petite tête. Ce qui nous évite de perdre la boule, ici, c'est de nous défoncer au travail et de maintenir l'ordre. C'est pour ça que Ben s'est fait bannir : parce qu'on ne peut pas accepter que des cinglés se baladent en essayant de tuer les copains. C'est fondamental. Il n'est pas question que tu viennes bousiller ça.

Thomas comprit qu'il ne fallait pas insister.

— D'accord, bougonna-t-il.

Newt lui donna une tape dans le dos.

— On va passer un marché, tous les deux.

— Ah oui ? dit Thomas, reprenant espoir.

— Tu n'en parles plus à personne, et je te mets sur la liste des candidats dès que tu commences à connaître tout le monde.

Si tu l'ouvres, par contre, je ferai en sorte que ça n'arrive jamais. Qu'est-ce que tu en dis?

Thomas détestait l'idée de patienter sans savoir pour combien de temps.

— Il pue, ton marché.

Newt haussa les sourcils. Thomas finit par acquiescer.

— C'est bon, je marche.

— Viens, allons voir ce que nous a préparé Poêle-à-frire. En espérant qu'on ne s'étouffe pas avec.

*

Ce matin-là, Thomas rencontra enfin le fameux Poêle-à-frire. Le garçon était occupé à nourrir une armée de blocards affamés. À seize ans à peine, il était déjà velu comme un singe, avec une vraie barbe et des poils drus qui s'échappaient de ses vêtements maculés de nourriture. Ça ne semblait pas le gars le plus propre du monde pour s'occuper d'une cuisine. Thomas se promit de guetter la présence de poils noirs dans son assiette.

Newt et lui venaient de rejoindre Chuck à une table de pique-nique devant la cuisine quand un groupe de blocards se leva et partit d'un pas vif vers la porte ouest, en discutant avec animation.

— Qu'est-ce qui se passe encore? demanda Thomas.

Sa nonchalance l'étonna lui-même. Les nouveaux événements faisaient partie de sa vie désormais.

Newt haussa les épaules.

— Ils vont assister au départ de Minho et Alby; ils veulent aussi jeter un coup d'œil au cadavre du Griffeur.

— Ah, fit Chuck en crachant un petit morceau de bacon. J'avais une question là-dessus.

— Oui, Chuckie? lança Newt sur un ton sarcastique. Vas-y, pose ta foutue question.

Chuck se plongea dans une profonde réflexion.

— On a trouvé un cadavre de Griffeur, c'est ça?

— Oui, répondit Newt. On est déjà au courant.

Chuck tapota machinalement la table avec sa fourchette.

— Qui a bien pu tuer cette saleté?

«Excellente question», pensa Thomas. Il attendit la réponse, en vain. De toute évidence, Newt n'en avait pas la moindre idée.

CHAPITRE 16

Thomas passa la matinée en compagnie du maton du jardin à « se défoncer au travail », comme aurait dit Newt. Bien que Zart ne soit pas un bavard, il donna suffisamment d'indications à Thomas pour que celui-ci puisse se débrouiller. Arracher les mauvaises herbes, tailler un abricotier, planter des courges et des courgettes, ramasser les légumes... tout ça ne lui plaisait pas beaucoup. D'une manière générale, il ne sympathisa guère avec les autres sarcleurs, mais ce n'était pas aussi terrible que le travail à l'abattoir sous les ordres de Winston.

Zart et lui nettoyaient une rangée de jeunes pousses de maïs quand Thomas se risqua à engager la conversation. Ce maton semblait beaucoup moins sévère que les autres.

— Euh, Zart? commença-t-il.

Le maton leva la tête vers lui, puis reprit son travail. Avec ses paupières tombantes et son visage étroit, il donnait perpétuellement l'impression de s'ennuyer.

— Oui, le bleu, qu'est-ce que tu veux?

— Combien y a-t-il de matons en tout? demanda Thomas, en affectant de ne pas y attacher d'importance. Et quelles sont les occupations possibles?

— Eh bien, tu as les bâtisseurs, les torcheurs, les coffreurs, les cuistots, les cartographes, les medjacks, les sarcleurs et les trancheurs. Et les coureurs, évidemment. Plus quelques autres, sans doute. Mais je m'intéresse surtout à ma partie.

Certains de ces termes ne s'expliquaient pas d'eux-mêmes.

— Les torcheurs ?

Thomas savait que Chuck en était un, mais le garçon ne voulait pas en parler.

— Ces tocards tout juste bons à passer la serpillière… Ils nettoient les toilettes, les douches, la cuisine, l'abattoir… tout, quoi. J'ai passé une journée avec eux. Je peux te dire que ça m'a coupé l'envie de continuer dans cette voie.

Thomas éprouva une pointe de remords en songeant à Chuck ; il était désolé pour lui. Le pauvre aurait voulu être ami avec tout le monde, mais personne ne semblait l'apprécier ni même faire attention à lui. Certes, il était bavard et s'emballait un peu vite. Toutefois Thomas n'était pas mécontent de pouvoir compter sur lui.

— Et les sarcleurs ? demanda-t-il en arrachant une grosse touffe d'herbe en même temps qu'une motte de terre accrochée aux racines.

Zart s'éclaircit la gorge et, tout en continuant son travail, répondit :

— Nous faisons le gros œuvre dans le jardin. Nous creusons les fossés, tout ça. Le reste du temps, nous nous occupons ailleurs dans le Bloc. En fait, la plupart des blocards cumulent plusieurs fonctions. On ne te l'avait pas dit ?

Thomas ignora sa question et continua, bien résolu à obtenir le plus de réponses possible.

— Et les coffreurs ? Je sais qu'ils s'occupent des morts, mais il ne doit pas y en avoir souvent, non ?

— Ce sont les gros bras du Bloc. Ils jouent aussi les gardiens, les flics. On les appelle comme ça par dérision. Amuse-toi bien le jour où ils te chopent, mon pote !

Pour la première fois, Thomas l'entendit rire ; il trouva ça plutôt sympathique.

Il avait encore bien des questions. Chuck et les autres blocards refusaient de lui répondre. Et voilà que Zart se montrait tout à fait disposé à satisfaire sa curiosité. Mais soudain, Thomas n'eut plus envie de parler. L'image de la fille venait de lui revenir en tête, comme ça, ainsi que celle de Ben, et il pensait aussi à la mort du Griffeur qui aurait dû être une bonne nouvelle mais que tout le monde semblait considérer comme de mauvais augure.

Décidément, sa nouvelle existence n'était pas rose.

Il poussa un long soupir. « Travaille », se dit-il. Et il redoubla d'efforts.

*

Quand vint enfin la pause de l'après-midi, Thomas était au bord de l'épuisement : toutes ces heures, courbé ou à genoux dans les sillons, l'avaient achevé. L'abattoir et les jardins, deux essais aussi peu concluants l'un que l'autre.

« Coureur. Je veux devenir coureur », songea-t-il. Aussi absurde que cela paraisse, sa résolution ne faiblissait pas.

Éreinté, courbatu, il se rendit à la cuisine pour avaler un morceau et boire un verre d'eau. Il aurait pu engloutir un repas entier, bien qu'il ait déjeuné deux heures plus tôt. Même le porc redevenait appétissant.

Il croqua dans une pomme, puis se laissa tomber comme un sac à côté de Chuck. Newt était là, assis dans un coin, sans prêter attention à personne. Il avait les yeux injectés de sang et le front barré d'un pli soucieux. Thomas le regarda se ronger les ongles, chose qu'il ne l'avait encore jamais vu faire.

Chuck le remarqua lui aussi.

— Qu'est-ce qu'il a ? chuchota-t-il. On dirait toi quand tu es sorti de la Boîte.

— Je ne sais pas, répondit Thomas. Tu devrais aller lui demander.

— J'entends tout ce que vous dites, les avertit Newt à voix haute. Pas étonnant que personne ne veuille dormir à côté de vous, tocards.

Thomas eut l'impression d'être pris en faute. Pourtant, son inquiétude était sincère, car Newt était l'une des rares personnes du Bloc qu'il appréciait vraiment.

— Sérieusement, qu'est-ce qu'il y a? insista Chuck. Sans vouloir te vexer, tu as vraiment une sale tête.

— Pourtant, tout roule, ironisa Newt.

Il se tut et son regard se perdit dans le vague durant un long moment. Thomas allait l'interroger à son tour, quand il reprit :

— C'est la fille. Elle n'arrête pas de gémir et de bafouiller toutes sortes de trucs bizarres, mais elle ne se réveille toujours pas. Et les medjacks ont beau la nourrir à la petite cuillère, elle mange de moins en moins. Je vous le dis, toute cette histoire pue l'embrouille à plein nez.

Thomas baissa les yeux sur sa pomme et croqua dedans. Il lui trouva un goût amer. Voilà qu'il se faisait du souci pour la fille et qu'il s'inquiétait pour sa santé. Comme s'il la connaissait.

Newt poussa un long soupir.

— Enfin, ce n'est pas ce qui m'embête le plus.

— C'est quoi, alors? voulut savoir Chuck.

Thomas se pencha en avant, si curieux qu'il en oublia momentanément la fille.

Newt plissa les paupières en observant l'une des portes du Labyrinthe.

— Alby et Minho, grommela-t-il. Ils auraient dû revenir depuis longtemps.

*

Thomas reprit bientôt l'arrachage des mauvaises herbes, en comptant les minutes qui le séparaient de la fin de cette corvée. Il regardait à tout moment vers la porte ouest, dans l'espoir de voir Alby et Minho. Newt lui avait communiqué sa nervosité.

Selon Newt, les deux blocards auraient dû être rentrés depuis midi : largement le temps d'aller jusqu'au Griffeur, d'explorer les alentours une heure ou deux et de rentrer. Pas étonnant qu'il se fasse du souci. Quand Chuck avait suggéré qu'ils prolongeaient peut-être la promenade pour le plaisir, Newt lui avait jeté un regard si incendiaire que Thomas avait craint de le voir s'enflammer spontanément.

Jamais il n'oublierait l'expression qui s'était affichée ensuite sur le visage de Newt. Quand Thomas lui avait demandé pourquoi lui et d'autres ne se rendaient pas dans le Labyrinthe à la recherche de leurs amis, le garçon s'était pétrifié d'horreur ; ses joues s'étaient creusées et remplies d'ombre. Il s'était repris rapidement, en expliquant qu'on n'envoyait jamais de groupes de recherche dans le Labyrinthe, pour ne pas risquer de perdre encore plus de monde. Thomas n'était pas dupe.

Newt était terrifié par le Labyrinthe.

Quoi qu'il lui soit arrivé, là-dehors, ç'avait dû être épouvantable.

Thomas s'efforça de ne pas y penser et se concentra sur les mauvaises herbes.

*

Le dîner se déroula dans une atmosphère maussade qui ne devait rien à la nourriture. Poêle-à-frire et ses cuistots leur servirent un repas somptueux avec des steaks, de la purée de pommes de terre, des haricots verts et des petits pains tout chauds. Thomas avait vite appris à ne pas prendre au sérieux les plaisanteries des blocards concernant la cuisine de Poêle-à-frire. D'habitude, tout le monde finissait son assiette et s'empressait de demander du rab. Mais, ce soir-là, les blocards mangeaient avec autant d'appétit qu'un condamné lors de son dernier repas.

Les autres coureurs étaient rentrés à l'heure. Thomas était devenu de plus en plus inquiet à force de voir Newt courir les accueillir d'une porte à l'autre, sans chercher à masquer sa panique. Alby et Minho ne réapparaissaient toujours pas. Alors que Newt avait envoyé les blocards prendre leur dîner, lui-même était resté faire le guet. Personne n'en parlait, mais Thomas savait que les murs ne tarderaient plus à se refermer.

Il avait obéi comme les autres, à contrecœur, et était allé s'asseoir au sud de la ferme à la même table que Chuck et Winston. Au bout de quelques bouchées seulement, il ne put plus rien avaler.

— Désolé, je ne peux pas rester assis là tranquillement alors qu'ils sont quelque part dehors, s'excusa-t-il en lâchant sa fourchette. Je vais les attendre avec Newt.

Il se leva et se dirigea vers la porte. Chuck lui emboîta le pas.

Ils retrouvèrent Newt à la porte ouest, qui faisait les cent pas en se passant les mains dans les cheveux. Il se tourna vers eux quand il les entendit approcher.

— Mais qu'est-ce qu'ils foutent ? s'exclama-t-il d'une voix tendue.

Thomas fut touché de le voir aussi inquiet du sort d'Alby et Minho, comme s'ils étaient de sa famille.

— Pourquoi on n'irait pas à leur recherche ? suggéra-t-il.

Cela lui paraissait tellement stupide de rester là, à se torturer, alors qu'ils auraient pu sortir et les appeler.

— Nom de…, commença Newt avant de s'interrompre. (Il ferma les yeux une seconde et respira profondément.) C'est impossible. OK ? Laisse tomber. Ce serait contraire à toutes nos règles. Surtout que ces foutues portes vont bientôt se refermer.

— Mais pourquoi ? insista Thomas, qui ne comprenait pas l'obstination de Newt. Les Griffeurs vont leur tomber dessus s'ils ne rentrent pas. Est-ce qu'on ne devrait pas faire quelque chose ?

Newt se tourna vers lui, le visage empourpré, les yeux brillants de colère.

— Ferme-la, le bleu! rugit-il. Ça ne fait même pas une semaine que tu es là! Tu crois que j'hésiterais une seconde à risquer ma vie si on avait une chance de les sauver?

— Non, je... Désolé. Je ne voulais pas...

Thomas ne savait plus quoi dire; il souhaitait simplement les aider.

Newt se radoucit.

— Tu ne comprends pas, Tommy. Sortir la nuit, c'est du suicide. Ça ne servirait à rien d'en sacrifier d'autres. Si ces deux tocards ne rentrent pas... (Il marqua une pause, comme s'il hésitait à formuler à voix haute ce qu'ils pensaient tous.) Ils ont prêté serment, comme nous tous. Toi aussi, tu prêteras serment à ton premier rassemblement, quand tu seras choisi par un maton. Il ne faut jamais sortir la nuit. Quoi qu'il arrive. Jamais.

Thomas se tourna vers Chuck, qui était aussi pâle que Newt.

— Puisque Newt n'y arrive pas, déclara Chuck, c'est moi qui vais le dire. S'ils ne rentrent pas, c'est qu'ils sont morts. Minho a trop d'expérience pour se perdre. Impossible. Ils sont morts.

Newt n'ajouta rien. Chuck tourna les talons et repartit vers la ferme, la tête basse. « Morts? » songea Thomas. Il ne savait plus comment réagir, en proie à une grande sensation de vide.

— Il a raison, ce tocard, fit Newt sur un ton solennel. Voilà pourquoi il n'est pas question de sortir. On ne peut pas se permettre d'aggraver la situation.

Il posa la main sur l'épaule de Thomas, puis laissa retomber son bras. Il avait les yeux remplis de larmes. Thomas était sûr de n'avoir jamais vu quelqu'un d'aussi triste. Les ombres du crépuscule, de plus en plus denses, correspondaient parfaitement à l'évolution de son humeur.

— Les portes vont bientôt se refermer, dit Newt.

Cette annonce, aussi succincte que définitive, flotta dans l'air comme un linceul emporté par la brise. Puis Newt s'éloigna sans un mot, les épaules voûtées.

Thomas secoua la tête et se tourna vers le Labyrinthe. Il connaissait à peine Alby et Minho. Mais sa gorge se serrait quand il les imaginait perdus dehors, tués par une créature abominable comme celle qu'il avait aperçue par le carreau lors de son premier matin au Bloc.

Un fracas de tonnerre venu de toutes les directions le fit sursauter. Puis Thomas entendit le grincement caractéristique de la pierre sur les dalles. Les portes se refermaient pour la nuit.

Le mur de droite coulissait sur le sol, en projetant de la poussière et des cailloux sur son passage. La rangée verticale de pointes, si nombreuses qu'elles paraissaient monter jusqu'au ciel, glissait vers les trous correspondants sur le mur de gauche, prête à sceller l'ouverture jusqu'au matin. Une fois de plus, Thomas demeura stupéfait devant la masse en mouvement. Cela paraissait impossible.

Puis un mouvement discret capta son attention.

Quelque chose bougeait dans le Labyrinthe, au bout du long passage qui lui faisait face.

Au début, la panique s'empara de lui ; il fit un pas en arrière, croyant qu'il s'agissait d'un Griffeur. Puis deux silhouettes apparurent, qui s'avançaient en titubant vers la porte. Quand le voile de peur se dissipa enfin, Thomas se rendit compte que c'était Minho qui soutenait Alby. Minho leva la tête et aperçut Thomas, qui le fixait avec des yeux exorbités.

— Ils l'ont eu ! cria-t-il d'une voix étranglée de fatigue.

À chaque pas, il donnait l'impression d'être sur le point de s'écrouler.

Abasourdi par la tournure des événements, Thomas mit un moment à réagir.

— Newt ! hurla-t-il. Ils arrivent ! Je les vois !

Il s'arracha enfin à la contemplation des deux blocards pour se tourner vers la ferme.

Il savait qu'il aurait dû se ruer dans le Labyrinthe pour les aider, mais l'interdiction formelle de sortir du Bloc le paralysait.

Newt avait presque atteint la ferme. Au cri de Thomas, il pivota sur ses talons et accourut en claudiquant.

Quand Thomas se retourna, un frisson de peur le parcourut. Alby avait échappé aux bras de Minho et glissé au sol. Thomas vit Minho qui s'efforçait de le relever, puis, en désespoir de cause, l'empoignait par les aisselles et le traînait dans la poussière.

Ils se trouvaient encore à une trentaine de mètres.

Le mur se rapprochait rapidement. Il donnait l'impression de coulisser de plus en plus vite, alors que Thomas aurait voulu le ralentir par la seule force de sa volonté. Dans quelques secondes, il serait trop tard. Alby et Minho n'auraient plus aucune chance de rentrer.

Thomas jeta un coup d'œil vers Newt, qui boitillait comme il pouvait pour le rejoindre.

Thomas regarda le Labyrinthe, le mur qui se rapprochait. Il n'était plus qu'à quelques mètres.

Minho trébucha, puis s'écroula. Ils ne rentreraient plus. Trop tard ! C'était fini.

Thomas entendit Newt crier dans son dos :

— Arrête, Tommy ! Ne fais pas ça !

Les pointes du mur de droite parurent se tendre comme des bras vers les trous où elles viendraient se loger pour la nuit. Le grondement de la porte emplissait l'air, assourdissant.

Plus que deux mètres. Un mètre et demi. Un mètre.

Thomas n'avait pas le choix. Il s'élança. Il se glissa entre les pointes à la dernière seconde et s'engouffra dans le Labyrinthe.

Le mur se referma derrière lui dans un bruit sourd ; l'écho roula sur les pierres couvertes de lierre, comme un rire démentiel.

CHAPITRE 17

Pendant quelques secondes, Thomas eut l'impression que le monde s'était figé autour de lui. Un épais silence suivit le grondement caverneux de la porte, et un voile sombre parut recouvrir le ciel, comme si même le soleil avait peur de ce qui rôdait dans le Labyrinthe. Le soir tombait ; les murailles ressemblaient à d'énormes pierres tombales dans un cimetière gigantesque envahi de mauvaises herbes. Thomas s'adossa à la paroi, submergé par l'énormité de son acte.

Et terrifié par les conséquences possibles.

Un cri strident d'Alby lui fit dresser la tête ; Minho gémit. Thomas courut rejoindre les deux blocards.

Minho s'était relevé péniblement. Il avait une mine épouvantable : en sueur, crasseux, griffé de partout. Alby, étendu par terre, était encore plus mal en point avec ses vêtements en lambeaux et ses bras couverts d'entailles. Thomas frissonna. Alby avait-il été attaqué par un Griffeur ?

— Je ne sais pas ce que tu t'imaginais en sortant comme ça, lui lança Minho, mais laisse-moi te dire que c'était le truc le plus débile que tu pouvais faire. Tu es fichu, maintenant, comme nous.

Thomas sentit la colère monter ; il s'attendait à plus de gratitude.

— Je ne pouvais quand même pas rester là sans bouger !

— Et ça nous sert à quoi que tu sois là ? (Minho leva les yeux au ciel.) Enfin, tant pis pour la règle numéro un ! Si tu veux te suicider, tu es libre.

— De rien, les gars. Je voulais juste vous donner un coup de main.

Minho eut un rire amer, puis s'agenouilla à côté d'Alby. En l'examinant de plus près, Thomas comprit à quel point leur situation était désespérée. Alby se trouvait à deux doigts de la mort. Sa peau sombre était d'une pâleur inquiétante, et sa respiration était brève et saccadée.

Le découragement s'abattit sur Thomas et lui fit oublier sa colère.

— Que s'est-il passé ?

— Je ne veux pas en parler, répondit Minho en prenant le pouls d'Alby avant de coller son oreille à sa poitrine. Disons juste que les Griffeurs savent très bien faire le mort.

Cette déclaration surprit Thomas.

— Quoi, il s'est fait… mordre ? Piquer ? Il va subir une Transformation ?

— Tu as encore un tas de choses à apprendre, rétorqua simplement Minho.

Thomas se retint de hurler. Évidemment qu'il lui restait un tas de choses à apprendre, c'est bien pour ça qu'il posait toutes ces questions !

— Est-ce qu'il va mourir ? s'enquit-il à contrecœur.

— Vu qu'on n'est pas rentrés avant le crépuscule, oui, sûrement. Il en a peut-être pour une heure. Je ne sais pas combien de temps il te reste quand tu ne prends pas le sérum. Remarque, on sera bientôt morts tous les trois, alors pas la peine de pleurer.

Il dit cela avec une telle désinvolture que Thomas eut du mal à saisir la vraie signification de ses mots.

Mais bien vite, la réalité de la situation lui apparut dans toute sa cruauté et il sentit son ventre se tordre atrocement.

— On va vraiment mourir ? demanda-t-il, incapable d'accepter cette idée. Tu es en train de me dire que nous n'avons aucune chance ?

— Pas une seule.

Ce défaitisme permanent commençait à l'énerver sérieusement.

— Allez, il y a forcément quelque chose à faire. Combien de Griffeurs vont nous tomber dessus, à ton avis?

Il scruta le passage qui s'enfonçait dans le Labyrinthe, comme s'il s'attendait à voir apparaître les créatures à l'instant, attirées par la simple mention de leur nom.

— Je n'en sais rien.

Thomas fronça les sourcils, cherchant à tout prix une lueur d'espoir, aussi mince soit-elle.

— Et il y en a beaucoup qui se sont fait coincer dehors?

Minho baissa la tête, un coude en appui sur le genou. Il semblait épuisé et répondait comme un automate.

— Une douzaine au moins. Tu as vu le cimetière?

— Oui.

«Alors c'est comme ça qu'ils sont morts», songea-t-il.

— Et encore, ça, c'est ceux qu'on a retrouvés. Il y en a d'autres qui ont disparu sans laisser de trace. (Minho eut un geste vague en direction du Bloc, de l'autre côté du mur.) Ce n'est pas pour rien qu'on a mis ce foutu cimetière au fond du bois. Penser tous les jours aux copains qui se sont fait massacrer, il n'y a rien de mieux pour te ruiner le moral.

Minho se leva et empoigna Alby sous les aisselles.

— Attrape-le par les pieds, dit-il. On va le mettre devant la porte. Ça leur fera toujours un corps de moins à rechercher demain matin.

Ce commentaire morbide laissa Thomas éberlué.

— Non, mais c'est pas vrai! s'écria-t-il en tournant sur lui-même.

Pour la première fois, il se sentait sur le point de perdre la raison.

— Arrête de chialer. Il fallait obéir aux règles et rester à l'intérieur. Allez, prends-le par les chevilles.

Thomas s'approcha avec une grimace. À eux deux, ils traînèrent le corps inanimé d'Alby sur une trentaine de mètres jusqu'à la fente verticale de la porte. Minho l'appuya contre le mur en position assise. Le torse d'Alby se soulevait et retombait péniblement. Il était trempé de sueur ; il ne tiendrait sûrement plus très longtemps.

— Où est-ce qu'il a été mordu ? l'interrogea Thomas. Tu as vu la plaie ?

— Ces saletés ne mordent pas, tocard ; elles piquent. Je n'ai pas vu la plaie. Il en a peut-être des dizaines sur tout le corps.

Minho croisa les bras et s'adossa au mur.

— Elles te piquent ? Comment ça ? reprit Thomas.

— Écoute, il faudrait que tu en voies une pour comprendre.

Thomas indiqua les bras de Minho, puis ses jambes.

— D'accord, alors comment ça se fait que tu n'aies pas été piqué, toi ?

Minho écarta les mains.

— Je n'en sais rien. Peut-être que je vais m'écrouler d'une seconde à l'autre.

— Quoi, ils t'ont… ? commença Thomas.

Il n'acheva pas. Il n'était pas certain que Minho ait parlé sérieusement.

— Il n'y en avait qu'un seul, celui que je croyais mort. Il s'est réveillé d'un coup et il a piqué Alby avant de détaler. (Minho regarda le Labyrinthe, plongé à présent dans un noir quasi complet.) Mais je suis sûr qu'il va revenir avec ses petits copains pour nous achever avec leurs aiguilles.

— Leurs aiguilles ?

Thomas se sentait de plus en plus nerveux.

— Oui, leurs aiguilles.

Thomas leva les yeux vers les murs énormes couverts de plantes grimpantes.

— Est-ce qu'on ne pourrait pas escalader ? (Il se tourna vers Minho, muré dans un silence maussade.) Le lierre, Minho, on peut grimper dessus ?

Minho poussa un soupir de frustration.

— Bon sang, le bleu, tu nous prends vraiment pour des débiles. Tu crois être le premier à avoir cette idée formidable d'*escalader* les murs ?

Thomas sentit la colère monter en lui.

— J'essaie de trouver une solution, mec. Tu ne voudrais pas m'aider un peu au lieu de ricaner à tout ce que je dis ?

Minho bondit sur Thomas et l'empoigna par son tee-shirt.

— Tu ne comprends rien ! Tu ne sais rien, et tu me soûles à chercher encore des raisons d'espérer. On est morts, tu comprends ? Morts !

En cet instant, Thomas ne savait pas quel sentiment était le plus fort chez lui : la colère ou la pitié. Minho capitulait trop facilement.

Quand ce dernier s'en rendit compte, il rougit de honte. Il lâcha prise et recula. Thomas défroissa son tee-shirt d'un geste de défi.

— Oh, nom de Dieu, nom de Dieu ! murmura Minho en s'effondrant contre le mur, le visage enfoui dans les mains. Je n'ai jamais eu aussi peur de ma vie, mec. Je te jure !

Thomas allait répondre quand il entendit le *bruit*. Minho dressa la tête ; il se tourna vers l'un des couloirs plongés dans le noir. Thomas sentit son souffle s'accélérer.

Ça venait du fond du Labyrinthe : un son grave et sinistre, une sorte de crissement accompagné d'un tintement métallique toutes les deux ou trois secondes, comme en produiraient des couteaux qu'on aiguiserait l'un contre l'autre. Le bruit se rapprocha, bientôt suivi d'une succession de cliquetis inquiétants. Thomas songea à de longs ongles qui tapoteraient une vitre. Un gémissement caverneux résonna, puis un bruit qui évoquait un fracas de chaînes.

Le peu de courage que Thomas avait pu rassembler commença à lui échapper.

Minho se leva, le visage à peine visible dans la pénombre.

Quand il parla, Thomas l'imagina les yeux écarquillés de terreur.

— On se sépare… c'est notre seule chance. Ne t'arrête pas, compris ? Ne t'arrête surtout pas !

Là-dessus, il partit en courant et disparut aussitôt, avalé par le Labyrinthe plongé dans la nuit.

CHAPITRE 18

Thomas fut pris d'une haine soudaine. Minho était un vétéran des lieux, un coureur, alors que Thomas était encore un nouveau, qui n'avait passé que quelques jours au Bloc et quelques minutes dans le Labyrinthe. Et pourtant, c'était Minho qui cédait à la panique et s'enfuyait au premier signe de danger. «Comment peut-il m'abandonner ici?»

Les bruits s'intensifièrent. Un grondement de mécanique rouillée se mêla aux cliquetis de chaînes et d'engrenages qui faisaient penser à un engin d'une vieille usine. Puis une odeur d'huile chaude lui parvint. Thomas se demanda ce qui l'attendait; il avait déjà aperçu un Griffeur, mais brièvement, à travers un carreau crasseux. Qu'est-ce qu'ils allaient lui faire? Est-ce que cela durerait longtemps?

«Arrête!» se dit-il. Il y avait sûrement mieux à faire que d'attendre la mise à mort.

Il se tourna vers Alby, qui n'était plus qu'une silhouette noire dans la pénombre. Il s'agenouilla près de lui, chercha son cou, puis lui tâta le pouls. Il crut sentir quelque chose. Comme Minho avant lui, il colla l'oreille à sa poitrine.

Ta-doum, ta-doum, ta-doum.

Alby était encore en vie!

Thomas s'appuya sur ses talons, puis s'essuya le front d'un revers de main pour enlever la sueur. En l'espace de quelques secondes, il venait d'apprendre beaucoup de choses sur lui-même. Sur le Thomas qu'il était *avant*.

Il ne pouvait pas abandonner un ami. Pas même quelqu'un d'aussi difficile qu'Alby.

Il s'accroupit dos à lui puis enroula ses deux bras autour de son cou. Prenant le corps inanimé sur son dos, il tenta de se relever en grognant sous l'effort.

Mais Alby était trop lourd. Thomas s'écroula face contre terre, tandis qu'Alby roulait pesamment sur le côté.

Les bruits des Griffeurs se rapprochaient à chaque seconde en résonnant contre les murs du Labyrinthe. Thomas crut voir des faisceaux de lumière s'agiter au loin et balayer le ciel nocturne. Il n'avait aucune envie de rencontrer la source de ces lumières ou de ces bruits.

Essayant une nouvelle approche, il saisit Alby sous les aisselles et se mit à le traîner par terre. Mais au bout de quelques mètres, il comprit que ça ne le mènerait nulle part. Où aurait-il bien pu aller?

Il ramena Alby au niveau de la fissure qui marquait la porte du Bloc et l'assit contre le mur de pierre.

Lui-même s'installa à son côté, hors d'haleine, réfléchissant à toute vitesse. Il scruta les recoins sombres du Labyrinthe. On n'y voyait presque plus rien et il savait, malgré ce que Minho lui avait dit, qu'il aurait été stupide de se mettre à courir dans le noir même s'il avait pu porter Alby. Non seulement il risquait de se perdre, mais il risquait de se rapprocher des Griffeurs.

Il pensa au mur et aux plantes grimpantes. Minho lui avait clairement dit qu'on ne pouvait pas les escalader. Pourtant…

Une idée prit forme dans son esprit. Tout dépendrait des capacités des Griffeurs, dont il ignorait tout, mais c'était la seule qu'il avait trouvée.

Il longea le mur sur quelques pas et s'arrêta au pied du lierre qui recouvrait la quasi-totalité du mur. Il se pencha au ras du sol et empoigna l'une des lianes. Plus solide et plus épaisse qu'il ne s'y attendait, elle mesurait un bon centimètre de diamètre. Quand il tira dessus, elle se détacha du mur et continua à mesure qu'il reculait. Il s'écarta ainsi de plusieurs mètres, jusqu'à ce qu'il perde de vue la liane au-dessus de lui ; elle disparaissait dans l'obscurité. Mais elle ne s'était toujours pas décrochée, fixée quelque part au-dessus de Thomas.

Hésitant, Thomas serra les dents et tira sur la liane de toutes ses forces.

Elle tint bon.

Des deux mains, il tira à nouveau. Puis il s'y pendit de tout son poids et se balança.

La liane tint bon.

Avec rapidité, Thomas saisit d'autres lianes et les décolla du mur à leur tour. Il les testa l'une après l'autre : toutes se révélaient aussi solides que la première. Encouragé, il retourna auprès d'Alby et le traîna au pied des lianes.

Un craquement sinistre retentit dans le Labyrinthe, suivi d'un horrible froissement métallique. Thomas sursauta et pivota en direction du bruit. Obnubilé par le lierre, il en avait oublié les Griffeurs ; il fouilla l'obscurité dans toutes les directions. Il ne vit rien, mais les bruits se rapprochaient toujours. Peu à peu, la nuit semblait s'éclaircir ; il distinguait plus de détails que quelques minutes auparavant.

Il se souvint des lumières étranges qu'il avait observées depuis la fenêtre du Bloc en compagnie de Newt. Les Griffeurs étaient tout près. Ça ne faisait aucun doute.

Thomas repoussa le sentiment de panique qui le gagnait et se mit au travail.

Il saisit l'une des lianes et l'enroula autour du bras droit d'Alby. Comme la plante n'était pas aussi longue qu'il l'aurait souhaité, il dut redresser son compagnon le plus possible pour que ça fonctionne. Après plusieurs tours, il fit un nœud à la liane. Ensuite, il en prit une autre qu'il enroula autour du poignet gauche d'Alby, après quoi il attacha ses deux jambes, en serrant bien les nœuds. Il s'inquiétait un peu à l'idée de lui couper sa circulation sanguine, mais il décida de courir le risque.

Thomas saisit ensuite une liane à deux mains et se mit à grimper, juste au-dessus de l'endroit où il avait attaché Alby. Le feuillage épais lui procurait de bonnes prises, et les fentes entre les pierres, des supports pour ses pieds. L'escalade serait tellement simple s'il n'avait pas à se préoccuper de...

Il refusa d'aller au bout de son idée. Pas question d'abandonner Alby.

Parvenu à un mètre au-dessus de son ami, Thomas s'enroula une liane autour du torse, plusieurs fois, en la calant bien sous ses aisselles. Puis, lentement, il lâcha les mains mais garda les pieds solidement calés dans une fissure. Le soulagement l'envahit quand il constata que le lierre tenait bon.

Le plus difficile allait pouvoir commencer.

Les quatre lianes qui maintenaient Alby étaient tendues. Thomas attrapa celle qui descendait jusqu'à sa jambe gauche et tira dessus. Il la souleva de quelques centimètres avant de la lâcher : Alby était trop lourd. C'était impossible.

Il redescendit et décida de *pousser* Alby d'en bas plutôt que de le *tirer* d'en haut : tout d'abord, il lui leva la jambe gauche qu'il attacha à une autre liane ; puis la jambe droite. Après quoi, il procéda de la même façon avec les bras.

À bout de souffle, Thomas prit du recul pour juger du résultat.

Alby pendait au mur, à un mètre cinquante de hauteur.

Thomas se remit au travail.

Procédant de la même façon, il fit monter lentement Alby. Il se tenait juste sous lui, s'enroulait dans une liane, poussait Alby le plus haut possible et l'attachait avec une autre liane. Puis il répétait le processus.

Grimper, s'enrouler, pousser, attacher.

Par chance, les Griffeurs ne semblaient pas très rapides, ce qui lui donnait du temps.

Ils se hissèrent ainsi, mètre après mètre. L'effort éreintait Thomas : il soufflait comme un bœuf et ruisselait de sueur. Ses mains moites glissaient sur les lianes. Il avait mal aux pieds à force de les coincer entre les pierres. Les bruits terrifiants se rapprochaient toujours. Thomas continuait malgré tout.

Parvenu à une dizaine de mètres au-dessus du sol, il s'arrêta et se laissa pendre au bout de sa liane. Prenant appui sur ses bras douloureux, il pivota face au Labyrinthe. Une fatigue qu'il n'aurait pas crue possible emplissait chaque particule de son être. Il tremblait ; tous ses muscles protestaient. Ils n'iraient pas plus haut.

C'était là qu'ils se cacheraient, ou qu'ils livreraient leur dernier combat.

Conscient depuis le début qu'ils ne parviendraient pas au sommet, il espérait malgré tout que les Griffeurs ne pourraient pas les rejoindre ou ne penseraient pas à regarder en l'air. Au pire, il valait mieux les affronter d'en haut, l'un après l'autre, que d'être encerclé au sol et submergé par le nombre.

Thomas ne savait absolument pas à quoi s'attendre. Verrait-il le soleil se lever ? Peu importait : c'était ici, accrochés dans le lierre, qu'Alby et lui feraient face à leur destin.

Quelques minutes s'écoulèrent, au bout desquelles Thomas vit une lueur éclairer les murs du Labyrinthe devant lui. Les sons épouvantables qui se rapprochaient depuis une heure se fondirent en un strident crissement mécanique.

À sa gauche, un reflet rouge sur le mur attira son regard. Il se retint de hurler : un scaralame se tenait à quelques centimètres de lui, émergeant du lierre sur ses pattes arachnéennes. La lumière émise par ses yeux l'aveugla. Thomas plissa les paupières et se concentra sur son corps.

Son torse était formé d'un cylindre argenté d'environ sept centimètres de diamètre et vingt-cinq de longueur. Douze pattes articulées étaient alignées de part et d'autre, lui donnant l'allure d'un lézard. Sa tête, difficile à distinguer à cause de l'éclat éblouissant de ses yeux, ne paraissait pas bien grande.

C'est alors que Thomas remarqua un détail qui lui glaça le sang. Il avait déjà cru l'apercevoir une première fois, au Bloc, quand un scaralame lui avait filé sous le nez pour se cacher dans le bois. À présent, il en était sûr : les yeux rougeoyants jetaient une lueur sinistre sur six lettres tracées sur le dos, sans doute avec du sang :

WICKED

Thomas ne voyait pas l'intérêt d'inscrire « méchant » sur la créature sinon pour annoncer aux blocards qu'elle était dangereuse pour eux.

C'était forcément une espionne travaillant pour le compte de ceux qui les avaient envoyés là. Alby lui avait expliqué que les scaralames servaient d'observateurs aux Créateurs. Thomas se figea et retint son souffle, en priant pour que la créature ne détecte que le mouvement. De longues secondes s'écoulèrent. Il eut bientôt les poumons en feu.

Il y eut un « clic », un « clac », puis la créature disparut sous le lierre. Thomas inspira une grande goulée d'air, puis une autre. Il sentait la liane lui rentrer dans le torse.

Le crissement métallique était tout proche à présent, suivi d'un bourdonnement mécanique. Thomas se laissa pendre mollement au bout de sa liane en essayant d'imiter le corps flasque d'Alby.

Puis une ombre s'avança dans leur direction.

Une chose indescriptible qu'il avait déjà vue, mais derrière la protection d'une vitre épaisse.

Un Griffeur.

CHAPITRE 19

Thomas regarda avec terreur la monstruosité qui progressait dans le long couloir.

On aurait dit le fruit d'une expérience qui aurait horriblement mal tourné. Un vrai cauchemar. Mi-animal, mi-machine, le Griffeur roulait en cliquetant sur les dalles. Son corps évoquait une limace géante qui enflait et se recroquevillait de manière grotesque au rythme de sa respiration. Rien ne distinguait la tête de la queue ; la créature mesurait près de deux mètres de long et un mètre vingt au point le plus large.

Toutes les dix à quinze secondes, des pointes métalliques dardaient de sa chair boursouflée, puis la bête se mettait en boule et roulait sur elle-même. Après quoi elle s'arrêtait – pour s'orienter, apparemment – tout en rétractant ses piquants. Elle progressait par étapes d'un mètre environ.

Plusieurs bras mécaniques, disposés ici et là, en dépassaient. Certains d'entre eux se terminaient par un point lumineux aveuglant ; d'autres, par de longues aiguilles menaçantes. L'un d'eux était doté d'une pince à trois doigts qui s'ouvrait et se refermait sans raison apparente. Durant ses roulades, le monstre repliait ses bras pour éviter de les écraser. Thomas se demanda qui avait bien pu créer des entités aussi répugnantes.

L'origine des bruits devenait plus claire. Quand le Griffeur se déplaçait, il produisait un crissement métallique. Les piquants et les bras articulés expliquaient les tintements sur la pierre. Mais le plus effrayant, c'était le gémissement lugubre de la créature quand elle demeurait immobile. On aurait cru entendre le râle des mourants sur un champ de bataille.

Thomas avait du mal à imaginer un cauchemar plus hideux que celui qu'il avait sous les yeux. Il lutta contre sa peur et s'obligea à rester parfaitement immobile au milieu du lierre. Il était convaincu que leur seule chance consistait à ne pas se faire remarquer.

« Peut-être qu'il ne nous verra pas », se dit-il. Mais la réalité le frappa comme un coup de poing dans le ventre. Le scaralame avait déjà indiqué au Griffeur la position exacte de sa proie.

Le Griffeur continua à s'approcher. À chaque arrêt, il déployait ses bras et les agitait en tous sens. Ses lumières jetaient des ombres fantastiques à travers le Labyrinthe. Un souvenir diffus envahit l'esprit de Thomas : des ombres effrayantes sur un mur, alors qu'il était enfant. Il regretta de ne pas pouvoir retourner à cette époque bénie, auprès de son père et de sa mère, dont il espérait bien qu'ils étaient toujours en vie, quelque part, en train de le chercher.

Une forte odeur de brûlé parvint à ses narines, des relents écœurants de moteur surchauffé et de chair grillée.

La créature progressait toujours.

Brrrrrrr.

Clic-clic-clic.

Brrrrrrr.

Clic-clic-clic.

Thomas jeta un coup d'œil vers le bas sans bouger la tête : le Griffeur avait enfin atteint le mur auquel Alby et lui s'accrochaient. Il marqua une pause devant la porte du Bloc, à quelques pas de distance.

« Par pitié, repars dans l'autre sens », l'implora Thomas.

Le Griffeur sortit ses piquants et roula vers Alby et Thomas.

Brrrrrrr.

Clic-clic-clic.

Puis il s'arrêta au pied du mur.

Thomas retint son souffle. Le Griffeur se tenait juste en dessous d'eux. Le garçon aurait voulu baisser la tête, mais le moindre mouvement risquait de les trahir. Les lumières de la créature balayaient les alentours, de façon aléatoire, sans jamais s'arrêter nulle part.

Soudain, elles disparurent.

Le Labyrinthe se trouva plongé dans le noir complet. On aurait dit que la créature s'était éteinte. Elle ne bougeait plus, ne faisait plus aucun bruit ; même ses gémissements lancinants s'étaient tus.

Thomas se remit à respirer à petites bouffées par le nez ; son cœur palpitant avait désespérément besoin d'oxygène. Le Griffeur pouvait-il l'entendre ou même le flairer ? La sueur lui poissait les cheveux, les mains, les vêtements… Une terreur comme il n'en avait jamais connu l'envahit tout entier.

Il ne percevait toujours aucun mouvement, aucune lumière, aucun son. Ça le rendait fou d'essayer de deviner la prochaine action du Griffeur.

Plusieurs secondes s'écoulèrent. Plusieurs minutes. La liane s'incrustait dans la chair de Thomas, il ne sentait plus son torse. Il faillit crier à la créature : « Tue-moi une bonne fois pour toutes, ou retourne dans ton trou ! »

Soudain, dans une explosion de lumière et de bruit, le Griffeur revint à la vie.

Et se mit à grimper sur le mur.

CHAPITRE 20

Le Griffeur plantait ses épines dans le mur en projetant du lierre et des éclats de roche dans toutes les directions. Ses bras s'agitaient comme les pattes du scaralame; ceux terminés par des crochets lui assuraient une prise solide entre les pierres. L'une de ses lampes se braqua directement sur Thomas, mais cette fois le faisceau ne s'écarta pas.

Thomas sentit son dernier espoir l'abandonner.

Il ne lui restait plus que la fuite. «Désolé, Alby», songea-t-il en déroulant d'une main la liane qui lui enserrait le torse, tandis que de l'autre il se retenait au feuillage au-dessus de lui. Impossible d'aller vers le haut: il risquait d'attirer le Griffeur en plein sur Alby. Et vers le bas, il ne ferait que se rapprocher plus vite de la mort.

Il devait prendre sur le côté.

Il tendit le bras et saisit la liane la plus éloignée. Il l'enroula autour de son poignet et tira dessus d'un coup sec. Elle tint bon. Un bref regard vers le bas lui indiqua que le Griffeur avait déjà réduit de moitié la distance qui les séparait; la créature progressait plus vite à présent, et sans jamais s'arrêter.

Thomas lâcha la liane avec laquelle il s'était enroulé et se balança le long du mur. Avant que son mouvement de pendule ne le ramène vers Alby, il empoigna à deux mains une autre liane et se tourna de manière à pouvoir planter ses talons dans le mur. Il se propulsa le plus loin possible, puis lâcha prise et saisit une autre liane. Puis une autre. Il continua ainsi, en se balançant comme un singe, beaucoup plus vite qu'il n'aurait osé l'espérer.

Son poursuivant continuait son vacarme, auquel s'ajoutaient les craquements de la pierre fendue. Thomas osa enfin regarder en bas. Le Griffeur avait modifié sa trajectoire, délaissant Alby pour venir droit sur lui. «Enfin une bonne nouvelle!» se dit Thomas. Poussant le plus fort possible sur ses pieds, il reprit sa course de liane en liane.

Le Griffeur gagnait du terrain. Il fallait qu'il redescende au plus vite.

Au balancement suivant, il laissa filer la liane entre ses mains durant une fraction de seconde. Il se brûla les paumes, mais le sol s'était rapproché d'un mètre. Il procéda de même la fois suivante. Au bout de trois balancements, il avait descendu la moitié de la hauteur. Une douleur déchirante lui remontait dans les bras ; il avait les mains à vif.

Il faisait si noir qu'il vit trop tard le mur qui se dressait devant lui : le couloir formait un coude vers la droite.

Il heurta la paroi et lâcha prise. Il chercha désespérément à se raccrocher à quelque chose pour interrompre sa chute. Au même instant, il vit du coin de l'œil que le Griffeur arrivait pratiquement sur lui.

À mi-chemin, Thomas réussit à se cramponner à une liane. Il manqua se déboîter les épaules. À l'instant où le Griffeur tendait vers lui sa pince et ses aiguilles, il s'écarta du mur le plus loin possible d'une poussée des deux pieds. Il lui décocha un coup de pied qui atteignit le bras rattaché à la pince. Il fut récompensé par un craquement sonore, mais son sentiment de victoire ne dura pas : son mouvement de va-et-vient le ramenait en plein sur la créature.

Tremblant, Thomas ramena ses genoux contre son torse. Dès qu'il entra en contact avec le corps du Griffeur, il détendit brusquement ses jambes et se tortilla pour échapper aux aiguilles qui fondaient sur lui. Il s'échappa vers la gauche, puis bondit sur le mur du Labyrinthe, en cherchant à s'accrocher à une autre liane. Les instruments du Griffeur cliquetèrent derrière lui. Il reçut une entaille profonde dans le dos.

En se réceptionnant sur le lierre, Thomas trouva une liane et s'y cramponna juste assez pour ralentir sa chute; il se laissa glisser jusqu'en bas, malgré la brûlure atroce. À peine eut-il touché le sol qu'il se mit à courir.

Un choc sourd résonna derrière lui, bientôt suivi des bourdonnements et des claquements du Griffeur. Mais Thomas, sachant que chaque seconde comptait, refusa de regarder en arrière.

Il tourna à un angle du Labyrinthe, puis à un autre. Il courait de toutes ses forces. Dans un coin de son esprit, il s'efforçait de mémoriser le chemin, dans l'espoir de vivre assez longtemps pour pouvoir regagner la porte.

Il continua sa course, le cœur à deux doigts d'exploser. Il sentait bien qu'il ne tiendrait plus très longtemps. Il se demanda s'il ne serait pas plus simple de s'arrêter et d'affronter son poursuivant une bonne fois pour toutes.

En tournant à un coin, il s'arrêta net, pétrifié.

Trois Griffeurs lui barraient la route et roulaient droit vers lui.

CHAPITRE 21

Thomas se retourna et constata que son poursuivant avait ralenti un peu ; il fermait et rouvrait sa pince métallique, comme pour se moquer de lui.

« Il sait qu'ils me tiennent », songea-t-il. Malgré tous ses efforts, il se retrouvait encerclé par les Griffeurs. C'était fini. Après moins d'une semaine au Bloc, sa vie s'achevait déjà.

Anéanti par le chagrin, il prit la décision de mourir en combattant.

Jugeant préférable d'affronter un seul adversaire plutôt que trois, il s'élança à la rencontre de son premier poursuivant. La monstruosité parut se contracter légèrement et cessa d'agiter sa pince. Encouragé par sa réaction, Thomas chargea en criant.

Tout à coup, le Griffeur s'anima et sortit ses piquants ; il se mit à rouler en avant, prêt pour entrer en collision avec sa proie. Thomas, abandonné par son courage insensé, continua néanmoins à courir.

Juste avant l'impact, Thomas prit appui du pied gauche et plongea vers la droite. Emporté par son élan, le Griffeur le dépassa avant de s'immobiliser en cahotant. Puis il fit demi-tour dans un crissement métallique et se prépara à frapper. Mais à présent Thomas n'était plus encerclé et pouvait repartir par où il était venu.

Il bondit sur ses pieds et piqua un sprint. Les quatre Griffeurs s'élancèrent à ses trousses. Poussant son corps au-delà de ses limites, Thomas courut. Sa capture n'était plus qu'une question de temps.

Soudain, trois intersections plus loin, deux mains l'attrapèrent et l'entraînèrent dans un couloir adjacent. Thomas faillit s'étrangler en luttant pour se dégager. Il s'interrompit quand il comprit qu'il s'agissait de Minho.

— Qu'est-ce que… ?

— La ferme, suis-moi ! lui cria Minho en le tirant derrière lui.

Sans réfléchir, Thomas lui emboîta le pas le long des couloirs. Minho semblait savoir exactement où il allait ; pas une fois il n'hésita sur la direction à prendre.

Entre deux respirations haletantes, il lui cria :

— Quand j'ai vu… ton petit plongeon… tout à l'heure… ça m'a donné une idée… Il suffit… qu'on tienne encore un peu.

Thomas ne gaspilla pas son souffle à lui répondre, il se contenta de le suivre. Il savait que les Griffeurs se rapprochaient à une vitesse alarmante. Chaque centimètre de son corps lui faisait mal ; tous ses muscles criaient grâce. Mais il continua à courir, en priant pour que son cœur ne s'arrête pas.

Quelques carrefours plus loin, Thomas fronça les sourcils. Quelque chose ne collait pas…

Le couloir qu'ils suivaient ne débouchait sur rien !

Le noir total.

Il plissa les yeux pour tenter de comprendre ce qu'il voyait. Les deux murs couverts de lierre de part et d'autre semblaient s'arrêter dans le vide. Il aperçut des étoiles. Quand ils se rapprochèrent, il comprit qu'il s'agissait d'une ouverture : le Labyrinthe prenait fin.

« Après des années de recherches, comment Minho a-t-il fait pour trouver la sortie si facilement ? » se demanda-t-il.

Minho parut deviner les pensées de son compagnon.

— T'emballe pas ! lui hurla-t-il, hors d'haleine.

À un mètre de l'extrémité du couloir, Minho s'arrêta et posa la main sur le torse de Thomas pour qu'il n'aille pas plus loin. Thomas s'avança doucement jusqu'à l'endroit où le Labyrinthe débouchait sur le ciel. Même si le bruit des Griffeurs se rapprochait de plus en plus, il fallait qu'il voie.

Ils avaient bel et bien trouvé la sortie du Labyrinthe. Mais comme l'avait dit Minho, il n'y avait pas de quoi s'emballer. Où qu'il regarde devant lui, Thomas ne voyait que le ciel et les étoiles. C'était un spectacle étrange, troublant, comme s'ils se tenaient au bord du monde. L'espace d'un instant Thomas fut pris de vertige, ses genoux vacillèrent.

L'aube n'était plus très loin. Le ciel s'était considérablement éclairci depuis quelques minutes. Thomas contemplait le vide, incrédule. Comment une telle chose était-elle possible ? On aurait dit que ceux qui avaient bâti le Labyrinthe l'avait suspendu en plein ciel, condamné à flotter jusqu'à la fin des temps.

— Je ne comprends pas, souffla-t-il sans se préoccuper de savoir si Minho l'entendait.

— Fais attention, le prévint le coureur. Tu ne serais pas le premier tocard à tomber de la Falaise. (Il prit Thomas par l'épaule.) Tu es sûr de ne rien oublier ?

Il indiqua d'un coup de menton l'intérieur du Labyrinthe.

Thomas se souvint vaguement qu'on lui avait déjà parlé de la Falaise. Il secoua la tête et se retourna face aux Griffeurs. À quelques dizaines de mètres de là, en file indienne, ils se dirigeaient sur eux à une vitesse surprenante.

Tout se mit en place dans son esprit, sans même que Minho lui explique son plan.

— Ces saloperies sont redoutables, dit Minho, mais elles sont stupides. Mets-toi à côté de moi, et tiens-toi prêt à…

Thomas l'interrompit.

— J'ai compris. Je suis prêt.

Ils se rapprochèrent l'un de l'autre au milieu du couloir, face aux Griffeurs. Leurs talons frôlaient le bord du précipice. Derrière eux, il n'y avait que le vide.

Le courage était la seule arme qui leur restait.

— Il va falloir agir tous les deux en même temps! cria Minho, pour couvrir le fracas des pointes qui roulaient sur la pierre. À mon signal!

Pourquoi les Griffeurs s'étaient-ils placés en file indienne? Mystère. Peut-être que le Labyrinthe était trop étroit pour qu'ils puissent y avancer de front. La distance qui séparait les garçons des monstres prêts à se jeter sur eux s'amenuisait de seconde en seconde.

— Bientôt, dit Minho d'une voix calme. Attends… attends…

Thomas n'y tenait plus. Il n'avait qu'une envie: fermer les yeux et ne plus jamais avoir affaire à un Griffeur.

— Maintenant! cria Minho.

À l'instant où le premier Griffeur tendait le bras vers eux, Minho et Thomas plongèrent chacun d'un côté. La tactique avait déjà marché pour Thomas. À en juger par le rugissement effroyable que poussa le monstre, elle venait de fonctionner une nouvelle fois. La bête tomba du haut de la Falaise, avec un cri qui s'interrompit net au lieu de s'estomper peu à peu dans les profondeurs.

Thomas se releva et se plaqua contre le mur. Il eut juste le temps d'apercevoir le deuxième Griffeur, incapable de s'arrêter à temps, rouler dans le vide. Le troisième Griffeur planta ses griffes dans la pierre, mais comme il avait trop d'élan, elles ripèrent avec un grincement strident qui fit frémir Thomas de la tête aux pieds. Une seconde plus tard, il basculait dans le vide à son tour. Là encore, il ne fit aucun bruit dans sa chute, à croire qu'il avait disparu en plein ciel.

La quatrième créature s'arrêta de justesse au bord du précipice, retenue en équilibre par une pointe et un bras griffu.

D'instinct, Thomas se tourna vers Minho, lui adressa un hochement de tête, puis s'élança. Les deux garçons bondirent sur le Griffeur à pieds joints, avec toute la vigueur qui leur restait. Ils le projetèrent dans le vide.

Thomas rampa au bord du gouffre et avança la tête pour observer la chute des monstres. À sa grande stupéfaction, il n'en vit aucune trace. Le ciel en contrebas était vide.

Il ne parvenait pas à comprendre où débouchait la Falaise, ni ce qui avait pu arriver aux Griffeurs. Ses dernières forces l'abandonnèrent. Il se roula en boule sur le sol et se mit à pleurer.

CHAPITRE 22

Une demi-heure s'écoula.

Ni Thomas ni Minho n'avaient bougé d'un pouce.

Thomas finit par s'arrêter de pleurer ; il ne pouvait s'empêcher de se demander ce que Minho pensait de lui, et s'il en parlerait aux autres, en le traitant de mauviette.

Il se traîna au bord de la Falaise et passa la tête au-dessus du vide pour mieux voir, maintenant que l'aube était là. Il vit la paroi du Labyrinthe en à-pic, à perte de vue. Même en pleine lumière, il ne distinguait toujours pas ce qui se trouvait en bas. À croire que le Labyrinthe était perché plusieurs kilomètres au-dessus du sol.

« C'est impossible. C'est forcément une illusion d'optique », songea-t-il.

Il roula sur le dos en gémissant de douleur. Au moins les portes se rouvriraient bientôt et ils pourraient regagner le Bloc. Il jeta un coup d'œil à Minho, pelotonné contre le mur du couloir.

— Je n'arrive pas à croire qu'on est encore en vie, avoua-t-il.

Minho se contenta de hocher la tête, le visage dépourvu d'expression.

— Tu crois qu'il y en a d'autres ? Est-ce qu'on les a tous tués ?

Minho renifla.

— On a réussi à tenir jusqu'au lever du soleil. Sinon, tu en aurais vu dix autres rappliquer illico. (Il changea de position, ce qui lui arracha une grimace et un grognement.) Je n'arrive pas à le croire moi non plus. Sérieusement. On a survécu toute la nuit : c'est la première fois que ça arrive.

Thomas, qui savait qu'il aurait dû éprouver de la fierté, du courage ou quelque chose comme ça, ne ressentait que de la fatigue et du soulagement.

— Qu'est-ce qu'on a fait de différent ?

— Aucune idée. C'est difficile de demander à un mort où il a pu se gourer.

Thomas revint sur la manière dont les cris des Griffeurs s'étaient interrompus brusquement dans leur chute, sans qu'il puisse les voir tomber. Il y avait là-dedans quelque chose de bizarre et de troublant.

— Après être tombés dans le vide, j'ai l'impression qu'ils ont disparu en plein ciel, comme ça !

— Je sais, c'est dingue. Certains blocards ont suggéré que d'autres trucs disparaissaient de la même façon, mais leur théorie ne tient pas. Regarde.

Minho jeta un caillou du haut de la Falaise. Thomas ne le quitta pas des yeux ; il le vit rapetisser de plus en plus, jusqu'à ce qu'il soit trop petit pour qu'il continue à le suivre. Il se retourna vers Minho.

— Qu'est-ce que ça prouve ?

— Bah, tu vois bien que le caillou ne disparaît pas, lui.

— Alors que s'est-il passé, à ton avis ?

La question était importante, Thomas en était convaincu. Minho haussa les épaules.

— C'est peut-être de la magie, qu'est-ce que j'en sais ? J'ai trop mal au crâne pour réfléchir.

Soudain, Thomas repensa à Alby.

— Il faut qu'on retourne à la porte. (Il se leva avec peine.) J'ai laissé Alby accroché au mur.

Devant la perplexité de Minho, il lui expliqua en quelques mots ce qu'il avait fait de leur compagnon.

Minho baissa la tête avec découragement.

— Il est sûrement mort à l'heure qu'il est.

Thomas refusa de le croire.

— Comment tu le sais ? Allez, viens !

Il partit en boitillant le long du couloir.

— Parce que personne n'a jamais survécu jusqu'ici…

Il s'interrompit, et Thomas devina à quoi il pensait.

— Parce qu'ils avaient tous été tués par les Griffeurs quand vous les avez retrouvés. Mais Alby a juste été piqué, pas vrai ?

Minho se leva à son tour et ils reprirent ensemble le chemin du Bloc.

— Je ne sais pas ; comme je te l'ai dit, ça n'est jamais arrivé avant. J'en connais quelques-uns qui se sont fait piquer pendant la journée. Ceux-là ont pu prendre le sérum et subir la Transformation. Mais pour les tocards qui sont restés coincés dans le Labyrinthe pendant la nuit, on ne les a retrouvés que le lendemain… ou même, plusieurs jours après. Quand on les a retrouvés. Je préfère ne pas te décrire dans quel état.

Thomas frémit.

— Après ce que j'ai vu cette nuit, je crois que je peux l'imaginer.

Minho leva la tête, le visage illuminé par l'espoir.

— Tu sais, tu pourrais bien avoir raison. On s'est peut-être trompés. Comme tous ceux qui se sont fait piquer et n'ont pas pu rentrer avant le crépuscule sont morts, on a cru que le venin les avait tués, parce qu'ils n'avaient pas eu le sérum à temps.

Ils s'engagèrent dans un autre couloir. Minho prit la tête. Il marchait plus vite à présent, talonné par Thomas, surpris de voir à quel point il s'orientait facilement. Souvent, il tournait avant même que Minho ne lui indique le chemin.

— Ce fameux sérum…, commença Thomas, c'est quoi ? D'où est-ce qu'il sort ?

— Le sérum est fourni par les Créateurs. Chaque semaine on en trouve plusieurs doses dans la Boîte, avec les provisions. C'est un remède, un antidote ou je ne sais quoi. Il se présente en seringues prêtes à l'usage. On l'injecte à ceux qui se font piquer et ça les sauve. Ils subissent quand même la Transformation – et je peux te dire qu'ils dérouillent –, mais après, ils sont guéris.

Une minute ou deux s'écoulèrent en silence. Thomas s'interrogeait sur ce que pouvait bien signifier la Transformation. Et, curieusement, il n'arrêtait pas de penser à la fille.

— C'est drôle, quand même, continua Minho au bout d'un moment. On n'y avait jamais pensé avant. Mais si Alby est encore en vie, il n'y a aucune raison qu'il ne puisse pas prendre le sérum. On s'est mis dans la tête qu'une fois les portes fermées c'était fichu. Il faut que je voie Alby accroché au lierre... Tu es sûr que tu n'es pas en train de me faire marcher?

Les garçons continuèrent. Minho semblait presque joyeux, alors que Thomas demeurait inquiet. Il n'avait pas voulu y penser plus tôt, mais...

— Et si un autre Griffeur était tombé sur Alby?

Minho lui adressa un regard inexpressif.

— Grouillons-nous, conclut simplement Thomas, en espérant que tous ses efforts pour sauver Alby n'avaient pas été vains.

Ils s'efforcèrent de presser le pas, mais ils souffraient trop. Au virage suivant, Thomas repéra du mouvement devant eux. Il sentit son pouls s'accélérer. La seconde d'après, il se rendit compte avec soulagement qu'il s'agissait de Newt et d'un groupe de blocards. La porte ouest se découpait derrière eux, grande ouverte. Ils avaient réussi.

Dès qu'il les vit, Newt vint à leur rencontre en claudiquant.

— Qu'est-ce qui s'est passé? leur cria-t-il d'un air presque fâché. Comment est-ce que vous...?

— Plus tard, le coupa Thomas. Il faut d'abord sauver Alby. Newt blêmit.

— Comment ça? Où est-il?

— Viens voir.

Thomas se dirigea vers la droite, le nez en l'air. Il scruta le mur jusqu'à ce qu'il retrouve l'endroit où il avait laissé Alby suspendu par les bras et les jambes. Il l'indiqua du doigt sans dire un mot. Le garçon était toujours là, en un seul morceau, mais il ne donnait aucun signe de vie.

Quand Newt aperçut son ami accroché dans le lierre, il se retourna vers Thomas, éberlué.

— Il est... vivant ?

— Je ne sais pas. Il l'était quand je l'ai laissé.

— Quand tu l'as laissé... (Newt secoua la tête.) Minho et toi, ramenez vos fesses à l'intérieur et allez vous faire examiner par les medjacks. Vous avez l'air mal en point. Vous me raconterez tout ça quand vous serez soignés et reposés.

Thomas aurait voulu rester et s'assurer qu'Alby allait bien. Il fit mine de répliquer, mais Minho le saisit par le bras et l'entraîna de force vers le Bloc.

— On a besoin de repos et de bandages. Viens !

Thomas capitula. Après un dernier regard en direction d'Alby, il suivit Minho hors du Labyrinthe.

*

Le retour à la ferme lui parut durer une éternité, entre deux rangées de garçons qui les dévisageaient avec des yeux ronds. Les blocards affichaient une stupéfaction émerveillée, comme s'ils voyaient deux fantômes émerger d'un cimetière. Thomas avait conscience qu'ils venaient d'accomplir un exploit sans précédent, mais toute cette attention le mettait mal à l'aise.

Il faillit s'arrêter quand il repéra Gally, les bras croisés et l'œil mauvais. Il rassembla tout son courage et le regarda droit dans les yeux, sans jamais rompre le contact. Quand il parvint à moins de deux mètres, Gally baissa la tête.

Ce fut jouissif.

Les minutes suivantes passèrent comme dans un brouillard. Deux medjacks les conduisirent dans la ferme et leur firent monter l'escalier. Thomas aperçut au passage la fille dans le coma allongée dans sa chambre. Puis on les mit au lit, on les fit boire et manger, on pansa leurs plaies.

Alors qu'il sombrait dans le sommeil, deux images refusaient de le quitter. D'abord, le mot qu'il avait lu sur le thorax des deux scaralames : WICKED.

Ensuite, la fille.

*

Quelques heures plus tard – ou peut-être même quelques jours –, Thomas fut réveillé par Chuck penché à son chevet. Il lui fallut quelques instants pour se rappeler où il était et s'éclaircir les idées. Puis il gémit.

— Laisse-moi dormir, tocard.

— J'ai pensé que tu aimerais être mis au courant.

Thomas se frotta les yeux et bâilla.

— Au courant de quoi ?

Chuck le regardait avec un grand sourire.

— Il est vivant. Alby est tiré d'affaire, le sérum a fonctionné.

L'engourdissement de Thomas se dissipa aussitôt pour céder la place au soulagement. Il fut surpris de découvrir à quel point cette nouvelle le comblait de joie. Mais cela ne dura pas.

— Il vient de commencer la Transformation, ajouta Chuck.

À cet instant, comme en réponse à un signal, un effroyable hurlement retentit dans la chambre voisine.

CHAPITRE 23

Thomas s'interrogea longuement au sujet d'Alby. Certes, il lui avait sauvé la vie et l'avait sorti du Labyrinthe. Une grande victoire. Mais cela en valait-il la peine? À présent, le pauvre souffrait horriblement et allait devoir traverser la même épreuve que Ben. Et s'il en ressortait aussi fou que lui?

Le soir descendait sur le Bloc. Alby continuait à crier. Impossible d'échapper à ses hurlements, même après que Thomas était enfin parvenu à convaincre les medjacks de le laisser sortir. Newt avait refusé catégoriquement qu'il voie celui pour qui il avait risqué sa vie. «Ça ne ferait qu'aggraver les choses», lui avait-il assuré, et il n'avait pas voulu en démordre.

Thomas n'avait pas suffisamment d'énergie pour se disputer avec lui. Il avait passé la majeure partie de la journée sur un banc à proximité du terminus. La joie de son succès était rapidement retombée, le laissant face à ses douleurs et à ses idées noires. Chacun de ses muscles lui faisait mal; il était couvert de bleus et d'entailles de la tête aux pieds. Mais le pire restait le poids émotionnel de ce qu'il avait subi la nuit précédente. Comme s'il venait seulement de comprendre la réalité de sa nouvelle existence.

«Qui pourrait se réjouir à l'idée de vivre ici? songea-t-il. Qui a pu être assez cruel pour nous infliger ça?» Il comprenait plus que jamais la ferveur des blocards à chercher une sortie. Il ne s'agissait pas seulement de s'évader. Pour la première fois, il éprouvait l'envie de se venger de ceux qui l'avaient envoyé dans cet endroit.

Mais toutes ces réflexions ne faisaient que l'amener au désespoir. Puisque Newt et les autres n'avaient rien découvert au bout de deux ans, on pouvait douter qu'il existe une sortie à ce Labyrinthe. Le fait que les blocards n'aient pas renoncé en disait long sur eux.

À présent, il était l'un d'entre eux.

«C'est ma vie, maintenant. Dans un labyrinthe géant au milieu de créatures abominables», se dit-il. La tristesse l'envahit tel un poison. Les cris d'Alby n'arrangeaient rien. Il se bouchait les oreilles avec les mains chaque fois qu'il les entendait.

Le jour s'acheva enfin, et le coucher du soleil amena ce grondement désormais familier des quatre portes qui se fermaient.

Juste après la tombée de la nuit, Chuck vint lui apporter son dîner avec un grand verre d'eau.

Thomas ressentit soudain une bouffée de tendresse pour le garçon.

— Merci.

Il entama son assiette de bœuf et de pâtes malgré ses bras douloureux.

— J'en avais besoin, marmonna-t-il la bouche pleine.

Il but une grande gorgée d'eau, puis repartit à l'assaut de son assiette. Jusque-là, il ne s'était pas rendu compte à quel point il avait faim.

— Au fait, lui lança Chuck, tu sais que tout le monde ne parle plus que de toi?

Thomas se redressa sur son banc, ne sachant pas ce qu'il fallait en penser.

— Comment ça?

— Eh bien, pour commencer, tu sors dans le Labyrinthe alors que c'est interdit; ensuite, tu te transformes en une espèce de singe qui grimpe aux lianes et accroche les gens aux murs; et pour finir, tu deviens l'une des premières personnes à survivre une nuit entière à l'extérieur du Bloc, en éliminant quatre Griffeurs au passage. C'est vrai qu'il n'y a pas de quoi en faire tout un plat.

Thomas se sentit d'abord très fier, puis il grimaça, écœuré par la joie qu'il venait d'éprouver. Alby était en train de se tordre de douleur, regrettant probablement de ne pas être mort.

— Le coup du précipice, c'est une idée de Minho. Pas de moi.

— Ce n'est pas ce qu'il raconte. D'après lui, c'est quand il t'a vu accomplir ta roulade de la mort qu'il a eu l'idée de faire pareil au bord de la Falaise.

— Ma roulade de la mort? répéta Thomas en levant les yeux au ciel. N'importe quel tocard en aurait fait autant.

— Ne joue pas les modestes. Ce que vous avez réussi, Minho et toi, c'est incroyable.

Pris d'un accès de colère, Thomas jeta son assiette par terre.

— Alors pourquoi je me sens aussi mal, Chuck? Est-ce que tu peux me le dire?

Thomas scruta le visage de Chuck, mais apparemment l'autre n'avait pas de réponse à lui donner. Il se contenta de croiser les mains, les coudes sur les genoux, la tête basse, et il grommela finalement:

— Pour la même raison que nous tous.

Ils restèrent en silence jusqu'à ce que Newt les rejoigne avec une tête d'enterrement. Il s'assit par terre devant eux, l'air aussi soucieux et inquiet qu'il était humainement possible. Thomas fut heureux de le voir malgré tout.

— J'ai l'impression que le plus dur est passé, leur annonça Newt. Alby devrait roupiller un jour ou deux puis se réveiller en pleine forme. Bon, il y aura peut-être encore quelques cris de temps en temps.

Thomas avait du mal à se représenter l'épreuve qu'Alby était en train de traverser. Le processus de la Transformation continuait de l'intriguer.

— Newt, qu'est-ce qui lui arrive au juste? Sérieusement, je ne comprends rien à cette histoire de Transformation.

La réponse de Newt surprit Thomas.

— Parce que tu t'imagines qu'on y comprend quelque chose, nous? cracha-t-il en levant les bras au ciel. On sait juste que quand tu te fais piquer par un Griffeur, tu as intérêt à recevoir le sérum le plus vite possible si tu veux t'en sortir. Après, tu te mets à trembler, ta peau se couvre de cloques et devient verdâtre, et tu vomis tes tripes. Ça te va comme ça, Tommy?

Thomas fronça les sourcils. Newt était manifestement à bout de nerfs. Il lui fallait pourtant des réponses.

— Écoute, j'imagine bien que ce n'est pas drôle de voir un ami subir ça, mais je veux juste savoir ce qui se passe. Pourquoi vous appelez ça la Transformation?

Newt se détendit et soupira.

— Parce que ça fait remonter des fragments de souvenirs. Des images de ta vie d'avant. Ceux qui ont connu ça ont toujours un comportement un peu bizarre, après – quoique rarement aussi grave que celui du pauvre Ben. C'est un peu comme si on te mettait sous le nez une partie de ton ancienne vie, et qu'on te la retirait aussitôt.

Le cerveau de Thomas tournait à plein régime.

— Est-ce qu'ils se *transforment* parce qu'ils aimeraient retrouver leur ancienne vie, ou parce qu'ils sont dégoûtés de s'apercevoir qu'elle ne valait pas mieux que celle qu'on a ici?

Newt le dévisagea un instant, puis détourna la tête.

— Les tocards qui sont passés par là n'aiment pas beaucoup en parler. Ils deviennent… différents. Il y en a quelques-uns au Bloc, mais je les évite.

Sa voix était devenue distante, et son regard se perdait au loin. Thomas comprit qu'il pensait à Alby qui risquait de ne plus être le même.

— Le pire, c'est Gally! intervint Chuck.

— Et la fille? Rien de nouveau? demanda Thomas pour changer de sujet. J'ai vu les medjacks la nourrir à l'étage.

— Toujours rien, répondit Newt. Elle est encore dans son espèce de coma. De temps en temps, elle marmonne des mots sans queue ni tête, comme si elle rêvait. Elle s'alimente et son état se maintient plutôt bien. C'est très bizarre.

Une longue pause s'ensuivit. Thomas s'interrogeait sur cette sensation étrange qu'il avait de la connaître.

Newt finit par rompre le silence.

— De toute façon, la question, maintenant, c'est de savoir ce qu'on va faire de toi, Tommy.

Thomas redressa la tête, surpris.

— Comment ça, ce que vous allez faire de moi?

Newt se leva et s'étira.

— Tu as semé une belle pagaille, tocard. La moitié des blocards te prennent pour un dieu, et les autres voudraient te balancer au fond de la Boîte. Il va bien falloir qu'on trouve une solution. On en discutera matin.

Thomas n'aimait pas du tout la tournure que prenaient les événements.

— J'ai convoqué un rassemblement du conseil, continua Newt. Et tu seras là. Tu es le seul sujet inscrit à l'ordre du jour.

CHAPITRE 24

Le lendemain matin, Thomas, inquiet et les mains moites, se retrouva assis devant onze autres garçons installés sur des chaises disposées en demi-cercle. Ils étaient tous des matons, ce qui signifiait, hélas, que Gally en faisait partie. La chaise en face de la sienne était vide. Thomas devina sans mal qu'il s'agissait de celle d'Alby.

Ils étaient dans une grande pièce de la ferme que Thomas ne connaissait pas encore. Hormis les chaises, le mobilier se résumait à une petite table calée dans un coin. Les murs et le sol étaient en bois. Personne n'avait cherché à rendre la pièce plus accueillante. Elle ne comportait aucune fenêtre ; elle sentait le moisi et les vieux livres. Bien qu'il n'ait pas froid, Thomas frissonna.

Newt, dont la présence le rassurait un peu, avait pris place à droite de la chaise d'Alby.

— En l'absence de notre chef, qui est toujours malade, je déclare la séance ouverte, annonça-t-il en levant les yeux au ciel comme s'il détestait ce genre de formalités. Comme vous le savez tous, ces derniers jours ont été plutôt animés ; et la plupart des événements semblent tourner autour de notre bleu, Thomas, ici présent.

Thomas se sentit rougir.

— Ce n'est plus un bleu, intervint Gally, d'une voix si grave et si venimeuse que c'en devenait presque comique. C'est un blocard comme un autre, et il a enfreint les règles.

Sa déclaration fut accueillie par des murmures que Newt fit taire aussitôt. Thomas aurait voulu se trouver n'importe où ailleurs.

— Gally, grogna Newt, essaie de ne pas m'interrompre, tu veux ? Si tu dois ouvrir ton clapet chaque fois que je dis un truc, j'aime autant que tu nous laisses, parce que je ne suis pas d'humeur.

Thomas se retint d'applaudir.

Gally croisa les bras et s'adossa à sa chaise, avec une expression si renfrognée que Thomas faillit éclater de rire. Il avait de plus en plus de mal à croire qu'il avait eu peur de ce garçon, tant il lui paraissait ridicule.

Avec un regard noir en direction de Gally, Newt reprit :

— Bien ! La raison pour laquelle nous sommes là, c'est que depuis deux jours presque tous les blocards sont venus me trouver soit pour cracher sur Thomas, soit pour me demander sa main. Il faut qu'on décide de son sort.

Gally se pencha en avant, mais Newt l'interrompit avant qu'il puisse dire quoi que ce soit.

— Tout à l'heure, Gally. Chacun son tour. Et toi, Tommy, pas un mot, à moins qu'on t'interroge. C'est bien compris ?

Il attendit la réponse de Thomas, qui hocha la tête à contrecœur, puis indiqua le maton assis à droite.

— Zart, à toi d'ouvrir le bal.

Il y eut quelques ricanements tandis que Zart, le costaud silencieux qui supervisait le jardin, s'agitait sur sa chaise. Il paraissait autant à sa place qu'une carotte sur un plant de tomates.

— Eh bien…, commença Zart en jetant un regard inquiet autour de lui comme s'il attendait qu'on lui souffle ce qu'il devait dire. Je ne sais pas. Il a enfreint l'une de nos règles les plus importantes. On ne peut pas laisser passer ça. (Il fit une pause, baissa la tête et se frotta les mains.) D'un autre côté... il a changé les choses. Maintenant, on sait qu'on peut survivre à l'extérieur, et même battre les Griffeurs.

Thomas se sentit soulagé. Il avait quelqu'un de son côté. Il se promit de se montrer particulièrement gentil avec Zart.

— Oh, pitié! lança Gally. Je parie que c'est Minho qui s'est chargé de ces saloperies.

— Ta gueule, Gally! explosa Newt en se levant pour accentuer son effet. C'est moi qui dirige ce conseil, et si je t'entends intervenir encore une seule fois alors que ce n'est pas ton tour, j'inscris ton bannissement à l'ordre du jour!

— Vas-y donc, murmura Gally d'un ton sarcastique, mais il se tassa sur sa chaise.

Newt se rassit et se tourna vers Zart.

— C'est tout?

Zart hocha la tête.

— D'accord. À toi, Poêle-à-frire.

Le cuistot sourit dans sa barbe et se redressa.

— Ce tocard a plus de tripes que j'en ai vu grésiller dans ma poêle depuis un an. (Il marqua une pause, comme s'il s'attendait à des rires, mais rien ne vint.) Allez, c'est ridicule: il a sauvé la vie à Alby, tué deux ou trois Griffeurs, et on est assis là, à discuter de ce qu'il faut faire de lui. Comme dirait Chuck, tout ça, c'est du plonk.

Thomas faillit se lever pour aller lui serrer la main. Poêle-à-frire venait d'exprimer à la perfection ce que lui-même pensait depuis le début.

— Donc tu préconises quoi? s'enquit Newt.

Poêle-à-frire croisa les bras.

— De le nommer au conseil et de le charger de nous apprendre tout ce qu'il a appliqué là-dehors!

Des protestations virulentes éclatèrent dans l'assistance, et Newt mit presque une minute à ramener le calme. Thomas fit la grimace; Poêle-à-frire avait poussé le bouchon trop loin.

— Très bien, je note, dit Newt en griffonnant sur son calepin. Et les autres, taisez-vous! Vous connaissez les règles : toutes les idées sont recevables. Vous pourrez dire ce que vous en pensez au moment de passer au vote.

Il termina d'écrire et pointa le troisième membre du conseil, un garçon que Thomas ne connaissait pas encore, avec des cheveux bruns et des taches de rousseur.

— Je n'ai pas vraiment d'opinion, déclara le brun.

— Quoi? s'emporta Newt. À quoi ça sert que tu sois parmi nous, alors?

— Désolé. (Il haussa les épaules.) En fait, je serais plutôt de l'avis de Poêle-à-frire. On ne va pas punir quelqu'un pour avoir sauvé un camarade, non?

— Donc, ton opinion, c'est ça? insista Newt, le crayon à la main.

Le garçon hocha la tête, et Newt prit des notes. Thomas se sentait de plus en plus soulagé. Apparemment, la plupart des matons penchaient plutôt en sa faveur. Malgré tout, il trépignait sur sa chaise; il aurait tellement souhaité pouvoir se défendre.

Le suivant fut Winston, le maton plein de boutons de l'abattoir.

— Je pense qu'il faut le sanctionner. Je n'ai rien contre toi, Thomas, mais Newt, c'est toi qui insistes tout le temps sur le respect de la discipline. Si on ne réagit pas, on créera un mauvais précédent. Il a enfreint la règle numéro un.

— D'accord, fit Newt en écrivant dans son calepin. Donc tu recommandes une punition. Laquelle?

— On pourrait l'enfermer au gnouf durant une semaine, au pain sec et à l'eau, et nous assurer que tout le monde le sache, histoire que le message passe.

Gally applaudit bruyamment, ce qui lui valut un regard noir de Newt. L'optimisme de Thomas retomba un peu.

Deux autres matons se prononcèrent, l'un pour soutenir

Poêle-à-frire, l'autre pour appuyer Winston. Puis ce fut le tour de Newt.

— Je suis d'accord avec vous tous. Il faut une sanction, mais il faut aussi trouver le meilleur moyen d'utiliser Thomas. Je réserve ma recommandation jusqu'à ce que tout le monde se soit prononcé. Au suivant.

Thomas détestait ces discours, encore plus que le silence qu'on lui avait imposé. Mais au fond de lui il savait que leurs réflexions n'étaient pas infondées : il avait effectivement violé une règle fondamentale.

Ils continuèrent ainsi l'un après l'autre. Thomas écoutait distraitement, attendant les commentaires des deux derniers matons, Gally et Minho. Celui-ci n'avait pas dit un mot depuis que Thomas était entré dans la pièce ; il restait assis là, affalé sur sa chaise, épuisé.

Gally parla le premier.

— Je crois avoir fait connaître mon opinion assez clairement.

« Super. Alors ferme-la », songea Thomas.

— En effet, convint Newt, les yeux au ciel. Alors à toi, Minho.

— Non ! s'écria Gally, faisant sursauter deux matons sur leurs chaises. J'ai encore un truc à dire.

— Eh bien, dis-le ! répliqua Newt, excédé.

Thomas n'était pas fâché de voir que le président temporaire du conseil détestait Gally presque autant que lui. Même s'il n'avait plus peur du garçon, il devait reconnaître qu'il ne manquait pas de tripes.

— Réfléchissez une seconde, reprit Gally. Quand ce tocard est arrivé dans la Boîte, il avait l'air confus et effrayé. Et quelques jours plus tard, il cavale dans le Labyrinthe au milieu des Griffeurs comme s'il avait habité là toute sa vie ?

Thomas se tassa sur sa chaise, priant pour que personne d'autre ne partage cette opinion.

Gally continua.

— Pour moi, il nous a joué la comédie. Comment a-t-il bien pu faire pour s'en sortir alors qu'il n'est là que depuis quelques jours ? Je me pose sérieusement la question, pas vous ?

— Où veux-tu en venir exactement, Gally ? demanda Newt.

— Je pense que c'est un espion envoyé par ceux qui nous ont mis là.

Cette déclaration provoqua un nouveau tollé dans la salle ; Thomas, abasourdi, ne comprenait pas d'où Gally sortait une idée pareille. Newt parvint finalement à ramener le calme. Gally n'en avait pas terminé.

— On ne peut pas faire confiance à ce tocard, continua-t-il. Le lendemain de son arrivée, une cinglée débarque en marmonnant que les choses vont changer, avec son message dans la main. On découvre un Griffeur mort. Et comme par hasard, Thomas se fait enfermer dans le Labyrinthe durant toute la nuit et revient en essayant de se faire passer pour un héros. Mais en fait, ni Minho, ni personne ne l'a vraiment *vu* grimper dans le lierre, sans parler du reste. Comment peut-on être sûr que c'est bien lui qui a hissé Alby là-haut ?

Gally marqua une pause ; personne ne dit plus rien pendant un moment. Thomas se sentit gagné par la panique. Et si les autres se rangeaient à l'avis de Gally ? Il faillit sortir de son silence, mais avant qu'il puisse ouvrir la bouche, Gally reprit la parole :

— Il se passe trop de trucs bizarres ces derniers temps, et tout a commencé le jour où ce guignol s'est pointé. Or il se trouve que c'est la première personne à survivre de nuit dans le Labyrinthe. Je dis que c'est louche, et jusqu'à ce qu'on y voie plus clair, je recommande de le boucler au gnouf… pour un mois au moins. Après, on pourra en rediscuter.

Newt griffonna sur son calepin en secouant la tête.

— Ce sera tout, capitaine Gally ? demanda-t-il enfin.

— Arrête de faire ton malin, Newt, cracha l'autre en rougissant. Je suis très sérieux. Comment veux-tu qu'on fasse confiance à ce tocard après moins d'une semaine? Arrête de dénigrer tout ce que je dis sans te donner la peine d'y réfléchir.

— D'accord, Gally, dit Newt. Je suis désolé. On t'a entendu, et on va prendre en compte ta foutue recommandation. Et maintenant, est-ce que tu as terminé?

— Oui, j'ai terminé. Et je sais que j'ai raison.

Là-dessus, Newt se tourna vers Minho.

— À toi, maintenant.

Thomas se réjouit; le garçon allait sûrement prendre sa défense.

À la surprise générale, Minho se leva brusquement.

— J'étais là, dehors. J'ai vu ce qu'il a fait: il s'est montré fort pendant que je faisais dans mon froc. Je ne vais pas soûler tout le monde comme Gally. Je veux juste donner ma recommandation, et basta!

Thomas retint son souffle.

— Je propose que ce tocard me remplace à la tête des coureurs.

CHAPITRE 25

Un silence de plomb s'abattit sur la pièce, comme si le monde s'était figé, et tous les membres du conseil fixèrent Minho. Thomas, stupéfait, s'attendait à ce que le coureur leur dise qu'il plaisantait.

Gally finit par rompre le charme.

— C'est ridicule! (Il se dressa devant Newt et pointa le doigt sur Minho, qui s'était rassis.) On devrait le virer du conseil pour avoir dit un truc aussi stupide!

Certains matons semblaient approuver la recommandation de Minho – comme Poêle-à-frire, qui applaudit pour couvrir les paroles de Gally et réclama un vote. D'autres non. Winston secoua fermement la tête et grommela quelque chose que Thomas ne comprit pas. Alors que tout le monde parlait en même temps, Thomas mit sa tête entre ses mains et attendit que le calme revienne, terrifié et impressionné. Pourquoi Minho avait-il proposé ça? «C'est forcément une blague. Newt a dit que ça prenait une éternité pour devenir coureur. Alors, maton des coureurs?» pensa-t-il.

Enfin, Newt posa son calepin et s'avança dans le demi-cercle en réclamant le silence. Petit à petit, le calme revint et les matons se rassirent.

— Nom de Dieu! tonna Newt. Je n'ai jamais vu autant de tocards se comporter comme des gamins. On n'en a peut-être pas l'air, mais ici, c'est nous, les adultes. Alors agissez en adultes, sinon autant dissoudre le conseil et repartir de zéro.

Il parcourut toute la rangée des matons en les toisant l'un après l'autre.

— Est-ce que je me fais bien comprendre ?

Seul le silence lui répondit.

— Bien.

Newt regagna sa chaise et reprit son calepin. Il ajouta quelques lignes sur le papier, puis leva les yeux vers Minho.

— Ce n'est pas rien, ce que tu nous proposes là, mon frère. Désolé, mais il va falloir nous donner un peu plus d'arguments.

Thomas était impatient d'entendre la suite.

Quoique visiblement épuisé, Minho entreprit de défendre sa position.

— Écoutez, c'est facile d'être à votre place et de parler de ce que vous ne connaissez pas. Je suis le seul coureur ici présent, et à part moi, le seul qui soit jamais allé dans le Labyrinthe, c'est Newt.

Gally protesta :

— Pas si tu comptes la fois où je…

— Ça ne compte pas ! le coupa Minho. Crois-moi, ni toi ni personne n'avez la moindre idée de la façon dont les choses se présentent là-bas. La seule raison pour laquelle tu t'es fait piquer, c'est que tu as enfreint la même règle que tu reproches à Thomas d'avoir violée. J'appelle ça de l'hypocrisie, sale petit…

— Ça suffit, intervint Newt. Contente-toi d'argumenter.

La tension était palpable. Gally et Minho se dévisageaient, le visage empourpré.

— De toute façon, la question n'est pas là, reprit Minho. Je n'avais jamais vu ça. Il n'a pas paniqué une seconde. Il ne s'est pas mis à geindre ou à pleurer. Alors qu'il n'est là que depuis quelques jours ! Rappelez-vous comment nous étions à notre arrivée. Accroupis dans notre coin, complètement désemparés, à pleurer tout le temps, sans faire confiance à personne. Nous avons tous été comme ça, pendant des semaines, parfois des mois, jusqu'à ce que nous n'ayons pas d'autre choix que de nous bouger les fesses.

Minho se leva et désigna Thomas.

— Lui, au bout de quelques jours, il est sorti dans le Labyrinthe pour sauver deux types qu'il connaissait à peine. Toute cette discussion à propos des règles qu'il n'aurait pas respectées, c'est n'importe quoi. On ne lui avait pas expliqué les règles. Par contre, on lui avait parlé en long et en large de ce qu'il pouvait s'attendre à trouver dans le Labyrinthe, surtout la nuit. Et il est quand même sorti, au moment où la porte se refermait, parce que nous avions besoin d'aide.

Il prit une profonde inspiration. Il semblait reprendre des forces à mesure qu'il parlait.

— Et ce n'est pas tout. Après ça, il m'a vu abandonner Alby à son sort. Pourtant c'était moi le coureur expérimenté. En me voyant renoncer, il aurait dû se dire que c'était fichu. Mais pas du tout. Réfléchissez un peu à la force et à la volonté qu'il lui a fallu pour hisser Alby le long de ce mur, centimètre par centimètre. C'est dingue. C'est complètement dingue! Ensuite, les Griffeurs sont arrivés. J'avais dit à Thomas qu'il valait mieux nous séparer et j'avais commencé à mettre en pratique nos tactiques d'évasion, en courant selon le schéma préétabli. Au lieu de flipper, Thomas s'est retroussé les manches et s'est occupé d'Alby; il a attiré les Griffeurs derrière lui, en a vaincu un et a trouvé…

— On a saisi, l'interrompit Gally. L'ami Tommy a une veine de pendu.

Minho lui fit face.

— Non, tu n'as rien compris! En deux ans, je n'avais encore jamais rien vu de pareil…

Minho s'arrêta, se frotta les yeux, puis poussa un gémissement de frustration. Thomas était bouche bée.

— Gally, reprit Minho d'une voix plus calme, tu n'es qu'une chochotte qui ne s'est jamais intéressée aux coureurs et qui n'a jamais demandé à en faire partie. Alors ne parle pas de ce que tu ne connais pas. Ta gueule!

Gally se dressa, fou de rage.

— Répète ça encore une fois, fulmina-t-il en postillonnant, et je te démolis sur place devant tout le monde!

Minho lui rit au nez, puis tendit le bras et le repoussa, la main à plat sur son visage. Gally bascula en arrière sur sa chaise, qui se brisa sous son poids. Il s'étala de tout son long et roula aussitôt sur le ventre pour se relever. Mais Minho s'avança et le plaqua au sol avec son pied.

— Gally, déclara-t-il avec un rictus, ne me menace plus jamais, c'est un conseil. Ne m'adresse même plus la parole. Si tu recommences, je te brise la nuque après t'avoir cassé les bras et les jambes.

Newt et Winston bondirent sur leurs pieds et empoignèrent Minho avant que Thomas n'ait le temps de réaliser ce qui se passait. Ils l'écartèrent de Gally, qui se releva en écumant de rage. Mais le garçon ne fit pas un geste vers Minho; il se contenta de bomber le torse, les narines frémissantes, et de reculer vers la sortie. Il jeta un regard circulaire sur la pièce, les yeux brûlants de haine. Il semblait prêt à commettre un meurtre. Parvenu à la porte, il chercha la poignée à tâtons dans son dos.

— Tu n'aurais jamais dû faire ça, Minho, dit-il en crachant par terre. Tu n'aurais jamais dû faire ça. (Son regard de fou se posa sur Newt.) Je sais que tu me détestes, tu m'as toujours détesté. On devrait te bannir pour ton incompétence à diriger ce groupe. Tu es lamentable, et tous ceux qui sont là ne valent pas mieux. Les choses vont changer, vous pouvez me croire.

Thomas sentit sa gorge se nouer. Comme si la situation n'était pas assez compliquée comme ça.

Gally ouvrit la porte à la volée et sortit dans le couloir. Mais avant que quiconque ait pu réagir, il repassa la tête dans l'entrebâillement.

— Quant à toi, le bleu qui se prend pour Dieu, dit-il, furibond, à Thomas, n'oublie pas que je t'ai déjà vu quelque part. J'ai subi la Transformation. Et ce que décideront ces tocards n'y changera rien.

Il fixa tour à tour chacune des personnes présentes. Quand son regard malveillant revint se poser sur Thomas, il ajouta :

— Je ne sais pas ce que tu es venu faire ici, mais je te jure que je saurai t'en empêcher. Quitte à te tuer, s'il le faut.

Là-dessus, il quitta la pièce pour de bon en claquant la porte derrière lui.

CHAPITRE 26

Thomas demeura pétrifié sur sa chaise ; une sensation pénible lui nouait l'estomac, comme s'il était malade. Depuis son arrivée au Bloc, il avait connu toute la gamme des émotions : peur, solitude, désespoir, tristesse et même de courts moments de joie. Mais qu'on le haïsse au point de vouloir le tuer, c'était nouveau pour lui.

« Gally est cinglé, se dit-il. Il est capable de tout. »

Les membres du conseil restaient silencieux, tout aussi choqués que Thomas. Newt et Winston avaient lâché Minho ; les trois regagnèrent leurs chaises d'un air boudeur.

— Il a pété les plombs, murmura Minho si bas que Thomas n'était pas sûr qu'il ait voulu qu'on l'entende.

— Tu y es un peu pour quelque chose, non ? rétorqua Newt. Qu'est-ce qui t'a pris ?

Minho plissa les paupières et rejeta la tête en arrière.

— Arrête. Vous étiez bien contents que je lui rabatte son caquet, toi comme les autres. Il était temps, d'ailleurs.

— Il ne fait pas partie du conseil sans raison.

— Mec, il a menacé de tuer Thomas ! Il est psychologiquement instable, et tu ferais bien d'envoyer des gars le mettre au gnouf. Il est dangereux.

— Il n'avait peut-être pas tort, observa Winston d'une voix calme.

— Hein ? s'exclama Minho, en écho à ce que pensait Thomas.

Winston parut surpris d'avoir été entendu. Il jeta un regard à travers la pièce avant de s'expliquer.

— Eh bien… il a subi la Transformation, après s'être fait piquer par un Griffeur en pleine journée, juste devant la porte ouest. Ce qui veut dire qu'il a des *souvenirs*. En plus, il a prétendu avoir vu Thomas. Pourquoi aurait-il inventé un truc pareil ?

Thomas réfléchit à la Transformation et aux souvenirs qu'elle était supposée réveiller. L'idée ne l'avait pas effleuré avant, mais pourquoi ne se ferait-il pas piquer par un Griffeur, quitte à passer par des moments douloureux, pour récupérer une partie de sa mémoire ? Il revit Ben en train de se tortiller sur son lit, et se rappela les hurlements d'Alby. « Laisse tomber », songea-t-il.

— Winston, tu as vu ce qui vient de se passer, non ? demanda Poêle-à-frire avec incrédulité. Gally a perdu la boule. À ta place, je n'accorderais pas trop d'importance à ce qu'il peut raconter. Tu crois vraiment que Thomas est un Griffeur camouflé ?

Thomas n'y tenait plus. Il demanda d'une voix que la frustration rendait forte :

— Je peux dire quelque chose ? J'en ai assez de vous entendre parler de moi comme si je n'étais pas là.

Newt lui jeta un coup d'œil et hocha la tête.

— Vas-y. Au point où on en est…

Thomas organisa rapidement ses pensées, cherchant les mots justes.

— Je ne sais pas ce que Gally a contre moi. Et je m'en fiche. Ce gars m'a l'air fêlé. Concernant qui je suis, je n'en sais pas plus que vous. Mais si je me souviens bien, on est là pour discuter de ce que j'ai fait dans le Labyrinthe, et pas parce qu'un fou furieux me prend pour l'incarnation du mal.

Quelqu'un pouffa. Thomas se tut, espérant avoir fait valoir son point de vue.

Newt acquiesça avec satisfaction.

— Très bien. Je propose qu'on en revienne à l'ordre du jour et qu'on s'occupe de Gally plus tard.

— On ne peut pas voter en l'absence d'un membre, releva Winston. À moins qu'il soit gravement malade, comme Alby.

— Oh, allez, Winston! rétorqua Newt. Gally n'est pas dans son assiette aujourd'hui, on se passera de lui. Thomas, dis ce que tu as à dire pour ta défense et ensuite on procédera au vote.

Thomas serrait les poings sur ses genoux. Il se détendit et prit la parole, sans réfléchir à ce qu'il allait dire :

— Je ne crois pas avoir fait quelque chose de mal. J'ai simplement vu deux gars qui essayaient de rentrer au Bloc et qui n'allaient pas y arriver. Les ignorer à cause d'une règle stupide, ç'aurait été égoïste, lâche et… stupide de ma part. Si vous voulez m'enfermer pour avoir voulu sauver la vie de quelqu'un, très bien! La prochaine fois, je me contenterai de les montrer du doigt en rigolant et puis j'irai demander à Poêle-à-frire ce qu'il y a au dîner.

Thomas n'essayait pas d'être drôle, éberlué qu'il était qu'on lui reproche son intervention.

— Voilà ma recommandation, déclara Newt. Comme tu as enfreint notre règle numéro un, tu iras passer un jour au gnouf. C'est la sanction. Je recommande aussi qu'on t'élise au poste de coureur, à compter de la fin de cette réunion. Tu as prouvé plus de choses en une nuit que la plupart des recrues en trois semaines. Pour ce qui est de devenir maton, oublie ça. (Il se tourna vers Minho.) Gally avait raison là-dessus, c'est une idée stupide.

Même si le commentaire avait quelque chose de vexant, Thomas ne pouvait pas lui donner tort. Il se tourna vers Minho pour écouter sa réaction.

Le maton, qui ne paraissait pas surpris, défendit néanmoins sa proposition.

— Pourquoi? C'est le meilleur, je peux vous l'assurer. Ce serait logique qu'il devienne le maton.

— Écoute, répondit Newt, si c'est vrai, il sera toujours temps de le nommer plus tard. Disons qu'on en reparle dans un mois.

Minho haussa les épaules.

— Ça me va.

Newt jeta un regard circulaire sur ses compagnons.

— Bien, nous avons eu plusieurs recommandations, alors je vais commencer par les rappeler toutes, et ensuite...

— Oh, laisse tomber, l'interrompit Poêle-à-frire. Votons tout de suite. Je suis pour ta proposition.

— Moi aussi, dit Minho.

Presque tous les autres votèrent de même. Thomas se sentit fier et soulagé à la fois. Seul Winston s'était prononcé contre.

Newt le dévisagea.

— On n'a pas besoin de l'unanimité. Mais explique-nous les raisons de ton choix.

Winston regarda Thomas bien en face, puis se tourna vers Newt.

— En fait, ça me va. Mais je crois qu'on ne devrait pas ignorer complètement ce qu'a dit Gally. Il y a un truc qui me gêne, je ne crois pas qu'il ait tout inventé. C'est vrai que, depuis l'arrivée de Thomas, on dirait que tout part en sucette.

— Pas faux, convint Newt. Ce serait bien que chacun d'entre nous prenne le temps d'y réfléchir. Peut-être même que, quand on aura cinq minutes, ça vaudra le coup de reconvoquer le conseil pour en discuter. D'accord?

Winston approuva de la tête.

Thomas gémit.

— Vous recommencez à parler de moi comme si j'étais devenu invisible.

— Tommy, lui dit Newt, on vient de te nommer coureur comme tu le voulais. Alors arrête de pleurnicher et tire-toi, tu veux ? Tu as un entraînement à suivre.

Thomas n'avait pas encore bien réalisé qu'il allait devenir coureur et explorer le Labyrinthe. Il ressentit un frisson d'excitation, convaincu qu'il éviterait de se retrouver piégé dehors à la nuit tombée.

— Et ma punition ?

— Demain, répondit Newt. Du lever au coucher du soleil.

« Une journée. Ç'aurait pu être pire », songea Thomas.

La réunion prit fin et tous les matons, à l'exception de Newt et de Minho, s'empressèrent de quitter la pièce. Newt n'avait pas bougé de sa chaise, où il griffonnait quelques notes.

— Eh bien, ça n'a pas traîné, murmura-t-il.

Minho s'approcha de Thomas et lui décocha un coup de poing amical dans le bras.

— Tout ça, c'est la faute de ce tocard.

Thomas lui rendit son geste.

— Tu voudrais que je devienne maton ? Tu es encore plus cinglé que Gally.

Minho prit un air machiavélique.

— Ç'a marché, non ? Parfois, il faut savoir viser haut pour mettre dans le mille. Tu me remercieras plus tard.

Thomas ne put s'empêcher de sourire devant l'habileté de Minho. On frappa à la porte ; il se retourna et découvrit Chuck, aussi agité que s'il venait d'échapper à un Griffeur. Le sourire de Thomas s'effaça aussitôt.

— Qu'est-ce qu'il y a ? demanda Newt en se levant brusquement.

Chuck se tordit les mains.

— Ce sont les medjacks qui m'envoient. Il paraît qu'Alby n'arrête pas de se débattre et de ruer dans tous les sens en disant qu'il veut parler à quelqu'un.

Tandis que Newt se dirigeait déjà vers la porte, Chuck le retint d'un geste.

— Euh… ce n'est pas toi qu'il veut voir.

— Comment ça ?

Chuck indiqua Thomas.

— Il veut lui parler à lui.

CHAPITRE 27

Pour la deuxième fois de la journée, Thomas était trop stupéfait pour dire quoi que ce soit.

— Eh bien, amène-toi! dit Newt en le prenant par le bras. Tu ne t'imagines pas que je vais te laisser y aller tout seul?

Thomas l'accompagna donc, suivi de Chuck, hors de la salle du conseil. Ils longèrent le couloir jusqu'à un escalier en spirale qu'il n'avait pas encore remarqué. Newt posa le pied sur la première marche, puis se tourna vers Chuck d'un air mauvais.

— Toi, tu ne viens pas.

Chuck se contenta d'acquiescer sans discuter. Quelque chose dans le comportement d'Alby devait lui avoir mis les nerfs à vif.

— Souris, lui lança Thomas tandis que Newt montait l'escalier. On vient de m'accepter chez les coureurs; ça veut dire que tu es copain avec une pointure, maintenant!

Il avait dit ça sur le ton de la plaisanterie, pour masquer le fait qu'il était terrifié à l'idée de se rendre au chevet d'Alby. Et si ce dernier portait le même genre d'accusations que Ben? Ou pire?

— Ah, super, murmura Chuck, en continuant à fixer les marches.

Avec un haussement d'épaules, Thomas s'engagea dans l'escalier. Il avait les mains moites et sentait un filet de sueur couler le long de son dos.

Newt, sombre et solennel, l'attendait en haut de l'escalier. Ils se trouvaient à l'autre bout du long couloir obscur auquel menait l'escalier principal, celui qu'avait emprunté Thomas le premier jour quand il était monté voir Ben. Ce souvenir le mit mal à l'aise ; il espérait qu'Alby serait complètement remis. Mais il s'attendait aussi au pire.

Il suivit Newt jusqu'à la deuxième porte à droite et le regarda frapper doucement. Un gémissement leur répondit. Newt poussa la porte, qui s'ouvrit avec un léger grincement.

Newt s'avança dans la pièce et lui fit signe de s'approcher. Thomas obéit en se préparant à une vision d'horreur. Pourtant, il ne découvrit qu'un adolescent très affaibli allongé dans son lit, les paupières closes.

— Il dort ? chuchota-t-il.

— Je n'en sais rien, avoua Newt à voix basse.

Il s'assit sur une chaise en bois au chevet d'Alby. Thomas prit la deuxième chaise de l'autre côté.

— Alby, souffla Newt, avant de répéter plus fort : Alby ! Chuck nous a dit que tu voulais parler à Tommy ?

Alby cligna des paupières. Ses yeux injectés de sang luisaient dans la lumière. Il regarda Newt, puis Thomas. Il se tortilla dans ses draps en geignant et se redressa, la tête adossé au lit.

— Oui, murmura-t-il d'une voix enrouée.

— Chuck a dit que tu te débattais, que tu te comportais comme un cinglé. (Newt se pencha.) Qu'est-ce qui ne va pas ? Tu es toujours malade ?

Avec la plus grande difficulté, comme si chaque mot lui coûtait, Alby déclara :

— Tout... va changer... La fille... Thomas... Je les ai vus...

Il fixa le plafond.

— Qu'est-ce que tu veux dire par là... ? reprit Newt.

— J'avais demandé Thomas ! s'emporta Alby, avec une énergie soudaine dont Thomas ne l'aurait pas cru capable.

Ce n'est pas toi que je voulais voir, Newt. C'est Thomas ! J'avais réclamé Thomas, nom de Dieu !

— C'est bon, ça va, grommela Newt. Il est là, tu n'as qu'à lui parler.

— Laisse-nous, dit Alby, les yeux clos, la respiration sifflante.

— Pas question. Je tiens à rester.

— Newt... va-t'en. Tout de suite.

Thomas, très mal à l'aise, se demandait ce que Newt devait penser de lui et redoutait ce qu'Alby avait à lui dire.

— Mais..., protesta Newt.

— Dehors ! hurla Alby en se redressant. (Il s'assit contre la tête de lit.) Fous le camp !

Newt prit une expression peinée. Et puis, après un long moment de tension, il se leva et marcha jusqu'à la porte. « Il va vraiment nous laisser ? » se dit Thomas.

— Ne t'attends pas à ce que je te baise le cul quand tu viendras me demander pardon, prévint-il avant de sortir dans le couloir.

— Ferme la porte ! lui cria Alby, pour ajouter à l'insulte.

Newt claqua la porte derrière lui.

Thomas sentit son pouls s'accélérer : il se retrouvait seul au chevet d'un garçon qui était déjà irascible *avant* d'avoir été piqué par un Griffeur et subi la Transformation. Il fallait qu'Alby lui dise rapidement ce qu'il voulait. Hélas, l'autre laissa le silence se prolonger pendant de longues minutes, et la peur commença à faire trembler les mains de Thomas.

— Je sais qui tu es, finit par déclarer Alby.

Thomas ne trouva rien à répliquer, hormis quelques borborygmes incohérents. Il était complètement perdu. Apeuré.

— Je sais qui tu es, répéta lentement Alby. Je l'ai vu. J'ai tout vu. D'où on vient, qui tu es. Qui est la fille. Je me rappelle la Braise.

« La Braise ? »

— Je ne sais pas de quoi tu parles, bredouilla Thomas. Qu'est-ce que tu as vu ? J'aimerais savoir qui je suis.

— Ce n'est pas bien joli, le prévint Alby. (Pour la première fois depuis que Newt avait quitté la chambre, Alby regarda Thomas bien en face.) C'est horrible, en fait. Pourquoi ces salopards tiennent tellement à ce qu'on retrouve nos souvenirs ? Pourquoi ne pas nous laisser vivre tranquillement ici ?

— Alby… (Thomas aurait bien voulu pouvoir lire dans les pensées du garçon et voir ce qu'il avait vu.) La Transformation, l'encouragea-t-il, que t'a-t-elle montré ? Qu'est-ce qui t'est revenu ? Je ne comprends rien à ce que tu me racontes.

— Tu…, commença Alby.

Et puis soudain, il s'empoigna la gorge à deux mains et produisit des gargouillements. Il se mit à rouler sur le côté, en se débattant comme si quelqu'un *d'autre* cherchait à l'étrangler. Sa langue sortait de sa bouche ; il la mordit à plusieurs reprises.

Thomas se leva d'un bond et s'écarta avec horreur. Alby, en pleine crise, donnait des coups de pied dans tous les sens. Sa peau, si pâle quelques instants auparavant, tournait au violet, tandis que ses yeux roulaient dans leurs orbites.

— Alby ! cria Thomas, sans oser s'approcher pour le calmer. *Newt !* hurla-t-il, les deux mains en porte-voix. Newt, ramène-toi tout de suite !

La porte s'ouvrit à la volée avant même qu'il ne termine sa phrase.

Newt accourut auprès d'Alby, l'empoigna par les épaules et se coucha sur lui.

— Attrape-lui les jambes !

Alby convulsait si fort qu'il était impossible de l'approcher. Thomas reçut un coup de pied dans la mâchoire ; une douleur fulgurante lui remonta dans le crâne. Il recula en se frottant le menton.

— Vas-y, bon sang ! hurla Newt.

Thomas serra les dents, puis se jeta sur Alby, lui saisit les deux jambes et les écrasa sous son poids. Il entoura ses cuisses avec ses bras et les immobilisa pendant que Newt maintenait l'une des épaules d'Alby avec un genou, puis lui attrapait les mains, toujours serrées autour de sa gorge.

— Lâche! cria Newt en s'efforçant de lui desserrer les doigts. Tu es en train de te tuer!

Thomas vit les bras de Newt gonfler sous l'effort; ses veines saillaient tandis qu'il tirait sur les doigts d'Alby. Petit à petit, il finit par l'obliger à lâcher prise. Il lui rabattit les mains sur le torse. Alby tressauta violemment et se cabra sur son lit. Puis il s'apaisa peu à peu. Quelques secondes plus tard il se rallongeait calmement, le souffle régulier, les yeux vitreux.

Thomas continua à lui maintenir les jambes, de peur qu'il ne se remette à convulser. Newt attendit une bonne minute avant de lui lâcher les mains. Ensuite, il ôta son genou et se releva. Thomas se redressa à son tour.

Alby leva la tête, le regard vague, comme s'il était sur le point de s'endormir.

— Désolé, Newt, murmura-t-il. Je ne sais pas ce qui m'a pris. C'est comme si… mon corps était contrôlé par quelqu'un d'autre. Je suis désolé…

Thomas respira profondément. Il espérait bien ne jamais revivre une expérience aussi troublante et gênante.

— Désolé, tu parles! rétorqua Newt. Tu étais carrément en train de te tuer!

— Ce n'était pas moi, je te jure, murmura Alby.

— Comment ça, ce n'était pas toi?

— Je ne sais pas. Je… ce n'était pas moi.

Alby avait l'air aussi perdu que Thomas.

Newt jugea que ça ne valait pas la peine de creuser la question. Pour l'instant tout au moins. Il ramassa les couvertures qu'Alby avait fait tomber en se débattant et en recouvrit son ami.

— Essaie de te rendormir, on reparlera de tout ça plus tard.

(Il lui ébouriffa les cheveux.) Tu as vraiment une sale mine, tu sais?

Alby, qui somnolait déjà, les yeux clos, se contenta de dodeliner de la tête.

Newt croisa le regard de Thomas et lui indiqua la porte. Thomas ne voyait aucun inconvénient à quitter cette maison de fous. À l'instant où ils passaient le seuil, Alby marmonna.

Les deux garçons se figèrent.

— Quoi? demanda Newt.

Alby rouvrit les yeux un bref instant, le temps de répéter ce qu'il avait dit, plus distinctement:

— Faites attention à la fille.

Puis il referma ses paupières.

On en revenait toujours à elle, semblait-il. Newt adressa un regard interrogateur à Thomas, qui lui répondit par un haussement d'épaules. Il ne comprenait toujours rien à cette histoire.

— Allons-y, murmura Newt.

— Oh, Newt? lança Alby depuis le fond de son lit, les yeux fermés.

— Oui?

— Protège les plans.

Alby leur tourna le dos, indiquant par là qu'il avait fini de parler.

Ça ne sentait pas bon du tout. Newt et Thomas quittèrent la chambre en fermant doucement la porte.

CHAPITRE 28

Thomas suivit Newt au bas de l'escalier et sortit de la ferme dans le soleil de l'après-midi. Le silence s'installa. Les choses semblaient aller de plus en plus mal.

— Tu as faim, Tommy? finit par demander Newt.

Thomas n'en croyait pas ses oreilles.

— Quoi? Après ce que je viens de voir, j'aurais plutôt envie de vomir!

Newt sourit.

— Eh bien, moi oui. Allons voir s'il reste quelque chose à manger. Il faut qu'on parle.

— J'étais sûr que tu dirais ça.

Quoi qu'il fasse, il paraissait de plus en plus étroitement mêlé aux affaires du Bloc. Il commençait à s'y habituer.

Ils se rendirent à la cuisine où Poêle-à-frire accepta, non sans bougonner, de leur préparer des sandwiches au fromage. Thomas ne put s'empêcher de remarquer que le maton des cuistots le lorgnait d'un drôle d'air et détournait les yeux chaque fois que lui-même le regardait.

Une petite voix lui souffla que ce serait toujours comme ça, à présent. Il était différent des autres blocards. Il avait l'impression d'avoir vécu une vie entière depuis son amnésie, alors qu'il n'était là que depuis une semaine.

Les garçons décidèrent d'emporter leur repas dehors. Quelques minutes plus tard, ils s'installaient au pied du mur ouest, adossés au lierre, et regardaient leurs compagnons s'activer un peu partout dans le Bloc. Thomas s'obligea à manger pour prendre des forces en prévision de la prochaine tuile qui lui tomberait dessus.

— Tu avais déjà vu un truc pareil? demanda Thomas au bout d'un moment.

Newt se tourna vers lui, le visage grave.

— Ce qui est arrivé à Alby? Non. Jamais. D'un autre côté, personne ne nous a jamais raconté ce qu'il se rappelait de sa Transformation. Ils refusent toujours. Alby a essayé... c'est sûrement pour ça qu'il a pété les plombs.

Thomas s'interrompit en pleine mastication. Les Créateurs du Labyrinthe avaient-ils la possibilité de les contrôler à distance? Cette idée lui glaçait le sang.

— Il faut mettre la main sur Gally, dit Newt, la bouche pleine. Ce tocard est parti se planquer. Je veux le retrouver et l'envoyer au gnouf.

— Sérieux?

Thomas ne put s'empêcher d'éprouver une certaine satisfaction à cette idée. Il se ferait un plaisir de verrouiller personnellement la porte et de jeter la clef.

— Ce guignol a menacé de te tuer. Il va passer un moment à l'ombre – et il peut s'estimer heureux de ne pas être banni. Rappelle-toi ce que je t'ai dit à propos du règlement.

— Oui, je me souviens.

Thomas redoutait que Gally ne le déteste encore plus s'il se retrouvait au gnouf à cause de lui. «Je m'en fiche. Je n'ai plus peur de ce tocard.»

— Voilà comment ça va se passer, Tommy, lui expliqua Newt. Tu vas rester avec moi jusqu'à ce soir; on a encore des choses à se dire. Demain, c'est le gnouf. Ensuite, tu iras trouver Minho. Tiens-toi à l'écart des autres pendant un moment. D'accord?

Thomas acquiesça. Rester dans son coin lui paraissait une excellente idée.

— Ça m'a l'air parfait. Alors, Minho va s'occuper de mon entraînement ?

— Oui, tu es un coureur, maintenant. Il va t'apprendre tout ce qu'il y a à savoir. Le Labyrinthe, les plans, tout. Tu ne vas pas chômer. Je compte sur toi.

L'idée de retourner dans le Labyrinthe ne l'effrayait pas plus que ça. Il se promit de faire exactement ce que Newt lui demandait, dans l'espoir que ça lui éviterait de réfléchir. Au fond de lui, Thomas espérait sortir du Bloc le plus souvent possible. Éviter les autres était devenu son nouveau but dans la vie.

Les deux garçons achevèrent de manger en silence, après quoi Newt aborda enfin la question qui lui tenait à cœur. Il se tourna vers Thomas et le regarda droit dans les yeux.

— Thomas, commença-t-il, j'ai besoin que tu acceptes quelque chose. On l'a entendu trop souvent pour le nier, et il est temps qu'on en discute.

Devinant ce qui allait suivre, Thomas fit la grimace. Il avait peur des mots.

— Gally, Alby et Ben l'ont dit, continua Newt. Et même la fille, après qu'on l'a sortie de la Boîte. Ils l'ont tous dit.

Il marqua une pause, s'attendant peut-être à ce que Thomas lui demande de quoi il parlait. Mais Thomas le savait déjà :

— Les choses sont sur le point de changer.

Newt regarda au loin, puis se retourna vers Thomas.

— Exact. Et les garçons ont dit qu'ils t'avaient vu dans leurs souvenirs à la suite de leur Transformation. D'après ce que j'ai compris, tu n'étais pas en train de planter des fleurs ou d'aider des vieilles dames à traverser la rue. À en croire Gally, tu étais même tellement dangereux que ça lui a donné l'envie de te tuer.

— Newt, je ne sais pas…, commença Thomas.

Mais Newt l'interrompit aussitôt.

— Je sais que tu ne te rappelles rien, Thomas ! Arrête de le répéter sans arrêt, s'il te plaît ! Aucun de nous ne se souvient de rien, tu nous soûles avec ça. Ce qui est clair, c'est que tu es différent des autres et qu'il est grand temps de se pencher sur la question.

La colère s'empara de Thomas.

— OK, et comment tu comptes faire ? Je tiens autant que vous à savoir qui je suis, tu sais ?

— J'ai besoin que tu ouvres ton esprit. Sois honnête, et dis-moi s'il y a quelque chose ici – quoi que ce soit – qui te paraisse familier.

— Rien du t…, répliqua Thomas, avant de s'interrompre.

Il s'était passé tellement de choses depuis son arrivée qu'il en avait presque oublié cette impression de familiarité qu'il avait ressentie lors de sa première nuit au Bloc, quand il avait dormi à côté de Chuck. À quel point il s'était senti *chez lui*. Aux antipodes de la terreur qu'il aurait dû éprouver.

— Oui ? l'encouragea Newt. À quoi tu penses ?

Thomas hésita, effrayé par les conséquences de ce qu'il allait dire. Mais il en avait assez de garder le secret.

— Eh bien… je ne me rappelle rien de précis, avoua-t-il, prudent. Mais j'ai eu comme une impression de déjà-vu en débarquant ici. (Il leva la tête vers Newt, espérant voir une lueur de reconnaissance dans son regard.) Est-ce que je suis le seul ?

Newt se contenta de lever les yeux au ciel.

— Oui, Tommy. La plupart d'entre nous avons passé notre première semaine à chialer.

— D'accord.

Thomas marqua une pause, troublé et gêné. Qu'est-ce que ça voulait dire ? Pourquoi était-il différent des autres ? Y avait-il quelque chose qui clochait chez lui ?

— J'avais l'impression de connaître cet endroit, et j'ai tout de suite su que je voulais devenir coureur.

— Voilà qui est intéressant. (Newt l'examina d'un air méfiant.) Eh bien, continue à y penser. Fouille dans ta mémoire, et *réfléchis* !

— D'accord.

— Pas maintenant, guignol! s'esclaffa Newt. Je veux dire *à partir* de maintenant. À tes moments perdus: pendant les repas, quand tu vas te coucher, en promenade, quand tu t'entraînes ou que tu travailles. Et s'il te revient quoi que ce soit, préviens-moi. Promis?

— Promis.

Thomas ne pouvait s'empêcher de penser qu'il avait éveillé les soupçons de Newt et que ce dernier cherchait à dissimuler son inquiétude.

— Parfait! dit Newt, presque trop aimable. Pour commencer, on va aller voir quelqu'un.

— Qui ça? demanda Thomas.

Mais il avait déjà la réponse. Ses craintes revinrent en force.

— La fille. Je veux que tu la regardes à t'en faire saigner les yeux, au cas où ça réveillerait quelque chose chez toi. (Newt s'essuya les mains sur son pantalon et se leva.) Et puis, je veux que tu me racontes mot pour mot tout ce que t'a dit Alby.

Thomas se leva en soupirant.

— D'accord.

Il n'était pas sûr de lui dire toute la vérité à propos des accusations d'Alby, sans parler de l'impression que lui faisait la fille.

Les garçons regagnèrent la ferme. Thomas se faisait du souci à propos de Newt. Il s'était confié à lui, et il l'appréciait sincèrement. Il vivrait très mal que Newt se retourne contre lui.

— Au pire, dit Newt, interrompant le cours de ses pensées, on pourra toujours t'envoyer aux Griffeurs: une bonne piqûre, et hop! en route pour la Transformation. On a *besoin* de tes souvenirs.

Thomas accueillit cette idée par un ricanement, mais Newt ne souriait pas.

*

La fille semblait dormir tranquillement. Alors que Thomas s'était attendu à la trouver squelettique, à deux doigts de la mort, sa poitrine se soulevait et retombait avec régularité, et son teint restait clair.

Le plus petit des medjacks – Thomas avait oublié son nom – se tenait auprès d'elle et lui versait des gouttes d'eau dans la bouche. Sur la table de chevet, une assiette et un bol contenaient les restes de son repas : soupe et purée de pommes de terre. Ils faisaient le maximum pour la garder saine et sauve.

— Alors, Clint, lança Newt avec désinvolture, comme s'il était déjà passé plusieurs fois dans la journée. Elle s'en tire ?

— Oui, elle va bien. Elle parle de plus en plus dans son sommeil. À mon avis, elle ne devrait plus tarder à se réveiller.

Thomas sentit ses cheveux se hérisser sur sa nuque. Curieusement, il n'avait jamais envisagé la possibilité que la fille reprenne ses esprits, qu'elle puisse parler aux autres ; cette idée le rendait nerveux.

— Vous notez bien tout ce qu'elle dit ? demanda Newt.

Clint acquiesça.

— Le plus souvent, c'est incompréhensible. Mais sinon, oui.

Newt indiqua un calepin sur la table de chevet.

— Donne-moi un exemple.

— Eh bien, la même chose que ce qu'elle a dit en sortant de la Boîte : « Tout va changer. » Ou des trucs qui concernent les Créateurs, et comme quoi il fallait que ça se termine. Et, euh…

Il jeta un coup d'œil appuyé à Thomas, hésitant à continuer en sa présence.

— Ça va, le rassura Newt. Tu peux parler devant lui.

— Eh bien… ce n'est pas très clair, mais… Elle n'arrête pas de répéter son nom, continua-t-il en regardant Thomas.

Thomas faillit en tomber par terre. D'où cette fille pouvait-elle le connaître ? Il ressentait comme une démangeaison à l'intérieur de son crâne, qu'il était incapable de calmer.

— Merci, Clint, conclut Newt. Mets-nous tout ça par écrit, d'accord?

— Entendu.

Le medjack les salua de la tête et quitta la chambre.

— Prends une chaise, fit Newt en s'asseyant au bord du lit.

Thomas prit celle glissée sous le bureau et la posa juste à côté de la tête de la fille ; il s'assit et se pencha pour scruter son visage.

— Alors ? demanda Newt. Elle te rappelle quelque chose ?

Thomas continua à fixer la fille. Il s'efforçait de fouiller dans son passé. Il repensa à cet instant où elle avait ouvert les yeux à son arrivée.

Ils étaient d'un bleu plus intense que ceux dont il avait gardé le souvenir. Il se les représenta et les superposa à l'image de son visage endormi. Ses cheveux bruns, sa peau parfaite, ses lèvres pleines... En la détaillant ainsi, il prit conscience à quel point elle était belle.

Un sentiment de familiarité lui effleura l'esprit mais s'évanouit presque aussitôt. Il avait *éprouvé* quelque chose.

— Je la connais, murmura-t-il en se redressant sur sa chaise.

C'était bon de l'avouer enfin à voix haute.

Newt se leva.

— Hein ? Qui c'est ?

— Aucune idée. Mais je l'ai déjà vue... quelque part.

Thomas se frotta les yeux, frustré de ne pas pouvoir faire le lien.

— Eh bien, continue à chercher. Réfléchis. Concentre-toi.

— J'essaie, figure-toi !

Thomas ferma les yeux et fouilla dans les recoins obscurs de son esprit à la recherche du visage de la fille.

Il se pencha de nouveau sur sa chaise, respira un grand coup, puis se tourna vers Newt en secouant la tête.

— Désolé, je...

Teresa.

Il se redressa en sursaut, renversant sa chaise, et pivota, les yeux écarquillés. Il aurait juré avoir entendu…

— Quoi? lui demanda Newt. Tu t'es souvenu d'un truc?

Thomas l'ignora et balaya la pièce d'un regard confus avant de se retourner vers la fille.

— Je… (Il se rassit en la fixant d'un air éberlué.) Newt, est-ce que tu m'as dit quelque chose juste avant que je me lève?

— Non.

Bien sûr que non.

— Oh. J'ai eu l'impression d'entendre… Je ne sais pas. Peut-être que c'était simplement dans ma tête. Elle… elle n'a rien dit?

— Elle? Non, répondit Newt, les yeux étincelants. Pourquoi? Qu'est-ce que tu as entendu?

Thomas avait peur de l'avouer.

— J… juste un nom. Teresa.

— Teresa? Je n'ai rien entendu. Sans doute un truc qui t'es revenu en mémoire. C'est son nom, Tommy! Elle s'appelle Teresa. À tous les coups!

Thomas se sentait… mal à l'aise, comme s'il venait d'assister à une manifestation surnaturelle.

— Je te jure que je l'ai entendu dans ma tête! Je ne peux pas t'expliquer.

Thomas.

Cette fois, il bondit de sa chaise et s'écarta le plus loin possible du lit, renversant la lampe de chevet au passage; elle roula par terre avec un bruit de verre brisé. Une voix. Une voix de fille. Douce, suave, discrète. Il l'avait entendue. Il était *sûr* de l'avoir entendue.

— Qu'est-ce qui te prend, bon Dieu? s'exclama Newt.

Le cœur de Thomas battait la chamade. Il sentait le sang lui marteler le crâne. Un flot acide lui brûla l'estomac.

— Elle… elle me parle, mec! Elle me parle dans ma tête. Elle vient de prononcer mon nom!

— Hein?

Tout se mit à tournoyer autour de lui, il avait la tête comme dans un étau.

— Je te jure! Je… j'entends sa voix… Enfin… ce n'est pas vraiment une voix…

— Tommy, calme-toi! Je ne comprends rien à ce que tu me racontes.

— Newt, je suis très sérieux. Ce… ce n'est pas vraiment une voix, mais… c'est là.

Tom, nous sommes les derniers. Ça va se terminer bientôt. Il le faut.

Ces mots résonnèrent sous son crâne, effleurant ses tympans. Il pouvait les *entendre*.

Tom, ne me lâche pas maintenant.

Il plaqua ses deux mains sur ses oreilles et ferma les yeux. C'était trop bizarre ; son esprit refusait d'admettre ce qui lui arrivait.

Ma mémoire est déjà en train de s'estomper, Tom. Je ne me souviendrai pratiquement plus de rien à mon réveil. On peut passer les Épreuves. Il faut que ça se termine. On m'a envoyée comme élément déclencheur.

Thomas n'en pouvait plus. Ignorant les questions de Newt, il tituba jusqu'à la porte, l'ouvrit brusquement et s'enfuit dans le couloir. Il dévala l'escalier et sortit de la ferme. Mais la voix était toujours là.

Il aurait voulu hurler, courir jusqu'à l'épuisement. Il atteignit la porte est, la franchit sans ralentir et sortit du Bloc. Et il continua à courir, enfilant les couloirs, toujours plus loin dans le Labyrinthe.

Toi et moi, Tom. C'est nous qui leur avons fait ça. Et à nous aussi.

CHAPITRE 29

Thomas s'arrêta lorsque la voix se tut pour de bon.

Il se rendit compte qu'il avait couru près d'une heure. L'ombre des murs s'allongeait vers l'est, le soleil allait bientôt se coucher et les portes se refermer. Il était temps de rentrer.

L'idée d'affronter de nouveau la voix et ces choses étranges qu'elle lui disait ne lui plaisait guère. Pourtant, il n'avait pas le choix. Nier la réalité ne lui servirait à rien.

En regagnant le Bloc au pas de course, il apprit plusieurs choses sur lui-même. Sans le vouloir ni même s'en rendre compte, il avait parfaitement mémorisé son trajet à travers le Labyrinthe. Il n'hésita pas une seule fois sur le chemin du retour. Il savait ce que ça voulait dire.

Minho avait vu juste. Thomas serait bientôt le meilleur des coureurs.

La deuxième chose qu'il apprit à son sujet, c'était qu'il était dans une condition physique exceptionnelle. La veille encore, il était allé au bout de ses forces et en était ressorti courbatu de la tête aux pieds. Il avait récupéré tellement vite qu'il courait à présent sans effort, pour la deuxième heure d'affilée. Pas besoin d'être un génie pour calculer qu'à cette allure il aurait couru l'équivalent d'un demi-marathon à son retour au Bloc.

Pour la première fois, il prit conscience de l'immensité du Labyrinthe. L'édifice s'étendait sur des kilomètres. Sachant que ses murs se déplaçaient chaque nuit, il comprenait enfin pourquoi il était si difficile d'en sortir. Il en avait douté jusque-là, se demandant comment les coureurs pouvaient se montrer aussi impuissants.

Quand il passa enfin le seuil du Bloc, les portes étaient sur le point de se refermer. Épuisé, il courut droit au terminus et s'enfonça dans le bosquet jusqu'au coin sud-ouest. Il avait envie d'être seul.

Quand les conversations des blocards ne furent plus qu'un murmure lointain, mêlé aux bêlements des moutons, son souhait fut exaucé; il trouva l'angle des deux murailles et s'y effondra. Personne ne vint le déranger. Le mur sud se mit à coulisser; Thomas se pencha en avant jusqu'à ce qu'il s'immobilise. Quelques minutes plus tard, confortablement adossé à l'épaisse couche de lierre, il s'endormit.

*

Le lendemain matin, on le réveilla en le secouant doucement par l'épaule.

— Thomas, debout!

C'était Chuck. Ce garçon semblait capable de le retrouver n'importe où.

Thomas se redressa avec un grognement, puis s'étira. Quelqu'un était venu le recouvrir de deux couvertures pendant la nuit.

— Quelle heure est-il?

— Presque trop tard pour le petit déjeuner. (Chuck le tira par le bras.) Allez, lève-toi. Tu as intérêt à te comporter normalement, sinon ça ne fera qu'empirer les choses.

Les événements de la veille lui revinrent en mémoire, Thomas sentit son ventre se nouer. «Que vont-ils me faire? Et tout ce qu'elle m'a raconté… qu'est-ce que ça voulait dire?»

L'idée lui vint alors qu'il avait peut-être perdu la raison. Le stress qu'il avait subi dans le Labyrinthe l'avait-il rendu fou?

De toute façon, il était le seul à entendre la voix. Personne ne savait rien de ce que Teresa lui avait dit. Personne ne connaissait son nom. Sauf Newt.

Et il avait bien l'intention que ça dure. Sa situation était suffisamment compliquée, pas question de l'aggraver en racontant aux autres qu'il entendait des voix. Le seul problème, c'était Newt. Thomas allait devoir le convaincre qu'il avait succombé à la peur et qu'une bonne nuit de sommeil avait tout réglé.

Chuck le dévisageait, les sourcils haussés.

— Désolé, s'excusa Thomas, et il se leva d'un air aussi naturel que possible. Je réfléchissais. Allons manger, je meurs de faim.

— Bonne maladie! approuva Chuck en lui donnant une tape dans le dos.

Alors qu'ils se dirigeaient vers la ferme, Chuck lui annonça :

— Newt t'a trouvé hier soir et il a demandé à tout le monde de te laisser dormir. Il nous a dit aussi ce que le conseil avait décidé pour toi : une journée en cellule, et ensuite, l'intégration au programme d'entraînement des coureurs. Certains ont bougonné, d'autres ont applaudi, la plupart ont donné l'impression de s'en ficher complètement. Moi, je trouve ça super. (Chuck fit une pause pour reprendre son souffle, puis continua.) La première nuit, tu sais, quand tu racontais que tu voulais devenir coureur, je peux t'assurer que je rigolais intérieurement. Je pensais : il va avoir un réveil pénible. Et au final on dirait bien que c'est toi qui avais raison, hein ?

Thomas n'avait pas envie d'en parler.

— Je n'y suis pour rien si Newt et Minho ont décidé de me nommer coureur.

— Ben voyons. Arrête de jouer les modestes.

Devenir coureur était la dernière préoccupation de Thomas. Il pensait à Teresa, à sa voix dans sa tête et à ce qu'elle lui avait dit.

— C'est vrai que ça paraît assez excitant.

Thomas se força à sourire, même si la perspective de passer une journée au gnouf lui aurait plutôt arraché une grimace.

— On verra si tu dis encore ça après avoir couru toute la journée. Quoi qu'il en soit, je veux que tu saches que le vieux Chucky est fier de toi.

L'enthousiasme de son ami amusa Thomas.

— Si seulement tu étais ma mère, murmura Thomas, je serais comblé.

« Ma mère », songea-t-il. Le monde lui parut s'assombrir un instant : il ne se rappelait même pas sa propre mère. Il balaya cette pensée avant qu'elle ne le déprime.

Une fois à la cuisine, ils prirent un petit déjeuner rapide à la grande table. Les blocards qui allaient et venaient lorgnaient tous du côté de Thomas ; quelques-uns le félicitèrent. Hormis quelques regards noirs ici et là, presque tout le monde semblait être de son côté. Puis Thomas se souvint de Gally.

— Dis donc, Chuck, demanda-t-il d'un air détaché entre deux bouchées d'œufs au plat, est-ce qu'on a retrouvé Gally ?

— Non. J'allais t'en parler. Il serait sorti dans le Labyrinthe après avoir quitté le conseil. Personne ne l'a revu depuis.

Thomas en laissa tomber sa fourchette.

— Quoi ? Tu es sérieux ? Il est vraiment allé dans le Labyrinthe ?

— Oui. Tout le monde sait qu'il a pété les plombs. Un tocard t'a même accusé de vouloir le tuer quand tu es sorti toi aussi hier après-midi.

— Je n'arrive pas à croire…

Thomas fixait son assiette, essayant de comprendre ce qui avait pu pousser Gally à faire une chose pareille.

— Ne t'en fais pas, mec. Il n'y aura personne pour le regretter, à part quelques-uns de ses copains. Ce sont eux qui t'accusent.

Thomas n'en revenait pas de l'entendre parler de Gally avec autant de désinvolture.

— Tu sais, il est sans doute mort à l'heure qu'il est. Tu en parles comme s'il était parti en vacances.

Chuck prit un air pensif.

— Je ne crois pas qu'il soit mort.

— Ah bon? Où est-il, alors? Je pensais que Minho et moi étions les seuls à avoir réchappé à une nuit dehors.

— C'est bien ce que je dis. Je crois que ses copains le cachent quelque part dans le Bloc. Gally n'est pas idiot au point de passer la nuit dans le Labyrinthe. Pas comme toi.

Thomas secoua la tête.

— Peut-être justement qu'il a voulu tenter le coup. Histoire de prouver qu'il en était capable lui aussi. Il me déteste. Enfin, il me détestait.

— Bof, quelle importance? S'il est mort, vous finirez par le retrouver tôt ou tard. Et sinon, il sortira de sa cachette quand il aura faim. Je m'en fiche.

Thomas ramassa son assiette et la rapporta sur le comptoir.

— Tout ce que je veux, c'est avoir une journée normale – une journée où je puisse me détendre.

— Ton souhait est exaucé, tocard, lança une voix depuis la porte de la cuisine.

Thomas se retourna et découvrit Newt qui lui souriait. Ça le rassura; le monde continuait à tourner, après tout.

— Amène-toi, brigand, dit Newt. Tu auras tout le temps de te détendre au gnouf. Allons-y. Chucky t'apportera de quoi manger à midi.

Thomas hocha la tête et quitta la cuisine derrière Newt. Soudain, sa journée au gnouf lui sembla idéale. Il pourrait enfin rester assis sans rien faire.

CHAPITRE 30

Le gnouf était caché dans un coin sombre entre la ferme et le mur nord, derrière des buissons de ronces qu'on n'avait pas dû tailler depuis des années. Simple cube de béton rudimentaire, avec une fenêtre à barreaux et une porte en bois à la serrure rouillée, il semblait dater du Moyen Âge.

Après avoir ouvert la porte, Newt fit signe à Thomas d'entrer.

— Il n'y a qu'une chaise là-dedans. Tu vas bien t'amuser.

Thomas pénétra à l'intérieur.

— Bonne journée, lui souhaita Newt avant de refermer la porte.

Thomas inspecta son nouveau logis pendant que la serrure cliquetait dans son dos. La tête de Newt apparut à la fenêtre, derrière les barreaux, avec un sourire narquois.

— Voilà ce qu'on gagne à enfreindre les règles. Tu as sauvé des vies, Tommy, mais tu as encore besoin d'apprendre…

— Oui, je sais. Le respect du règlement.

Le sourire de Newt s'élargit.

— Je t'aime bien, tocard. Mais ami ou pas, on est obligés d'appliquer une certaine discipline, c'est ça qui nous maintient en vie. Prends le temps d'y réfléchir pendant que tu restes assis à contempler les murs.

Là-dessus, il s'en alla.

Passée la première heure, Thomas sentit l'ennui se faufiler tels des rats sous la porte. À la fin de la deuxième heure, il avait envie de se cogner la tête contre les murs. Deux heures après il en vint à se dire qu'il préférerait encore déjeuner avec Gally et des Griffeurs que de rester assis dans cette prison. Il fouilla de son mieux dans sa mémoire ; malgré ses efforts, ses souvenirs s'évaporaient avant de prendre forme.

Heureusement, Chuck arriva à midi avec le repas, offrant une diversion bienvenue.

Après lui avoir passé par la fenêtre quelques morceaux de poulet et un verre d'eau, il commença à soûler Thomas de paroles.

— Les choses ont repris leur cours normal, annonça le garçon. Les coureurs sont partis explorer le Labyrinthe, tout le monde travaille. Toujours aucun signe de Gally. Newt a demandé aux coureurs de rentrer le prévenir directement s'ils découvraient son corps. Et, ah oui, Alby est sorti de sa chambre. Il va bien. Newt a l'air soulagé de ne plus être le chef.

À la mention d'Alby, Thomas leva la tête. Il revit le garçon en train de se débattre dans son lit, essayant de s'étrangler. Puis il se souvint que personne à part lui ne savait ce qu'Alby lui avait dit quand Newt avait quitté la pièce avant la crise. Ça ne signifiait pas pour autant qu'Alby garderait le secret maintenant qu'il avait repris sa place.

Chuck changea complètement de sujet.

— Tu sais, Thomas, je me sens bizarre en ce moment. Ça fait drôle d'éprouver le mal du pays alors qu'on ne se rappelle même pas d'où on vient. Mais je ne supporte plus d'être ici. Je voudrais rentrer chez moi. Où que ce soit, quelle que soit ma famille. Je voudrais me *souvenir*.

Thomas était un peu surpris. Il n'avait encore jamais entendu Chuck se confier d'une manière aussi sincère.

— Je te comprends, murmura-t-il.

Chuck, qui se tenait sous la fenêtre, était trop petit pour que Thomas puisse voir ses yeux. Il les imagina remplis de tristesse, peut-être même de larmes.

— Je pleurais beaucoup, tu sais. Tous les soirs.

Cet aveu chassa Alby des pensées de Thomas.

— Ah bon?

— Un vrai bébé. Presque jusqu'au jour où tu es arrivé. Et puis, j'ai fini par m'habituer, j'imagine. C'est devenu mon chez-moi, ici, même si on passe toutes nos journées à espérer trouver un moyen d'en sortir.

— Je n'ai pleuré qu'une seule fois depuis que je suis là, avoua Thomas, quand j'ai échappé de justesse aux Griffeurs. Je suis probablement un type sans cœur.

— Tu as pleuré, toi? s'étonna Chuck.

— Oui. Quand le dernier Griffeur a basculé dans le vide, j'ai craqué et j'ai chialé à m'en faire mal à la gorge. Tout m'est tombé dessus d'un coup. Mais ça m'a fait du bien; on ne devrait jamais s'en vouloir de pleurer. Jamais.

— C'est vrai qu'on se sent mieux après, hein? C'est bizarre, quand on y pense.

Quelques minutes s'écoulèrent en silence. Thomas se prit à espérer que Chuck resterait avec lui.

— Thomas? demanda Chuck.

— Oui.

— Tu crois que j'ai des parents? De vrais parents?

Thomas rit, surtout pour chasser la tristesse qui l'avait saisi à cette question.

— Évidemment, tocard! Il faut que je t'explique le coup des choux et des roses?

— Ce n'est pas ce que je voulais dire, grommela Chuck d'une voix lugubre. Presque tous ceux qui ont subi la Transformation se rappellent des choses terribles dont ils refusent de parler. Tu crois que j'ai un père et une mère qui m'attendent quelque part, et à qui je manque? Est-ce qu'ils pleurent le soir avant de s'endormir?

Thomas s'aperçut qu'il avait les yeux embués de larmes. Les événements s'étaient enchaînés à une telle vitesse depuis son arrivée qu'il n'avait pas vraiment songé aux blocards comme à des personnes réelles, avec des familles probablement dévorées d'inquiétude. Il n'avait même pas pensé à ses propres parents. Il s'était uniquement demandé ce qu'ils faisaient là, tous, qui les y avait envoyés et comment en sortir.

Pour la première fois, il eut presque des envies de meurtre. Chuck aurait dû se trouver à l'école, chez lui, à jouer avec les gamins de son quartier. Il méritait de rentrer à la maison tous les soirs, au sein d'une famille aimante. Auprès d'une mère qui prendrait soin de lui et d'un père qui l'aiderait à faire ses devoirs.

Thomas éprouva une flambée de haine envers ceux qui avaient arraché ce pauvre gosse innocent à ses proches. Il aurait voulu les voir morts, ou même torturés. Chuck méritait d'être heureux.

On leur avait retiré le droit au bonheur et à l'amour.

— Écoute-moi bien, Chuck. (Thomas marqua une pause, le temps de se calmer et de s'assurer que sa voix ne se briserait pas.) Je suis sûr que tu as des parents. Je le sais. Ça va te paraître terrible, mais je te parie que ta mère est dans ta chambre en ce moment, en train de serrer ton oreiller entre ses bras, et regarde dehors le monde qui t'a pris à elle. Elle pleure à grosses larmes. Avec les yeux rouges et le nez qui coule.

Thomas crut entendre Chuck renifler discrètement.

— Ne baisse pas les bras, Chuck. On va trouver une solution, on va se tirer d'ici. Je suis un coureur, maintenant, et je te jure de tout faire pour que tu retrouves ta chambre. Et que ta mère cesse de pleurer.

Il était sincère.

— J'espère que tu as raison, fit Chuck d'une voix tremblante.

Il brandit les deux pouces derrière la fenêtre, puis s'en alla.

Thomas se leva pour faire les cent pas dans sa cellule, bien décidé à tenir sa promesse.

— Je te le jure, Chuck, murmura-t-il. Je te jure de te ramener chez toi.

CHAPITRE 31

Juste après le grondement caverneux qui annonçait la fermeture des portes, Alby en personne vint libérer Thomas. Il entendit la clef tourner dans la serrure, puis la porte s'ouvrit en grand.

— Alors, tocard, tu es toujours en vie, à ce que je vois ! lui lança Alby.

Il avait bien meilleure mine que la veille. Thomas ne put s'empêcher de le dévisager avec stupéfaction. Il avait repris des couleurs et ses yeux n'étaient plus injectés de sang ; il semblait avoir regagné sept ou huit kilos en vingt-quatre heures.

Alby fronça les sourcils.

— Qu'est-ce que tu regardes comme ça ?

Thomas secoua la tête, avec l'impression de sortir d'une transe. Les pensées se bousculaient dans son esprit : de quoi Alby se souvenait-il ? Que savait-il ?

— Euh… rien. Je suis simplement surpris de te voir rétabli aussi vite. Tu as l'air en pleine forme.

Alby fit gonfler ses biceps.

— Tu as vu ça ? Allez, sors de là.

Thomas s'exécuta. Il se retint de cligner des paupières pour ne pas trahir son inquiétude.

Alby referma la porte du gnouf à clef puis se retourna vers Thomas.

— En fait, c'est du flanc. Je me sens comme une vieille serpillière.

— Oui, c'est à ça que tu m'as fait penser hier.

Comme Alby lui jetait un regard noir, Thomas s'empressa de préciser :

— Mais aujourd'hui, tu as l'air d'aller beaucoup mieux, je te jure.

Alby mit la clef dans sa poche et s'adossa à la porte du gnouf.

— Sacrée discussion qu'on a eue hier.

Thomas sentit son pouls s'accélérer.

— Euh... oui.

— Je suis sûr de ce que j'ai vu, le bleu. Ça s'estompe, mais je n'oublierai jamais. C'était horrible. Quand j'ai essayé d'en parler, quelque chose a voulu m'étrangler. Et maintenant, les images s'effacent, comme si on ne voulait pas que je m'en souvienne.

La scène de la veille, quand Alby se débattait, revint à la mémoire de Thomas. Il ne l'aurait pas cru s'il ne l'avait pas vu de ses yeux. Bien qu'il redoute la réponse, il s'obligea à demander :

— Tu as dit plusieurs fois que tu m'avais vu. Qu'est-ce que je faisais ?

Le regard d'Alby se perdit dans le lointain.

— Tu étais avec... les Créateurs. En train de les aider. Mais ce n'est pas ça qui m'a choqué.

Thomas eut l'impression d'avoir pris un coup de poing dans le ventre. «En train de les aider ?»

Alby continua.

— J'espère que la Transformation ne réveille que des faux souvenirs qu'on nous aurait implantés dans le crâne. Certains le pensent, j'espère vraiment que c'est ça. Parce que si le monde ressemble à ce que j'ai vu...

Sa voix mourut, laissant sa phrase en suspens.

Thomas, perplexe, insista :

— Dis-moi ce que tu as vu à mon sujet.

— Pas question, rétorqua Alby en secouant la tête. Je n'ai pas envie de m'étrangler encore une fois. Peut-être qu'ils ont un moyen de contrôler notre cerveau... comme pour notre amnésie.

— Alors, si je suis vraiment mauvais, tu ferais peut-être mieux de me laisser au gnouf, suggéra Thomas, à moitié sérieux.

— Non, mec, tu n'es pas mauvais. Tu es peut-être un guignol et une tête de pioche, mais certainement pas quelqu'un de mauvais. (L'ébauche d'un sourire traversa le visage dur d'Alby.) Ce que tu as fait pour nous sauver, Minho et moi, ça n'avait rien de mauvais. Non, je pense plutôt qu'il y a quelque chose de louche dans le sérum et la Transformation. Enfin, je l'espère – pour toi et pour moi.

Thomas était si soulagé d'apprendre qu'Alby ne lui en voulait pas qu'il ne saisissait qu'un mot sur deux.

— Tes souvenirs sont si horribles que ça?

— J'ai revu des images de mon enfance, l'endroit où j'ai grandi, ce genre de choses. Et si Dieu en personne me proposait de retourner chez moi... je te jure, si ce que j'ai vu est vrai, je préférerais encore partir caresser un Griffeur.

Thomas avait peine à croire que ce puisse être aussi terrible. Il aurait bien aimé qu'Alby lui donne plus de détails. Mais il savait que l'épisode de sa strangulation était encore trop frais dans sa mémoire.

— Bah, ce sont sans doute des faux souvenirs trafiqués, Alby. Peut-être que le sérum agit comme une drogue qui donne des hallucinations.

Thomas avait conscience de vouloir prendre ses rêves pour des réalités. Alby réfléchit un moment.

— Une drogue... des hallucinations... (Il fit non de la tête.) Ça m'étonnerait.

— N'empêche qu'il faut trouver le moyen de nous échapper d'ici.

— Oui, merci, le bleu, fit Alby d'un ton railleur. Je ne sais pas ce qu'on ferait sans tes idées.

Les sarcasmes d'Alby arrachèrent Thomas à son humeur maussade.

— Arrête de m'appeler le bleu. C'est la fille, le bleu, maintenant.

— D'accord, le bleu. (Alby soupira.) Va dîner. Ta terrible peine est enfin accomplie.

*

Le dîner fut succulent.

Sachant que Thomas arriverait en retard, Poêle-à-frire lui avait laissé une assiette de rôti de bœuf et de pommes de terre, ainsi qu'un petit mot pour lui dire qu'il trouverait des cookies dans le placard. Le cuistot semblait bien décidé à lui prouver le soutien qu'il avait affiché lors de la réunion du conseil. Minho rejoignit Thomas pour le briefer un peu avant son premier jour d'entraînement. De quoi réfléchir avant d'aller se coucher.

Quand ils eurent terminé, Thomas retourna dormir dans le même coin tranquille que la veille, au fond du bosquet. Il repensa à sa discussion avec Chuck et se demanda ce que ça lui ferait d'avoir ses parents pour lui souhaiter une bonne nuit.

Le Bloc était calme, comme si tout le monde avait hâte de s'endormir et de tirer un trait sur cette journée. C'était exactement ce dont Thomas avait besoin.

Les couvertures qu'on lui avait apportées la veille au soir étaient toujours là. Il les ramassa et s'en enveloppa, puis se pelotonna à l'angle des deux murs de pierre. Des odeurs boisées lui montèrent au nez quand il respira à fond pour essayer de se détendre. La température était idéale, comme toujours. Ici, on ne voyait jamais tomber la pluie ou la neige. Si on oubliait le fait qu'ils étaient piégés dans un labyrinthe infesté de monstres, ç'aurait pu être le paradis.

Certaines choses semblaient un peu trop parfaites.

Il repensa à ce que Minho lui avait dit lors du dîner, concernant l'immensité du Labyrinthe. Il avait pu s'en rendre compte lui-même quand il s'était tenu au bord de la Falaise. Mais il ne parvenait pas à se représenter l'architecture d'un tel édifice. Les coureurs devaient afficher une forme presque surhumaine pour accomplir leur mission tous les jours.

Pourtant, ils n'avaient jamais trouvé d'issue. Et malgré leur situation désespérée, ils n'avaient toujours pas renoncé.

Puis Minho lui avait raconté l'un des rares souvenirs qui lui restaient de sa vie d'avant, à propos d'une femme enfermée dans un labyrinthe. Elle s'en était échappée en posant sa main droite sur un mur et en marchant sans jamais la retirer. Ainsi elle s'était obligée à tourner à droite à chaque intersection. En suivant les lois de la physique et de la géométrie, elle avait pu trouver la sortie. C'était logique.

Mais pas ici. Ici, tous les chemins ramenaient au Bloc. Un détail avait forcément dû leur échapper.

Le lendemain, son entraînement commencerait. Il pourrait les aider. Thomas se fit la promesse de mettre de côté les incidents bizarres et les épreuves qu'il avait subies. Il se consacrerait entièrement à l'énigme du Labyrinthe jusqu'à ce qu'il découvre comment rentrer à la maison.

«Demain.» Il finit par s'endormir, avec ce mot à l'esprit.

CHAPITRE 32

Minho vint chercher Thomas à l'aube. Tout excité à l'idée de commencer son entraînement, il se réveilla aussitôt. Il s'extirpa de ses couvertures et suivit son guide, en zigzaguant entre les blocards qui dormaient dans l'herbe. Les premières lueurs du jour teintaient la scène d'ombres bleu foncé. Thomas n'avait jamais vu le Bloc aussi paisible. Du côté de l'abattoir, un coq se mit à chanter.

Ils se rendirent derrière la ferme. Minho sortit une clef de sa poche et ouvrit la porte branlante d'un cagibi. Thomas fut saisi d'un frisson : qu'y avait-il dedans ? Il aperçut des cordes, des chaînes et d'autres équipements tandis que Minho balayait l'intérieur avec sa torche. Pour finir, le faisceau de lumière s'arrêta sur une caisse de chaussures de course. Thomas faillit éclater de rire, cela paraissait tellement banal.

— Tu as sous les yeux le matériel le plus précieux qu'on nous envoie, lui annonça Minho. En ce qui nous concerne, en tout cas. On reçoit régulièrement de nouvelles paires dans la Boîte. Sans chaussures correctes, nous aurions la plante des pieds qui ressemblerait à la planète Mars. (Il se pencha et fouilla dans la caisse.) Tu fais quelle pointure ?

— Ma pointure ? (Thomas réfléchit une seconde.) Je... Aucune idée.

Déconcerté, il retira l'une des chaussures qu'il portait depuis son arrivée au Bloc et regarda à l'intérieur.

— Du 44.

— Waouh, c'est ce qu'on appelle de grands pieds.

Minho se redressa avec une paire de chaussures argentées à la main.

— Heureusement, j'ai ce qu'il te faut. Regarde-moi ça, on pourrait faire du canoë dans ces trucs-là!

— Elles me plaisent bien.

Thomas prit les chaussures, sortit du cagibi et s'assit par terre pour les essayer. Minho attrapa encore quelques petites choses et le rejoignit.

— Seuls les coureurs et les matons ont droit à ça, dit Minho.

Avant que Thomas puisse lever la tête, une montre en plastique lui tombait sur les genoux. Noire, toute simple, elle affichait l'heure en chiffres digitaux.

— Ne t'en sépare jamais. Elle pourrait bien te sauver la vie.

Thomas fut heureux de l'avoir. Même s'il parvenait à estimer l'heure en se basant sur le soleil, la fonction de coureur nécessitait sans doute plus de précision. Il boucla la montre à son poignet puis entreprit de lacer ses chaussures.

Minho continua :

— Voilà un sac à dos, des bouteilles d'eau, une gamelle, quelques shorts et tee-shirts, et ça. (Il donna un coup de coude à Thomas, qui leva les yeux. Minho brandissait deux caleçons moulants, en tissu blanc scintillant.) Des sous-vêtements «spécial coureurs». L'idéal au point de vue confort et euh... maintien.

— Confort et maintien?

— Oui, tu sais. Pour t'éviter de te coincer les...

— Ça va, j'ai compris. (Thomas prit les sous-vêtements et le reste.) Vous avez vraiment pensé à tout.

— Quand tu cours chaque jour depuis deux ans, tu as le temps de réfléchir à ce qu'il te manque.

Il entreprit de fourrer d'autres affaires dans son propre sac à dos.

Thomas était stupéfait.

— Tu veux dire qu'on peut réclamer des choses? Comme du matériel ou des équipements?

Pourquoi ceux qui les avaient envoyés là se montraient-ils aussi accommodants?

— Bien sûr. Il suffit de déposer une liste dans la Boîte, et hop! Ça ne veut pas dire que les Créateurs nous accordent tout ce qu'on demande.

— Vous avez déjà pensé à demander un plan?

Minho éclata de rire.

— Oui. On a même réclamé une télé, mais pas de bol. J'imagine que ces bouffons n'ont pas envie de nous montrer la vie merveilleuse qu'on peut avoir quand on n'est pas bouclé dans un foutu labyrinthe.

Thomas n'était pas certain que la vie à l'extérieur soit si formidable que ça. Quel genre de monde pouvait soumettre des enfants à une existence pareille? Secouant la tête, il acheva de nouer ses lacets, se releva et se mit à trottiner en cercle et à sautiller pour tester ses chaussures.

— Je me sens bien dedans. Je suis prêt.

Minho, toujours accroupi devant son sac, lui lança un regard dégoûté.

— Tu as l'air débile, à sautiller comme une ballerine. Je te souhaite bonne chance, si tu veux vraiment y aller, le ventre vide, sans armes ni provisions.

Thomas se figea.

— Des armes?

— Oui, confirma Minho. Viens, je vais te montrer.

Thomas suivit Minho dans le cagibi et le regarda pousser quelques cartons empilés contre le mur du fond. Une petite trappe était cachée dessous. Minho la souleva et dévoila un escalier en bois qui s'enfonçait dans le noir.

— On les garde à la cave, pour que les tocards comme Gally ne mettent pas la main dessus. Amène-toi.

Minho passa en premier. Ils descendirent une douzaine de marches qui grinçaient sous leur poids. L'air frais était poussiéreux et imprégné d'une forte odeur de moisi. Ils atteignirent un sol de terre battue. Minho alluma une ampoule nue en tirant sur un cordon.

La cave était plus grande que Thomas ne s'y attendait : une dizaine de mètres carrés au bas mot. Les murs étaient bordés d'étagères et de plusieurs tables imposantes, encombrées d'armes et d'instruments menaçants : bâtons, pointes métalliques, grillage – comme celui qu'on emploie pour couvrir un poulailler –, rouleaux de fil de fer barbelé, scies, couteaux, épées... Un mur entier était consacré au tir à l'arc, avec des arcs en bois, des flèches et des cordes de rechange. En voyant ça, Thomas se rappela aussitôt la flèche que Ben avait reçue sous ses yeux dans le bosquet.

— Waouh, murmura-t-il d'une voix étouffée par les murs de terre.

D'abord terrifié devant un tel arsenal, il fut soulagé de constater que la plupart des armes disparaissaient sous une épaisse couche de poussière.

— On ne s'en sert pratiquement pas, le rassura Minho. Mais on ne sait jamais. En général, on n'emporte que deux couteaux.

Il indiqua de la tête un grand coffre en bois dans un coin, dont le couvercle était relevé contre le mur. Des couteaux de toutes les formes et de toutes les tailles s'y entassaient en pagaille.

Ne restait plus qu'à espérer que le reste des blocards ignorent l'existence de cette pièce.

— Ce n'est pas dangereux de garder tout ça sous la main ? s'inquiéta Thomas. Et si Ben était venu se servir ici avant de se jeter sur moi ?

Minho sortit son trousseau de clefs de sa poche et le fit cliqueter.

— Nous ne sommes que quelques-uns à avoir les clefs.

— Quand même...

— Arrête de chercher la petite bête et choisis deux couteaux. Assure-toi qu'ils coupent bien, hein ? Ensuite, on ira prendre le petit déjeuner et emporter de quoi déjeuner. Je voudrais te montrer la salle des cartes avant qu'on sorte.

Thomas fut ravi de l'entendre : il s'interrogeait à propos du bunker depuis qu'il avait vu un coureur s'y engouffrer, le jour de son arrivée. Il opta pour un court poignard en inox avec un manche en caoutchouc, puis pour un autre plus long, à la lame noircie. Son excitation commençait à retomber. Même s'il savait très bien ce qu'on risquait de croiser dans le Labyrinthe, le fait d'avoir besoin d'armes pour s'y rendre n'avait rien de rassurant.

*

Une demi-heure plus tard, le ventre plein et leur sac sur le dos, ils s'arrêtaient devant la porte blindée de la salle des cartes. Thomas avait hâte de découvrir l'intérieur. Un soleil radieux s'était levé et les blocards commençaient à s'activer. Une odeur de bacon grillé flottait dans l'air. Poêle-à-frire et ses commis s'activaient pour contenter plusieurs dizaines d'estomacs affamés. Minho tourna la clef dans la serrure, fit rouler le volant jusqu'au déclic, puis tira. L'épaisse porte pivota en crissant.

— Après toi, dit Minho avec une révérence.

Thomas entra. Une peur froide, mêlée à une intense curiosité, s'empara de lui.

La pièce baignait dans une odeur âcre et humide, avec de forts relents de cuivre.

Minho appuya sur un interrupteur et plusieurs tubes fluorescents s'allumèrent en clignotant.

La simplicité de la pièce surprit Thomas. D'environ sept mètres de côté, la salle des cartes avait des murs de béton nus.

Au centre se dressait une table en bois entourée de huit chaises. Des piles de feuilles et des crayons étaient soigneusement disposés devant chaque chaise. Le reste du mobilier se résumait à huit coffres identiques à celui des couteaux dans la cave aux armes. Tous fermés, ils s'alignaient à intervalles réguliers, deux sur chaque mur.

— Bienvenue dans la salle des cartes, déclara Minho. L'un des endroits les plus agréables qu'on puisse trouver.

Thomas était déçu, il s'attendait à quelque chose de plus impressionnant.

— Dommage qu'elle pue autant.

— Moi, j'aime bien cette odeur, avoua Minho en tirant deux chaises. Assieds-toi, je voudrais te mettre deux ou trois schémas dans la tête avant qu'on sorte.

Tandis que Thomas s'installait, Minho attrapa une feuille et un crayon et se mit à dessiner. Thomas se pencha et vit qu'il avait dessiné un grand carré sur presque toute la page. Il le remplit de neuf autres carrés plus petits, en trois rangées de trois, comme une grille de morpion. Il écrivit le mot BLOC dans le carré central puis numérota les autres de 1 à 8, en commençant par le coin supérieur gauche puis en continuant dans le sens des aiguilles d'une montre. Enfin, il ajouta de petits traits ici et là.

— Ce sont les portes, expliqua-t-il. Tu connais déjà celles du Bloc, mais il y en a quatre autres dans le Labyrinthe, qui mènent aux sections 1, 3, 5 et 7. Elles restent toujours à la même place, même si les chemins pour s'y rendre changent chaque nuit quand les murs se déplacent.

Son schéma terminé, il fit glisser la feuille vers Thomas.

Celui-ci la ramassa, fasciné, et l'étudia pendant que Minho continuait ses explications.

— Nous avons donc le Bloc, entouré de huit sections, chaque section étant contenue dans un carré. La seule chose qui ressemble de près ou de loin à une sortie, c'est la Falaise, mais je te la déconseille – à moins que tu veuilles t'offrir une chute mortelle. (Minho tapota le plan.) Les murs se déplacent tous les soirs à la même heure que les portes. Enfin, c'est ce qu'on croit, parce que c'est le seul moment où on les entend bouger.

Thomas leva les yeux, heureux de pouvoir apporter sa pierre à l'édifice.

— Je n'ai vu aucun mur bouger la nuit où nous sommes restés coincés.

— Les couloirs principaux à l'extérieur des sections ne changent jamais. Seulement ceux qui se trouvent après.

— Oh.

Thomas se pencha de nouveau sur le schéma et s'efforça de visualiser le Labyrinthe et les murs, là où Minho avait tracé des lignes.

— Il y a toujours huit coureurs au minimum, avec le maton. Un par section. Il faut une journée entière pour explorer chaque section, après quoi on rentre et on la dessine sur une feuille séparée pour chaque jour. (Minho jeta un coup d'œil vers les coffres.) C'est pour ça qu'on a autant de cartes.

Une idée déprimante – et effrayante – vint à Thomas.

— Est-ce que je... prends la place de quelqu'un ? Quelqu'un est mort ?

Minho secoua la tête.

— Non, tu n'es encore qu'en formation. L'un d'entre nous en profitera sûrement pour souffler. Ne t'inquiète pas, ça fait un moment qu'il n'y a pas eu de perte dans nos rangs.

Ça ne rassura pas beaucoup Thomas. L'air impassible, il indiqua la section 3.

— Donc... il faut une journée pour explorer l'un de ces petits carrés ?

— C'est ça. (Minho se leva, enjamba le coffre juste derrière eux et l'ouvrit.) Regarde.

Thomas vint jeter un coup d'œil. Le coffre était assez profond pour contenir quatre grandes piles de cartes. Celles du dessus semblaient très similaires : l'ébauche grossière d'une section de labyrinthe, qui remplissait presque toute la page. Dans le coin supérieur droit, on voyait écrit *Section 8*, suivi de *Hank*, du mot *Jour* et d'un numéro. La carte la plus récente indiquait *Jour 749*.

Minho continua :

— On s'est tout de suite rendu compte que les murs se déplaçaient. Alors, on a commencé à noter les changements. On a pensé qu'en comparant les plans jour après jour, ou d'une semaine à l'autre, on verrait émerger un schéma. Et c'est le cas : les carrés se reconstituent à l'identique à peu près tous les mois. Mais personne n'a encore vu s'ouvrir une nouvelle porte dans aucun carré. On n'a jamais trouvé la moindre issue.

— En deux ans..., murmura Thomas. Vous n'en avez jamais eu marre au point de vouloir rester là-bas une nuit, pour voir si une issue s'ouvrait pendant le déplacement des murs ?

Minho se tourna vers lui, une lueur de colère dans le regard.

— C'est une insulte, mec. Sérieusement.

— Hein ? fit Thomas, surpris de ne pas s'être bien fait comprendre.

— On s'est défoncés pendant deux ans, et tout ce que tu trouves à demander, c'est pourquoi on a eu la trouille de rester dehors toute la nuit ? Ceux qui ont essayé au début sont tous morts. Tu tiens vraiment à retenter l'expérience ? Tu crois avoir des chances d'en réchapper une deuxième fois ?

Thomas rougit.

— Non. Désolé.

Il avait l'impression d'être un crétin. Mieux valait, bien évidemment, regagner le Bloc sain et sauf tous les soirs que courir le risque d'un nouvel affrontement contre les Griffeurs. Cette dernière idée le fit frémir.

— Ça va. (Minho reporta son regard sur les cartes rangées dans le coffre, au grand soulagement de Thomas.) La vie au Bloc n'est pas toujours une partie de plaisir, mais au moins, on y est en sécurité : on mange à notre faim, à l'abri des Griffeurs. Ne compte pas sur moi pour demander à un coureur de passer une nuit là-bas. Pas question. À moins que quelque chose dans ces plans nous indique qu'une porte pourrait s'ouvrir, même temporairement.

— Est-ce que vous progressez ?

Minho haussa les épaules.

— Pas vraiment. C'est un peu déprimant, mais que veux-tu qu'on fasse d'autre ? On ne peut pas courir le risque qu'une porte s'ouvre un jour sans qu'on la remarque. C'est pour ça qu'on ne peut pas renoncer.

Thomas acquiesça. Aussi difficile que soit la situation, renoncer ne ferait que l'aggraver.

Minho sortit plusieurs cartes récentes. Tout en les feuilletant, il expliqua :

— Chaque coureur a la responsabilité des plans de sa section. (Il soupira.) Pour être honnête, on n'a encore rien trouvé pour l'instant. Et très franchement, on ne sait même pas quoi chercher. On est mal, mec. On est vraiment mal.

— Mais on ne peut pas laisser tomber.

— Non. (Minho rangea les cartes avec soin.) Bon, ne traînons pas, on a perdu assez de temps ici. Les premiers jours, tu vas te contenter de me suivre. On y va ?

Thomas sentit la nervosité monter en lui.

— Euh… oui.

— Tu es prêt, oui ou non ?

Le regard de Minho s'était durci. Thomas le fixa dans les yeux.

— Je suis prêt.

— Alors, allons-y !

CHAPITRE 33

Ils entrèrent dans la section 8 par la porte ouest et suivirent plusieurs couloirs. Thomas courait à côté de Minho, qui prenait à gauche ou à droite sans hésiter ni ralentir un seul instant. La lumière vive du matin soulignait chaque détail avec précision : le lierre, les murs crevassés, les grandes dalles de pierre du sol. Thomas s'efforçait de rester à la hauteur de Minho, quitte à piquer un sprint de temps en temps pour le rattraper.

Ils parvinrent enfin devant une ouverture rectangulaire sans porte, dans un mur orienté au nord. Minho s'y engouffra sans s'arrêter.

— Ça mène de la section 8, le carré du milieu à gauche, à la section 1, le carré du haut à gauche. Comme je te l'expliquais, ce passage reste toujours au même endroit, mais le chemin qui y mène peut changer un peu avec le mouvement des murs.

Thomas le suivit, surpris de constater à quel point il haletait. Il espérait que c'était la trouille et que sa respiration se calmerait bientôt.

Ils prirent un long couloir vers la droite, passèrent plusieurs intersections. Quand ils arrivèrent au fond, Minho ralentit l'allure et passa la main dans son dos pour sortir un calepin et un crayon d'une des poches latérales de son sac. Il griffonna quelques notes puis rangea le tout sans cesser de marcher. Alors que Thomas se demandait ce qu'il avait écrit, Minho lui fournit la réponse.

— D'une manière générale… je me fie surtout à ma mémoire, expliqua le maton, qui commençait à souffler fort lui aussi. Mais tous les cinq virages environ, je prends quelques notes pour m'aider. Il suffit de marquer ce qui a changé depuis hier. Comme ça, je m'appuie sur mes relevés de la veille pour ceux d'aujourd'hui. Ce n'est pas compliqué.

Thomas était intrigué. Dans la bouche de Minho, ça paraissait facile.

Ils repartirent au pas de course et parvinrent à un carrefour où trois possibilités s'offraient à eux. Minho choisit sans hésiter le chemin de droite. Tout en tournant, il sortit un couteau de sa poche pour couper une branche de lierre sur le mur. Il la jeta derrière lui et continua à courir.

— Miettes de pain ? demanda Thomas, qui se rappelait le conte.

Ce genre de souvenir ne l'étonnait même plus.

— Oui, confirma Minho. Je suis Hansel et toi Gretel.

Ils continuèrent à s'enfoncer dans le Labyrinthe. À chaque tournant, Minho coupait et laissait derrière lui une branche de lierre d'un mètre de long, sans même ralentir. Thomas était très impressionné.

— Bien, souffla le maton dont la respiration devenait laborieuse. À toi, maintenant !

— Hein ?

Pour son premier jour, Thomas s'attendait simplement à courir et à observer.

— À toi de couper le lierre. Il faut que tu y arrives sans t'arrêter. On le ramassera en revenant, ou on le balancera sur le côté.

Thomas mit un moment à prendre le coup. Les deux premières fois, il dut piquer un sprint pour rejoindre Minho après avoir tranché le lierre. Il se coupa même au doigt. Mais à la dixième tentative, il était devenu presque aussi rapide que le maton.

Ils continuèrent. Au bout d'un moment – Thomas ignorait depuis combien de temps ils couraient, mais ils avaient bien dû parcourir cinq kilomètres –, Minho ralentit puis s'arrêta.

— On fait une pause.

Il retira son sac à dos et en sortit une pomme et de l'eau.

Thomas suivit son exemple. Il but goulûment, en savourant la fraîcheur du liquide dans son gosier desséché.

— Doucement, petite tête! s'écria Minho. Gardes-en pour plus tard.

Thomas s'interrompit et souffla un grand coup. Après quoi, il mordit dans sa pomme. Sans qu'il sache pourquoi, ses pensées le ramenèrent au jour où Minho et Alby étaient partis examiner le cadavre du Griffeur, quand tout avait si mal tourné.

— Tu ne m'as jamais raconté ce qui s'est passé avec Alby le jour où il s'est fait piquer. J'imagine que le Griffeur s'est réveillé, mais comment ça s'est passé exactement?

Minho avait déjà ramassé son sac, prêt à repartir.

— En fait, ce salopard n'était pas mort. Cet idiot d'Alby l'a touché du bout du pied, et il s'est ranimé brusquement en sortant ses piquants avant de lui rouler dessus. Cela dit, quelque chose clochait chez lui: il n'a pas attaqué comme d'habitude. J'ai eu l'impression qu'il essayait surtout de s'enfuir et qu'Alby se trouvait sur son chemin.

— Il s'est enfui?

Après sa rencontre avec ces créatures, Thomas avait du mal à le croire.

Minho haussa les épaules.

— Si on veut, oui. Peut-être qu'il avait besoin de se recharger ou quelque chose comme ça. Je ne sais pas.

— Il avait un problème? Est-ce qu'il était blessé?

Thomas était convaincu qu'il y avait un indice ou une leçon à tirer de l'incident.

Minho réfléchit une minute.

— Non. Cette saleté avait l'air raide morte, comme une statue de cire. Et tout à coup, paf! elle s'est remise à bouger.

Le cerveau de Thomas tournait à plein régime.

— Je me demande où il est parti. Vous n'avez jamais essayé de les suivre?

— Tu es pressé de mourir, ou quoi? Allez, viens, il faut qu'on reparte.

Là-dessus, Minho tourna les talons et se remit à courir.

En lui emboîtant le pas, Thomas s'efforça de mettre le doigt sur une idée qui lui trottait dans la tête. Une idée à propos du Griffeur qui paraissait mort et qui ne l'était pas, de l'endroit où il était allé après son réveil...

Frustré, il mit ces préoccupations de côté et accéléra pour ne pas se laisser distancer.

*

Thomas courut ainsi derrière Minho pendant deux heures entrecoupées de quelques pauses qui lui semblaient de plus en plus courtes chaque fois. Malgré sa condition physique, il avait bien du mal à suivre le rythme.

Vers midi, Minho s'arrêta de nouveau. Ils s'assirent par terre, adossés au lierre, pour prendre leur déjeuner. Aucun d'eux n'avait envie de parler. Thomas savoura chaque bouchée de son sandwich et de ses légumes, en prenant tout son temps. Il savait que Minho donnerait le signal du départ dès qu'il aurait fini de manger.

— Tu as remarqué des différences aujourd'hui? demanda-t-il avec curiosité.

Minho tapota la poche de son sac à dos où il rangeait son calepin.

— Les mouvements habituels. Pas de quoi s'exciter.

Thomas but une grande gorgée d'eau, en fixant le mur couvert de lierre face à eux. Il aperçut un reflet argent et rouge comme il en avait déjà vu plusieurs fois dans la journée.

— À quoi servent tous ces scaralames ? s'enquit-il. (Il y en avait partout, semblait-il. Puis Thomas se souvint d'un détail qu'il n'avait pas encore eu l'occasion de mentionner.) Pourquoi ont-ils le mot « WICKED » écrit sur le dos ?

— Personne n'a jamais réussi à en attraper un. (Minho termina son repas et posa sa gamelle vide à côté de lui.) Et pour le mot, on ne sait pas. Sans doute un truc destiné à nous faire peur. En tout cas, ils nous espionnent pour le compte des Créateurs. C'est le seul truc dont on est sûrs.

— Qui sont ces gens ?

— Les Créateurs ? Non, aucune idée. (Minho rougit et serra les poings.) J'aimerais bien en avoir un en face de…

Avant que le maton ait pu finir, Thomas se leva d'un bond et traversa le couloir.

— Qu'est-ce que c'est que ça ? demanda-t-il en s'approchant d'une tache grise à hauteur d'homme qu'il avait aperçue à travers le lierre.

— Oh, ça, fit Minho avec indifférence.

Thomas écarta le lierre et découvrit une plaque métallique vissée au mur, frappée de grosses lettres capitales. Il passa la main sur les mots, n'en croyant pas ses yeux.

WORLD IN CATASTROPHE :
KILLZONE EXPERIMENT DEPARTMENT

— « Monde en état de catastrophe : département Expérience de la zone mortelle », traduisit Thomas à haute voix avant de se retourner vers Minho. Qu'est-ce que ça veut dire ?

Il frémit. C'était forcément en rapport avec les Créateurs.

— Je n'en sais rien, mec. Ils en ont collé partout, comme un logo pour leur joli Labyrinthe. Je n'y fais plus attention depuis longtemps.

Thomas se retourna vers la plaque en tâchant de refouler le mauvais pressentiment qu'elle lui inspirait.

— Hum. Catastrophe... Zone mortelle... Expérience... Pas très rassurant, tout ça.

— Eh oui, le bleu, pas rassurant du tout. Allez, en route!

À contrecœur, Thomas laissa retomber le lierre et jeta son sac à dos sur ses épaules. Ils repartirent au pas de course, tandis que ces mots s'imprimaient dans son esprit.

*

Une heure plus tard, Minho s'arrêtait au bout d'un cul-de-sac. Les murs massifs leur barraient la route.

— C'était le dernier couloir, annonça-t-il à Thomas. Il est temps de rentrer.

Thomas respira profondément. Il préférait éviter de penser au long trajet de retour qui les attendait.

— Tu as vu du nouveau?

— Juste les changements habituels. La moitié de la journée est passée, répliqua Minho en consultant sa montre. Il faut se dépêcher.

Sans attendre, il repartit au pas de course par où ils étaient venus.

Thomas le suivit, frustré de ne pas avoir le temps d'examiner les murs ou d'explorer les alentours. Il rattrapa Minho.

— Mais...

— N'insiste pas, mec. Rappelle-toi ce que je t'ai dit tout à l'heure: on ne peut pas prendre de risques. Et puis, réfléchis un peu. Tu crois vraiment qu'il existe une sortie? Une porte secrète, ou je ne sais quoi?

— Peut-être. Pas toi?

Minho secoua la tête et cracha sur sa gauche.

— Il n'y a pas de sortie. C'est partout pareil. On ne peut pas passer à travers les murs.

Thomas sentit toute la vérité de l'argument et l'écarta néanmoins.

— Comment tu le sais ?

— Parce que ceux qui nous envoient les Griffeurs ne vont pas nous servir une porte de sortie sur un plateau.

Voilà qui remettait en cause l'intérêt de leur mission.

— Qu'est-ce qu'on fait là, alors ?

Minho se tourna vers lui.

— Ce qu'on fait là ? On explore... Ce Labyrinthe a forcément été créé pour une raison. Mais si tu t'imagines qu'on va trouver la porte du paradis, tu te fourres le doigt dans l'œil jusqu'au coude.

Thomas regarda droit devant lui, tellement abattu qu'il faillit s'arrêter.

— Ça craint.

— Tu n'as jamais rien dit de plus vrai, mon pote.

Minho souffla bruyamment et continua à courir. Thomas se contenta de le suivre.

*

Le reste de la journée passa rapidement. À bout de forces, Thomas regagna le Bloc avec Minho et l'accompagna à la salle des cartes. Ils y dessinèrent le plan du jour avant de le comparer à celui de la veille. Après vint l'heure de la fermeture des murs et du dîner. Chuck essaya d'engager la conversation à plusieurs reprises, mais Thomas, épuisé, hochait la tête en l'écoutant d'une oreille distraite.

Avant que le crépuscule ne s'efface devant la nuit, il avait déjà regagné son coin favori au fond du bosquet, où il se roula en boule contre le lierre. Il se demanda s'il serait capable de tenir le même rythme le lendemain. Surtout sachant que c'était inutile. Au bout d'une journée, le rôle du coureur avait déjà perdu tout sens.

La bravoure qu'il avait pu ressentir, sa volonté de faire bouger les choses, sa promesse de rendre Chuck à sa famille, tout s'était évanoui dans la fatigue et le désespoir.

Il était à deux doigts de s'endormir quand il entendit une voix féminine, pareille à celle d'une déesse, enfermée sous son crâne. Le lendemain matin, il se demanderait si elle avait été réelle ou s'il avait rêvé. En tout cas, il se souvint de chacun de ses mots.

Tom, je viens d'enclencher le processus de fin.

CHAPITRE 34

Thomas émergea du sommeil au petit jour. Il crut d'abord qu'il se réveillait trop tôt et que le soleil n'était pas encore apparu. Puis il entendit crier. Et il leva les yeux pour regarder à travers le feuillage.

Le ciel était uniformément gris. Mort et sans couleur.

Il consulta sa montre : le soleil aurait dû être levé depuis une heure.

Thomas dirigea de nouveau son regard vers le ciel, espérant presque le voir retrouver son aspect normal. Mais il restait uniformément gris.

Le soleil avait disparu.

*

Thomas trouva la plupart des blocards debout près de l'entrée de la Boîte, le doigt pointé sur le ciel mort et parlant tous à la fois. À cette heure, le petit déjeuner aurait déjà dû être servi et tout le monde au travail depuis longtemps. Mais la disparition du plus grand corps céleste du système solaire semblait avoir quelque peu perturbé le programme.

En réalité, alors qu'il assistait à la scène en silence, Thomas ne se sentait pas aussi paniqué ni effrayé qu'il aurait dû. Il s'étonnait même de voir ses compagnons s'affoler comme des poussins égarés. En fait, il trouvait ça plutôt ridicule.

Le soleil ne pouvait *pas* avoir disparu : c'était impossible. Pourtant la boule de feu restait cachée et on ne voyait aucune ombre nulle part. Les blocards et lui étaient trop rationnels et trop intelligents pour en arriver à une conclusion pareille. Non, il y avait forcément une explication scientifique au phénomène dont ils étaient témoins. Pour Thomas, ça ne pouvait signifier qu'une seule chose : s'ils ne voyaient plus le soleil, c'était qu'ils ne l'avaient jamais vu auparavant. Car le soleil ne disparaissait pas comme ça. Donc, leur ciel était faux… artificiel.

Autrement dit, l'astre qui les éclairait depuis deux ans, leur apportait de la chaleur et faisait pousser leurs légumes n'était pas le soleil mais une illusion. Tout ici était un leurre.

C'était la seule explication que son esprit rationnel voulait bien accepter. Et il paraissait évident, à voir la réaction des autres blocards, qu'aucun d'eux ne l'avait encore compris.

Chuck s'approcha, tellement effrayé que Thomas en eut un pincement au cœur.

— Qu'est-ce qui se passe, à ton avis ? dit Chuck avec un trémolo pathétique dans la voix, les yeux rivés au ciel. (Son cou devait lui faire un mal de chien.) On dirait un immense plafond gris. On pourrait presque le toucher.

Thomas suivit le regard de Chuck.

— Il y a peut-être une panne. La lumière va sans doute revenir.

Chuck cessa enfin de fixer le ciel pour croiser le regard de Thomas.

— Une panne ? Comment ça ?

Avant que Thomas ait pu répondre, un souvenir lui revint tout à coup. La voix de Teresa lui disant : « Je viens d'enclencher le processus de fin. » Ça ne pouvait pas être une coïncidence !… Il se sentit mal. Quelle que soit l'explication, la chose qui brillait dans le ciel avait disparu. C'était mauvais signe.

— Thomas ? demanda Chuck en lui touchant l'avant-bras.

— Mmm ?

Thomas avait la tête cotonneuse.

— Comment ça, une panne? répéta Chuck.

— Oh. Je ne sais pas, répondit Thomas, qui avait besoin de temps pour réfléchir à tout ça. Mais de toute évidence, il y a pas mal de choses ici que nous ne comprenons pas. Ce qui est sûr, c'est que le soleil ne peut pas disparaître comme ça. Et puis, il reste suffisamment de lumière pour y voir clair. D'où peut-elle bien venir?

Chuck écarquilla les yeux. On aurait dit que l'un des secrets les plus noirs et les plus profonds de l'univers venait de lui être révélé.

— C'est vrai, ça: d'où elle vient? Qu'est-ce qui se passe ici, Thomas?

Thomas lui posa une main sur l'épaule. Il se sentait impuissant.

— Je ne sais pas, Chuck. Je ne sais vraiment pas. Mais je suis sûr que Newt et Alby auront une idée.

— Thomas! cria Minho en courant vers eux. Quand tu auras fini ta pause avec Chucky, on pourra peut-être y aller? On est très en retard.

Thomas était stupéfait. Sans trop savoir pourquoi, il s'attendait à ce que cette bizarrerie du ciel bouleverse le programme.

— Vous allez sortir quand même? s'écria Chuck, visiblement surpris lui aussi.

Thomas se réjouit que le garçon ait posé la question à sa place.

— Bien sûr, tocard! répliqua Minho. Et toi, tu n'as pas du torchage qui t'attend? (Il dévisagea tour à tour Chuck et Thomas.) En fait, ça rend nos explorations encore plus importantes. Si le soleil a disparu pour de bon, les plantes et les animaux ne vont pas tarder à tomber comme des mouches. On est vraiment mal.

Thomas ressentit un mélange de peur et d'excitation quand il comprit à quoi pensait Minho.

— Tu veux dire qu'on va passer la nuit dehors pour explorer les murs de plus près ?

— Non, pas encore. Bientôt peut-être. (Il leva la tête.) Tu parles d'un réveil ! Allez, amène-toi.

Thomas demeura silencieux pendant qu'ils préparaient leurs sacs et avalaient un petit déjeuner sur le pouce. Ses pensées revenaient sans arrêt au ciel gris et à ce que Teresa lui avait confié.

Qu'entendait-elle par « processus de fin » ? Il devrait en parler à quelqu'un. Ou à tout le monde.

Mais il n'avait pas envie qu'on sache que la fille lui parlait dans sa tête. On risquait de le croire cinglé, peut-être même de l'enfermer – et pour de bon, cette fois.

Après une longue réflexion, il résolut de se taire. Il partit au pas de course derrière Minho pour son deuxième jour d'entraînement, sous un ciel lugubre et terne.

*

Ils aperçurent le Griffeur avant même d'atteindre la porte menant de la section 8 à la section 1.

Minho avait quelques foulées d'avance. Il était en plein tournant quand il s'arrêta brusquement. Il bondit en arrière, attrapa Thomas par le tee-shirt et le plaqua contre le mur.

— Chut ! chuchota Minho. Il y a une saleté de Griffeur juste là !

Thomas écarquilla les yeux. Son cœur, qui battait déjà vite et fort, accéléra davantage.

Minho posa un doigt sur ses lèvres. Il lâcha Thomas, recula d'un pas puis s'approcha en catimini du coin derrière lequel il avait aperçu la créature. Très lentement, il se pencha en avant pour jeter un coup d'œil. Thomas se retint de lui crier d'être prudent.

Minho se retourna vers son compagnon.

— Il est là. Immobile comme celui que je croyais mort.

— Qu'est-ce qu'on fait ? demanda Thomas le plus doucement possible. (Il tâcha d'ignorer la panique qu'il sentait monter en lui.) Est-ce qu'il vient vers nous ?

— Non, idiot. Je viens de te dire qu'il ne bouge pas.

— Bon ! Alors que fait-on ?

Rester aussi près d'un Griffeur ressemblait à une très mauvaise idée. Minho réfléchit avant de répondre.

— On doit passer par là pour rejoindre notre section. On le surveille un moment, et s'il nous repère, on court jusqu'au Bloc. (Il jeta un nouveau coup d'œil, puis s'adressa à Thomas par-dessus son épaule.) Mince ! Il est parti ! Viens !

Minho ne vit pas l'expression d'horreur qui s'affichait sur le visage de Thomas. Il s'élança au pas de course dans la direction où il avait vu le Griffeur. Quoique son instinct lui dise de ne pas bouger, Thomas le suivit.

Il courut dans le couloir derrière Minho, prit à gauche, puis à droite. À chaque tournant, ils ralentissaient pour laisser le maton vérifier si la voie était libre. Chaque fois, Minho murmurait à Thomas qu'il venait de voir la queue du Griffeur disparaître derrière le coin suivant. Cela dura dix minutes, jusqu'à ce qu'ils parviennent devant le long couloir qui menait à la Falaise. Le Griffeur fonçait droit vers le gouffre.

Minho s'immobilisa si brusquement que Thomas faillit lui rentrer dedans. Sous leurs yeux éberlués, le Griffeur planta ses piquants dans le sol, s'élança du haut de la Falaise et bascula dans le vide. La créature disparut, telle une ombre avalée par la grisaille.

CHAPITRE 35

— Bon, ça règle la question, déclara Minho.

Thomas se tenait à côté de lui, au bord de la Falaise, à contempler le néant gris devant eux. Aussi loin que porte le regard, on n'y voyait absolument rien. Le vide, à l'infini.

— Ça règle quoi ? demanda Thomas.

— Ça fait trois fois, maintenant. Il y a quelque chose de bizarre là-dessous.

Thomas comprenait ce qu'il voulait dire, mais il attendait tout de même une explication.

— Ce Griffeur soi-disant mort que j'avais trouvé, il est parti par là, et on ne l'a plus revu. Et puis, il y a aussi ceux qu'on a piégés en les faisant tomber dans le vide.

— Piégés ? répéta Thomas. Je commence à en douter.

Minho le dévisagea d'un air pensif.

— Hum. Avec celui-là, c'est la troisième fois. (Il indiqua le gouffre.) Il n'y a plus de doute, maintenant : les Griffeurs arrivent à quitter le Labyrinthe par là. Ça ressemble à de la magie, tout comme la disparition du soleil.

— S'ils peuvent partir par là, ajouta Thomas en suivant le raisonnement de Minho, on devrait y arriver nous aussi !

Un frisson d'excitation le parcourut.

Minho s'esclaffa.

— Tu es toujours aussi suicidaire ! Tu as envie de te retrouver dans l'antre des Griffeurs pour leur proposer un petit pique-nique ?

Thomas sentit ses espoirs retomber.

— Tu as une meilleure idée ?

— Une chose à la fois, le bleu. Allons ramasser quelques pierres et faire des tests. Il doit y avoir une sorte de porte dérobée.

Thomas aida Minho à chercher des cailloux. Ils ramassèrent tous ceux qu'ils purent trouver dans les recoins du Labyrinthe et les fentes entre les murs. Quand ils en eurent suffisamment, ils les emportèrent à la Falaise et s'assirent au bord, les pieds dans le vide.

Minho sortit son calepin et son crayon et les posa à côté de lui.

— Bon, on va prendre des notes. Et toi, retiens bien tout dans ta petite tête. S'il y a une espèce d'illusion d'optique qui masque la sortie, je n'ai pas envie de tout faire foirer au moment où le premier tocard essaiera de sauter dedans.

— Ce serait logique que ce soit le maton des coureurs, observa Thomas avec un sourire. (Il essayait de faire de l'humour pour camoufler sa peur. Se trouver aussi près d'un endroit d'où un Griffeur pouvait surgir à tout moment le rendait nerveux.) Et on a intérêt à prévoir une bonne corde.

Minho préleva une pierre sur le tas.

— Oui. Bon, on va lancer chacun notre tour, en essayant de quadriller l'espace. S'il y a bien une sortie invisible, avec un peu de chance, ça marchera aussi avec les pierres. Elles devraient disparaître.

Thomas prit une pierre et la jeta sur leur gauche, à l'angle du couloir et de la Falaise. Le caillou tomba et finit par se perdre dans la grisaille.

Puis ce fut le tour de Minho. Il envoya sa pierre trente centimètres plus loin que Thomas. Elle tomba elle aussi. Thomas en balança une autre, plus loin. Puis Minho. Les deux projectiles tombèrent. Ils testèrent ainsi une ligne horizontale de près de quatre mètres au-delà de la Falaise, après quoi ils déplacèrent la cible légèrement sur la droite, en revenant vers le Labyrinthe.

Les pierres tombaient l'une après l'autre. Ils testèrent une troisième ligne, une quatrième ; sans succès. Ils quadrillèrent toute la moitié gauche du secteur qui les intéressait, en couvrant la distance maximale jusqu'à laquelle il leur semblait possible de sauter. Thomas sentait le découragement le gagner un peu plus à chaque échec.

Il ne pouvait s'empêcher de s'en vouloir : cette idée de porte secrète était stupide.

Puis la pierre de Minho disparut.

Ce fut la chose la plus étrange que Thomas avait jamais vue.

Minho avait jeté un gros caillou, un fragment détaché d'une fissure. Thomas, très concentré, avait suivi du regard la chute de chacune des pierres. Celle-ci avait suivi une trajectoire en cloche dans l'axe central du couloir, puis amorcé sa descente vers le sol invisible en contrebas. Et elle avait disparu, comme si elle s'était enfoncée dans un lac ou un banc de brume. Volatilisée !

Thomas en restait bouche bée.

— On a déjà jeté des trucs du haut de la Falaise, s'exclama Minho. Comment on a pu rater ça ? Je n'avais jamais rien vu disparaître.

Thomas toussa ; sa gorge le brûlait.

— Recommence. On a peut-être cligné des yeux au mauvais moment.

Minho s'exécuta, en visant le même endroit. La pierre disparut d'un coup.

— Peut-être que vous ne regardiez pas assez attentivement, suggéra Thomas. Après tout, ça devrait être impossible. On est souvent moins attentif quand on ne croit pas qu'une chose puisse se produire.

Ils utilisèrent le reste de leurs cailloux à délimiter précisément la zone où ils disparaissaient. Étonné, Thomas constata qu'elle se résumait à un carré de moins d'un mètre de côté.

— Pas étonnant qu'on l'ait ratée, bougonna Minho en griffonnant des notes et des chiffres sur son calepin. Elle est toute petite.

— Oui, les Griffeurs doivent y passer de justesse. (L'œil fixé sur le carré invisible, Thomas s'efforçait de mémoriser avec précision son emplacement et la distance qui les en séparait.) Et pour le trajet inverse, ils doivent se placer juste au bord et sauter sur la Falaise ; ce n'est pas si loin. Je pourrais le faire. Je suis sûr que c'est facile pour eux.

Minho termina son schéma, puis posa les yeux sur le carré invisible.

— Comment c'est possible, mec ? C'est quoi, d'après toi ?

— Sûrement un dispositif du même genre que celui qui a rendu le ciel tout gris, répondit Thomas. Une sorte d'illusion d'optique, ou d'hologramme, pour dissimuler une porte. Cet endroit est plein de surprises.

— Oui, plein de surprises. Amène-toi. (Minho se leva et ramassa son sac à dos en grognant.) Autant terminer d'explorer notre section si on peut. Le ciel n'est peut-être pas la seule chose qui a changé. On parlera de ça à Newt et Alby ce soir. Je ne sais pas si ça va nous aider, mais au moins, on sait où vont les Griffeurs.

— Et probablement d'où ils viennent, ajouta Thomas avec un dernier regard vers la porte secrète. Le trou des Griffeurs…

— Ah, ah ! Bien trouvé.

Thomas resta planté au bord de la Falaise, à attendre que Minho se décide. Plusieurs minutes s'écoulèrent en silence, et Thomas se rendit compte que son ami devait être tout aussi fasciné que lui. Puis, sans dire un mot, Minho tourna les talons. Thomas le suivit à contrecœur, et tous deux repartirent en courant dans le Labyrinthe plongé dans la grisaille.

*

Autour d'eux, des murs et du lierre.

Thomas se chargeait de couper des branches et de prendre des notes. Il avait du mal à remarquer les changements intervenus depuis la veille, alors que Minho les lui indiquait sans même avoir besoin de réfléchir. Quand ils atteignirent enfin le bout de leur secteur et que vint le moment de rentrer, Thomas éprouva une violente envie de tout envoyer promener et de rester là toute la nuit pour voir ce qui se produirait.

Minho dut le sentir, car il lui pressa l'épaule.

— Pas encore, mec. Pas encore.

Ils retournèrent sur leurs pas.

Une atmosphère maussade régnait sur le Bloc, comme souvent par temps gris. La luminosité réduite n'avait pas changé depuis le matin et Thomas se demanda si elle se métamorphoserait au crépuscule.

Quand ils passèrent la porte ouest, Minho se dirigea droit vers la salle des cartes.

— On ne devrait pas plutôt prévenir Newt et Alby pour le trou des Griffeurs? demanda Thomas, surpris.

— On reste avant tout des coureurs en mission, rétorqua Minho. (Thomas le suivit jusqu'à la porte du bunker. Minho lui adressa un mince sourire.) OK, on fait vite et on ira les mettre au courant juste après.

À l'intérieur, d'autres coureurs travaillaient sur leurs plans. Aucun n'ouvrit la bouche, comme si le problème du ciel gris ne les intéressait plus. Le désespoir qui flottait dans la pièce donnait à Thomas l'impression de patauger dans la boue. En principe, il aurait dû être épuisé, mais son excitation l'empêchait de ressentir la fatigue. Il avait hâte de voir la réaction de Newt et d'Alby quand ils sauraient pour la Falaise.

Il s'assit à table et entreprit de dessiner le plan du jour, de mémoire et en s'appuyant sur ses notes. Minho, penché par-dessus son épaule, lui donnait des indications : «Je crois que ce mur s'arrêtait plutôt là», ou «Fais attention aux proportions», ou encore «Dessine droit, tocard!». C'était agaçant, mais précieux. Au bout d'un quart d'heure Thomas avait terminé son plan. Il le contempla avec fierté.

— Pas mal, le complimenta Minho. Surtout pour un bleu.

Minho se leva et alla ouvrir le coffre de la section 1. Thomas s'agenouilla devant, sortit le plan de la veille et le juxtaposa à celui qu'il venait de dessiner.

— Que faut-il chercher ? demanda-t-il.

— Des schémas. Mais tu n'en verras pas en comparant les plans sur deux jours successifs. Il faut les étudier sur plusieurs semaines pour ça. Je sais qu'il y a quelque chose là-dedans, un détail qui pourrait nous aider. C'est juste qu'on n'arrive pas à mettre le doigt dessus pour l'instant.

Une sensation floue tenaillait Thomas, comme la première fois qu'il était venu dans la pièce. Les murs mobiles, des schémas, toutes ces lignes droites... Pouvaient-ils ébaucher un autre type de plan radicalement différent ? Ou pointer quelque chose ? Il était quasiment certain qu'ils étaient en train de passer à côté d'un indice évident.

Minho lui tapota l'épaule.

— Tu pourras toujours revenir après le dîner pour les examiner après le dîner, mais d'abord, on doit causer à Newt et Alby. Amène-toi.

Thomas rangea les feuilles dans le coffre et le referma, sans pouvoir se défaire de son malaise. La solution était forcément là, quelque part.

— D'accord, j'arrive.

Ils sortaient tout juste de la salle des cartes, quand ils virent Newt et Alby s'approcher, la mine grise. L'excitation de Thomas fut aussitôt balayée par l'inquiétude.

— Tiens ! s'exclama Minho, on voulait justement...

— Laisse tomber, l'interrompit Alby. Pas le temps. Vous avez trouvé quelque chose ?

Minho accueillit cette rebuffade avec un mouvement de recul, mais son expression trahissait plus de perplexité que de colère ou de dépit.

— Content de te voir, moi aussi. En fait, oui.

Curieusement, Alby parut déçu.

— Parce que tout est en train de partir en vrille, par ici.

Il jeta un regard noir à Thomas, comme s'il en était responsable.

« Qu'est-ce qui lui prend ? » se demanda Thomas, qui sentait la colère monter en lui. Ils avaient travaillé dur toute la journée, et voilà comment on les remerciait ?

— Comment ça ? demanda Minho. Qu'est-ce qui s'est passé ?

Newt désigna la Boîte d'un coup de menton.

— Pas de provisions aujourd'hui. C'est la première fois en deux ans.

Tous les quatre fixèrent les portes métalliques vissées dans le sol. Thomas crut presque voir une ombre planer, plus sombre que la grisaille environnante.

— Cette fois, on est cuits, murmura Minho.

Alby, qui avait croisé les bras, continuait à fusiller la Boîte du regard, comme s'il pensait pouvoir l'ouvrir par la seule force de son esprit. Thomas pria pour que leur chef ne mentionne pas ce qu'il avait vu lors de sa Transformation. Surtout pas maintenant.

— Enfin, bref, reprit Minho, on a découvert un truc bizarre.

Peut-être que Newt ou Alby réagirait positivement à la nouvelle, voire leur fournirait d'autres éléments permettant d'éclairer le mystère.

Newt haussa les sourcils.

— Et c'est quoi, votre « truc bizarre » ?

Minho mit trois bonnes minutes à leur expliquer ce qu'il s'était passé, de la poursuite du Griffeur au résultat de leurs jets de pierres.

— Ça doit conduire au... enfin, à l'endroit où vivent les Griffeurs, conclut-il.

— Le trou des Griffeurs, dit Thomas.

Les trois autres se tournèrent vers lui, l'air agacés par son intervention. Mais pour la première fois, ça ne le dérangeait pas d'être traité comme un bleu.

— Je veux voir ça par moi-même, déclara Newt. C'est difficile à croire.

Thomas était bien de son avis.

— Je ne sais pas trop ce qu'on pourrait faire, dit Minho. Essayer de bloquer le couloir, peut-être ?

— Tu parles ! rétorqua Newt. Tu as oublié que ces saletés savent grimper aux murs ? Je ne vois pas avec quoi on pourrait les empêcher de passer.

Soudain, des éclats de voix à l'extérieur de la ferme captèrent leur attention. Un groupe de blocards se tenait devant l'entrée. Ils criaient tous en même temps pour se faire entendre. Chuck était parmi eux. Quand il aperçut Thomas et les autres, il courut les rejoindre, visiblement très excité. Thomas se demanda quelle tuile allait encore leur tomber dessus.

— Qu'est-ce qui se passe ? demanda Newt.

— Elle s'est réveillée ! cria Chuck. La fille, elle vient de se réveiller !

Ébranlé, Thomas dut s'appuyer au mur de béton de la salle des plans. La fille. Celle qui lui parlait dans sa tête. Il aurait voulu s'enfuir en courant avant que ça ne recommence.

Mais il était déjà trop tard.

Tom, je ne connais personne ici. Viens me chercher ! Je suis en train d'oublier… Je vais tout oublier sauf toi… J'ai des choses à te dire ! Mais tout s'efface…

Teresa marqua une pause, puis ajouta quelque chose qui n'avait aucun sens.

Le Labyrinthe est un code, Thomas. Le Labyrinthe est un code.

CHAPITRE 36

Thomas n'avait pas envie de la voir. Il n'avait envie de voir personne.

À peine Newt fut-il parti discuter avec la fille que Thomas s'éclipsa discrètement, en espérant qu'on ne le remarquerait pas dans l'excitation générale. Il longea le mur du Bloc puis courut se réfugier au fond du terminus.

Il s'accroupit dans le coin, au milieu du lierre, et s'enveloppa de la tête aux pieds dans ses couvertures. C'était une manière pour lui de se protéger de l'intrusion de Teresa dans ses pensées. Au bout de quelques minutes, les battements de son cœur finirent par s'apaiser.

— Le pire, ç'a été de t'oublier.

Tout d'abord, Thomas crut qu'elle lui avait encore parlé dans sa tête. Mais là, c'était… différent. Il l'avait entendue avec ses oreilles. Une voix de fille. Un frisson lui parcourut la nuque, et il abaissa lentement sa couverture.

Teresa se tenait à sa droite, appuyée contre le mur. Elle était réveillée, alerte – *debout*. Vêtue d'un chemisier blanc et d'un jean avec des chaussures marron, elle était encore plus belle que quand il l'avait vue dans le coma. Ses cheveux bruns encadraient son visage clair, aux yeux d'un bleu flamboyant.

— Tom, tu ne te souviens vraiment pas de moi ?

Sa voix douce contrastait avec la voix rauque, démente,

qu'elle avait prise à son arrivée pour les avertir que tout allait bientôt changer.

— Tu veux dire que toi… tu te souviens de *moi*? demanda-t-il, gêné d'entendre sa voix se fêler sur le dernier mot.

— Oui. Enfin, non. Peut-être. (Elle leva les bras, découragée.) Je ne peux pas t'expliquer.

Thomas ouvrit la bouche, puis la referma sans rien dire.

— Je me souviens d'avoir eu des *souvenirs*, marmonna-t-elle en s'asseyant contre le mur. (Elle poussa un soupir et ramena ses genoux contre sa poitrine.) Des sentiments. Des émotions. Comme s'il me restait plein d'étagères dans la tête, avec des petites étiquettes pour les images et les visages, sauf qu'elles sont vides. Et que tout ce qu'elles contenaient est rangé derrière un grand rideau blanc. Toi y compris.

— D'où on se connaîtrait?

Il avait l'impression de voir les murs onduler autour de lui. Teresa se tourna vers lui.

— Je ne sais pas. C'est antérieur à notre arrivée dans le Labyrinthe. Je ne me rappelle pas exactement. Je te l'ai dit, c'est comme une case blanche dans ma mémoire.

— Tu es au courant pour le Labyrinthe? Qui t'en a parlé? Tu viens de te réveiller.

— Je… C'est encore un peu embrouillé pour l'instant. (Elle lui tendit la main.) Mais je sais qu'on est amis.

Comme dans un brouillard, Thomas repoussa complètement sa couverture et se pencha pour lui serrer la main.

— J'aime bien quand tu m'appelles Tom.

Il sut aussitôt qu'il aurait difficilement pu dire quelque chose de plus bête.

Teresa leva les yeux au ciel.

— Ce n'est pas ton nom?

— Si, mais la plupart des gens m'appellent Thomas. Sauf Newt: lui, il m'appelle Tommy. Tom, ça me donne l'impression de… d'être chez moi. Même si je ne sais pas où c'est. (Il eut un rire amer.) On est dans un drôle d'état, hein?

Elle sourit pour la première fois, et il faillit détourner les yeux, comme si une vision aussi belle n'avait pas sa place dans cet endroit gris et sinistre.

— Oui, un drôle d'état, confirma-t-elle. J'ai peur.

— Moi aussi, tu peux me croire.

Un long moment s'écoula, pendant lequel ils gardèrent tous les deux les yeux baissés.

— Que…? commença Thomas, ne sachant pas comment formuler sa question. Comment fais-tu pour me parler dans ma tête?

— *Aucune idée, je le fais, c'est tout.*

Puis elle ajouta à voix haute:

— C'est comme le vélo. S'il y en avait un ici, je suis sûre que tu saurais en faire. Pourtant, est-ce que tu te rappelles comment tu as appris?

— Non. Je veux dire, oui. Je me souviens d'avoir fait du vélo, mais pas d'avoir appris. (Il hésita, gagné par un sentiment de tristesse.) Ni avec qui.

— Bref, dit-elle en regardant ailleurs, c'est comme ça.

— Me voilà bien avancé.

Teresa haussa les épaules.

— Tu ne l'as dit à personne, au moins? Ils nous prendraient pour des fous.

— Eh bien… si, la première fois, j'en ai parlé. Mais je pense que Newt a mis ça sur le compte du stress. (Tout à coup, Thomas eut des fourmis dans les jambes; il devait bouger, sinon il allait devenir fou. Il se leva et se mit à faire les cent pas devant la fille.) Il y a pas mal de mystères autour de toi. Ce message que tu tenais, disant que tu serais la dernière personne à venir ici, ton coma, le fait que tu puisses communiquer avec moi par télépathie… Tu y comprends quelque chose?

Teresa le suivit du regard tandis qu'il passait et repassait devant elle.

— Épargne ta salive et arrête avec tes questions. Tout ce que j'ai, c'est des impressions floues. Que nous avions un rôle important, qu'on s'est servi de nous. Que nous sommes malins. Et que nous sommes là pour une raison précise. Je sais que j'ai enclenché le processus de fin, même si j'ignore en quoi ça consiste. (Elle grogna et rougit.) Ma mémoire ne vaut pas mieux que la tienne.

Thomas s'agenouilla devant elle.

— Oh, si. Par exemple, tu sais qu'on a effacé ma mémoire alors que je ne te l'ai pas dit. Et puis, il y a tout le reste. Tu en sais beaucoup plus que les autres.

Ils s'affrontèrent du regard un long moment ; le cerveau de la fille donnait l'impression de tourner à plein régime.

— *Non, vraiment, je ne sais rien,* lui dit-elle par la pensée.

— Voilà, tu recommences, bougonna Thomas, même s'il devait avouer que cette histoire de télépathie ne le troublait plus autant qu'avant.

Il se rassit et remonta les genoux sous le menton, comme elle.

— Tu m'as dit un truc tout à l'heure, dans ma tête, avant de venir me retrouver ici : « Le Labyrinthe est un code. » Qu'est-ce que tu entendais par là ?

Elle secoua la tête.

— À mon réveil, j'ai eu l'impression de débarquer chez les dingues – ces garçons bizarres qui se pressaient autour de mon lit, tout qui semblait tourner, mes souvenirs qui se bousculaient… J'ai essayé d'en retenir quelques-uns, et c'est celui-là qui m'est resté. Je ne sais pas *pourquoi* je l'ai dit.

— Il ne te reste rien d'autre ?

— Si, tiens.

Elle remonta sa manche gauche et dévoila son biceps. De petites lettres s'y étalaient à l'encre noire.

— Qu'est-ce qui est écrit ? demanda-t-il en se penchant pour mieux voir.

— Lis toi-même.

L'écriture tremblotait un peu, mais il réussit à la déchiffrer.

WICKED is good

Thomas sentit son pouls s'accélérer.

— «Le méchant est bon»? J'ai déjà vu ce mot – *wicked*. (Il se creusa la cervelle à la recherche d'une explication.) Sur le dos des petites créatures qui grouillent dans le lierre. Les scaralames.

— Les scaralames? répéta la fille.

— Des sortes de machines en forme de lézard, qui nous espionnent pour le compte des Créateurs, ceux qui nous ont envoyés ici.

Teresa réfléchit un moment, le regard perdu dans le vague. Puis elle se pencha sur son bras.

— Je ne sais plus pourquoi j'ai écrit ça, avoua-t-elle, avant d'humecter son pouce et d'effacer les mots. Mais rappelle-le-moi si je l'oublie… ça doit être important.

Thomas se répéta la phrase plusieurs fois dans son esprit.

— Quand l'as-tu écrit?

— En me réveillant. Il y avait un carnet et un stylo sur ma table de chevet. J'ai profité de la confusion pour griffonner ça sur mon bras.

Thomas était soufflé par cette fille. Il y avait d'abord eu cette sensation de familiarité qu'elle dégageait depuis le début, puis ses messages télépathiques, et maintenant ça.

— Tu sais que tout est bizarre, chez toi?

— À en juger par ta cachette, j'ai l'impression que tu n'es pas mal non plus. Tu vis en ermite dans les bois, ou quoi?

Thomas voulut prendre un air sévère, mais ne put s'empêcher de sourire. Il se sentait pathétique, et très gêné d'avoir voulu se cacher.

— Tu me rappelles quelque chose et tu dis qu'on est amis, déclara-t-il. Alors, je crois que je vais te faire confiance.

Il lui tendit la main. Elle la serra un long moment. Un frisson étonnamment agréable parcourut Thomas.

— Tout ce que je veux, c'est rentrer chez moi, dit-elle en le lâchant. Comme tous les autres.

Ces paroles ramenèrent Thomas à la réalité.

— Les choses se présentent plutôt mal en ce moment. Le soleil a disparu, le ciel est devenu tout gris et on ne nous a pas envoyé nos provisions hebdomadaires. J'ai l'impression que la fin est pour bientôt.

Avant que Teresa ait pu faire un commentaire, Newt arriva en courant.

— Qu'est-ce que… ? commença-t-il. (Il s'arrêta devant eux. Alby et quelques autres le suivaient de près. Newt regarda Teresa.) Comment es-tu arrivée là ? Le medjack nous a dit que tu avais disparu pendant qu'il avait le dos tourné.

Teresa se leva avec une assurance qui surprit Thomas.

— Il a dû oublier de vous parler du coup de genou que je lui ai mis dans les parties avant de descendre par la fenêtre.

Thomas faillit éclater de rire. Newt s'adressa à un garçon plus âgé qui se tenait à côté de lui et dont le visage avait viré au rouge vif.

— Félicitations, Jeff, dit Newt. Tu deviens officiellement le premier d'entre nous à se faire botter le cul par une *fille*.

Teresa ne s'arrêta pas en si bon chemin.

— Continue à parler de moi sur ce ton et tu seras le prochain.

Newt se retourna vers eux. Il les dévisagea en silence. Thomas lui rendit son regard en se demandant ce qu'il avait en tête.

Alby s'avança.

— Bon, ça suffit, j'en ai marre. (Il martela le torse de Thomas avec son index.) Je veux savoir qui tu es, qui est cette tocarde et comment ça se fait que vous vous connaissiez.

Thomas faillit se dégonfler.

— Alby, je te jure…

— Elle est venue te voir tout de suite après s'être réveillée, mec !

Thomas fut envahi par la colère, et l'inquiétude à l'idée qu'Alby pourrait suivre la même pente que Ben.

— Et alors ? Je la connais, elle me connaît, ça ne veut plus rien dire ! Je ne me souviens de rien. Et elle non plus.

Alby se tourna vers Teresa.

— Qu'est-ce que tu as fait ?

Thomas, décontenancé par cette question, jeta un coup d'œil à Teresa pour voir si elle y comprenait quelque chose. Elle ne dit rien.

— Qu'est-ce que tu as fait ? hurla Alby. D'abord le ciel, et maintenant ça !

— J'ai déclenché sans le faire exprès le processus de fin, répondit-elle calmement. Je le jure. Je ne sais pas ce que ça veut dire.

— Qu'est-ce qu'il y a, Newt ? demanda Thomas en évitant de regarder Alby en face. Qu'est-ce qu'il s'est passé ?

Alby l'empoigna par son tee-shirt.

— Ce qu'il s'est passé ? Je vais te dire ce qu'il s'est passé, tocard. Tu étais trop occupé à faire tes yeux de biche pour regarder autour de toi. Pour prendre la peine de remarquer quelle heure il était !

Thomas consulta sa montre et comprit avec horreur ce qu'Alby était sur le point de lui dire.

— Les *murs*, tocard. Les *portes*. Elles ne se sont pas refermées ce soir.

CHAPITRE 37

Thomas resta sans voix, le souffle coupé. Tout serait différent maintenant. Plus de soleil, plus de provisions, plus la moindre protection contre les Griffeurs. Teresa avait raison depuis le début : tout avait changé.

Alby désigna la fille.

— Je veux qu'on l'enferme. Tout de suite ! Billy, Jackson ! Mettez-la au gnouf, et ne l'écoutez pas.

Teresa ne réagit pas, mais Thomas s'indigna pour deux.

— Qu'est-ce qui te prend ? Alby, tu ne vas quand même pas... (Il s'interrompit. Alby lui avait jeté un regard si furibond que son cœur en avait manqué un battement.) Enfin... comment peux-tu la tenir pour responsable si les murs sont en panne ?

Newt s'avança, posa la main sur le torse de Thomas et le repoussa doucement.

— Comment faire autrement, Tommy ? Elle l'a reconnu elle-même.

Thomas se tourna vers Teresa et blêmit devant la tristesse de ses yeux bleus. Il avait le sentiment qu'une main s'enfonçait dans sa poitrine et lui serrait le cœur.

— Estime-toi heureux qu'on ne t'enferme pas avec elle, Thomas, grogna Alby.

Il leur jeta un dernier regard mauvais puis partit. Thomas n'avait jamais eu autant envie de frapper quelqu'un.

Billy et Jackson s'avancèrent, empoignèrent Teresa chacun par un bras et l'entraînèrent.

Avant qu'ils s'enfoncent sous les arbres, Newt les arrêta.

— Restez avec elle. Quoi qu'il arrive, personne ne doit la toucher. Vous en êtes responsables.

Les deux garçons hochèrent la tête puis s'éloignèrent avec Teresa. Thomas ne comprenait pas pourquoi ça l'affectait à ce point ; il aurait voulu continuer à lui parler.

— *Viens me voir,* l'implora-t-elle mentalement.

Il ne savait pas comment lui parler de cette façon. Mais il essaya quand même.

— *Compte sur moi. Au moins, tu seras en sécurité au gnouf.*

Elle ne répondit pas.

— *Teresa ?*

Rien.

*

La demi-heure suivante se déroula dans une grande agitation.

Même s'il n'y avait eu aucun changement dans la lumière depuis que le soleil et le ciel bleu ne s'étaient pas montrés ce matin-là, il semblait qu'une ombre soit descendue sur le Bloc. Newt et Alby réunirent les matons et les chargèrent de distribuer les tâches puis de ramener leurs groupes à la ferme une heure plus tard. Thomas se sentait spectateur, impuissant.

Les bâtisseurs – sans leur chef, puisque Gally manquait toujours à l'appel – reçurent l'ordre de dresser des barricades aux quatre portes. Thomas savait qu'ils n'auraient pas assez de temps, et pas grand-chose sous la main, pour travailler efficacement. Il avait l'impression que le but était surtout d'occuper les garçons afin de retarder le plus longtemps possible la panique inévitable. Thomas aida les bâtisseurs à ramasser tout ce qui ne servait pas et à l'empiler en travers des portes, en clouant les éléments tant bien que mal. Le résultat était affreux, pathétique et terrifiant… Ça n'arrêterait sûrement pas les Griffeurs.

Thomas surveillait du coin de l'œil les autres blocards en train de s'activer.

On avait distribué toutes les lampes torches disponibles ; Newt prévoyait de faire dormir tout le monde à l'intérieur de la ferme et d'éteindre les lumières, sauf en cas d'urgence. Poêle-à-frire avait reçu pour mission de transporter les denrées périssables de sa cuisine dans la ferme, pour le cas où ils s'y trouveraient piégés. Les autres rassemblaient le matériel et les outils. Thomas vit Minho ramener des armes de la cave. Alby avait indiqué clairement qu'ils ne prendraient aucun risque : ils allaient se barricader dans la ferme et résister jusqu'au bout.

Thomas faussa compagnie aux bâtisseurs pour aider Minho à transporter des caisses de couteaux et de gourdins enveloppés de barbelés. Puis Minho lui dit que Newt lui avait confié une mission spéciale, et il envoya Thomas se faire voir ailleurs sans lui donner aucune explication.

Vexé, Thomas se mit en quête de Newt. Il devait lui parler. Il finit par l'apercevoir traversant le Bloc en direction de l'abattoir.

— Newt ! cria-t-il en s'élançant derrière lui. Attends-moi !

Newt s'arrêta si brusquement que Thomas faillit lui rentrer dedans. Et il semblait agacé à un tel point que Thomas hésita à lui parler.

— Fais vite, grogna Newt.

— Il faut que tu libères la fille. Teresa.

Il était convaincu qu'elle pouvait les aider.

— Ah, je suis bien content de voir que vous êtes devenus copains, tous les deux. (Newt repartit d'un pas vif.) Ne me fais pas perdre mon temps, Tommy.

Thomas le retint par le bras.

— Écoute-moi ! Elle n'est pas là sans raison. Je crois qu'elle et moi avons été envoyés ici pour mettre fin à tout ce cirque.

— Ben voyons! En laissant les Griffeurs s'amener ici et tuer tout le monde? J'en ai entendu des plans foireux, le bleu, mais celui-là les surpasse tous!

Thomas poussa un soupir de frustration.

— Non, je ne crois pas que ce soit pour ça que les murs refusent de se refermer.

Newt croisa les bras, exaspéré.

— Bon alors, qu'est-ce que tu veux m'expliquer?

Depuis que Thomas avait vu sur le mur du Labyrinthe «*world in catastrophe: killzone experiment department*», il n'arrêtait pas de tourner et de retourner ces mots dans sa tête. Il savait que si quelqu'un acceptait de l'écouter, ce serait Newt.

— Je crois... je crois que nous sommes là dans le cadre d'une expérience, ou de quelque chose de ce genre. Ça doit se terminer bientôt. On ne va pas vivre ici indéfiniment, ceux qui nous y ont envoyés *veulent* que ça se termine. D'une manière ou d'une autre.

Thomas se sentit soulagé de l'avoir dit. Newt se frotta les yeux.

— Et ça, c'est supposé me convaincre que tout va bien, que je dois libérer la fille?

— Non, tu ne comprends pas. Je ne pense pas qu'elle ait quoi que ce soit à voir avec notre présence ici. Elle n'est qu'un pion. On l'a envoyée là comme un indice pour nous aider à sortir. (Thomas prit une grande inspiration.) Et je crois que c'est la même chose pour moi.

Newt jeta un coup d'œil en direction du gnouf.

— Tu sais, j'ai d'autres soucis pour l'instant. Elle peut très bien passer une nuit là-dedans, elle y sera plus à l'abri que nous.

Thomas hocha la tête. Il percevait la possibilité d'un compromis.

— D'accord, on essaie de survivre cette nuit, et demain on aura le temps de s'occuper d'elle. De prendre une décision.

Newt ricana.

— Tommy, qu'est-ce qui te fait croire que ça sera différent demain ? Ça durait depuis deux ans, tu sais ?

Thomas avait la certitude que tous ces bouleversements constituaient un aiguillon, un catalyseur pour les pousser vers la fin de la partie.

— Oui, mais maintenant on est obligés de trouver la clef de l'énigme. On n'a plus le choix. On ne peut plus continuer à vivre au jour le jour, en nous disant que le principal est de rentrer nous mettre à l'abri au Bloc avant la fermeture des portes.

Newt réfléchit quelques instants pendant que les blocards s'activaient autour d'eux.

— Il va falloir creuser plus loin. Rester dehors pendant que les murs se déplacent.

— Exactement ! approuva Thomas. C'est ce que j'essaie de te dire. Et peut-être qu'on pourrait bloquer ou faire sauter l'entrée du trou des Griffeurs. Pour nous donner le temps d'analyser le Labyrinthe.

— C'est surtout Alby qui tient à enfermer la fille, déclara Newt avec un coup de menton vers la ferme. Il ne peut pas vous supporter tous les deux. Mais pour l'instant, il vaut mieux faire le dos rond et tenir jusqu'au matin.

Thomas hocha la tête.

— On arrivera à les repousser.

— Tu l'as déjà fait, superman ?

Sans sourire ni même attendre de réponse, Newt s'éloigna en criant aux blocards de terminer ce qu'ils faisaient et de regagner la ferme.

Thomas était heureux d'avoir eu cette discussion ; elle s'était déroulée aussi bien qu'il avait pu l'espérer. Il décida d'aller parler à Teresa avant qu'il ne soit trop tard. Alors qu'il courait en direction du gnouf, il vit tous les blocards converger vers la ferme, les bras chargés.

Il s'arrêta devant la petite prison et reprit son souffle.

— Teresa ? appela-t-il à travers la fenêtre à barreaux.

Le visage de la fille s'encadra brusquement dans l'ouverture. Surpris, il laissa échapper un petit cri et mit une bonne seconde à recouvrer son sang-froid.

— Tu sais que tu fais peur, par moments?

— C'est trop gentil, dit-elle. Merci.

Ses yeux bleus brillaient comme ceux d'un chat dans l'obscurité.

— Y a pas de quoi. Écoute, j'ai réfléchi.

— J'aimerais pouvoir en dire autant de ton copain Alby, bougonna-t-elle.

Thomas acquiesça, mais il avait hâte de dire ce qu'il avait en tête.

— Il y a forcément un moyen de s'échapper de cet endroit. Il faut simplement chercher un peu plus, rester plus longtemps dans le Labyrinthe. Tu sais, ce que tu avais écrit sur ton bras, et ce que tu m'as dit à propos d'un code, ça doit bien avoir un sens, non?

— Oui, je me suis fait la même réflexion. Mais d'abord, est-ce que tu pourrais me faire sortir d'ici?

Elle saisit les barreaux de sa cellule. Thomas fut pris d'une envie ridicule de lui prendre les mains.

— Newt a dit qu'on pourra peut-être te libérer demain. Tu vas devoir passer la nuit ici. Tu y seras sûrement plus en sécurité que nous.

— Merci d'avoir demandé. Je sens que je vais bien dormir, par terre, sans couverture. Cela dit, je vois mal un Griffeur se glisser entre ces barreaux, alors j'imagine que je n'ai pas de raison de me plaindre, non?

La mention des Griffeurs surprit Thomas car il ne se souvenait pas de lui en avoir parlé.

— Teresa, tu es sûre d'avoir tout oublié?

Elle réfléchit un instant.

— C'est drôle, je me rappelle certaines choses. À moins que je vous aie entendus en parler quand j'étais dans le coma.

— Bah, ça n'a plus vraiment d'importance. Je voulais juste te voir avant de me réfugier dans la ferme.

Mais il n'avait pas envie de partir ; il aurait presque voulu être enfermé au gnouf avec elle. Il sourit intérieurement. Il imaginait facilement la réaction de Newt à cette demande.

— Tom ? fit Teresa.

Thomas se rendit compte qu'il avait le regard dans le vide.

— Oh, désolé. Oui ?

Elle lâcha les barreaux. Il ne distinguait plus que ses yeux et l'éclat pâle de sa peau.

— Je ne sais pas si je vais supporter de rester prisonnière ici toute la nuit.

Thomas ressentit soudain une tristesse incroyable. Il aurait voulu dérober les clefs de Newt pour revenir la délivrer. Mais c'était une idée ridicule. Elle allait devoir tenir le coup, voilà tout. Il la regarda dans les yeux.

— Au moins, il ne fera pas complètement noir : j'ai l'impression qu'on va endurer ce crépuscule vingt-quatre heures sur vingt-quatre, maintenant.

— Oui… (Son regard s'égara vers la ferme, avant de revenir se poser sur lui.) Ça va aller, je suis une grande fille.

Thomas s'en voulait de l'abandonner là, mais il n'avait pas le choix.

— Je vais veiller à ce qu'on te libère demain à la première heure.

Elle lui sourit. Il se sentit tout de suite mieux.

— Promis ?

— Promis. Et si tu te sens seule, dit-il en se tapotant la tempe, tu n'auras qu'à me… parler dans ma tête. J'essaierai de te répondre.

Il restait planté là, se refusant toujours à partir.

— Tu ferais mieux d'y aller, lui conseilla-t-elle. Je ne voudrais pas avoir ta mort sur la conscience.

Thomas s'obligea à sourire.

— D'accord. À demain !

Avant de changer d'avis, il s'éclipsa, fit le tour de la ferme et gagna la porte d'entrée en même temps que les deux derniers blocards, que Newt chassait devant lui comme des poussins égarés. Il se glissa à l'intérieur. Newt le suivit puis referma la porte.

À l'instant où il tirait le verrou, Thomas crut entendre le cri plaintif des premiers Griffeurs s'élever dans le Labyrinthe.

La nuit commençait.

CHAPITRE 38

Comme, en temps normal, la plupart des garçons dormaient dehors, les caser tous à l'intérieur ne fut pas simple. Les matons avaient réparti les blocards dans les différentes pièces en distribuant des couvertures et des oreillers. Malgré leur nombre et la confusion due à un tel bouleversement, il régnait un silence troublant, comme si chacun craignait d'attirer l'attention sur lui.

Une fois tout le monde installé, Thomas se retrouva à l'étage en compagnie de Newt, Alby et Minho, et ils purent enfin terminer la discussion qu'ils avaient entamée dans la cour. Alby et Newt s'assirent sur le seul lit de la chambre tandis que Thomas et Minho prenaient place à côté sur deux chaises. Le reste du mobilier se composait d'une commode bancale et d'une petite table, sur laquelle trônait l'unique lampe de la pièce. La pénombre extérieure, qui semblait pousser contre la fenêtre, n'annonçait rien de bon.

— Je n'ai jamais eu aussi envie de tout plaquer, disait Newt. De partir en sifflotant et d'aller faire la bise aux Griffeurs. Sauf qu'on n'a pas le droit de baisser les bras. Soit les Créateurs veulent en finir avec nous, soit ils nous donnent un petit coup de pied aux fesses. Dans les deux cas, on va se défoncer jusqu'à ce que ça passe ou que ça casse.

Thomas hocha la tête mais ne fit pas de commentaire. Car même s'il approuvait de tout cœur, il n'avait aucune suggestion à proposer. S'ils parvenaient à tenir jusqu'au lendemain, peut-être que Teresa et lui trouveraient quelque chose qui puisse les aider.

Il jeta un coup d'œil à Alby. Ce dernier fixait le plancher, perdu dans ses pensées moroses. Il avait encore les traits tirés, les yeux creusés, le regard éteint. Décidément, la Transformation portait bien son nom.

— Alby? demanda Newt. Tu es avec nous?

Alby leva la tête d'un air surpris, comme s'il découvrait qu'il n'était pas seul dans la pièce.

— Hein? Oh, oui. Je suis d'accord. Mais tu sais ce qui se passe quand vient la nuit. Ce n'est pas parce que notre nouveau héros s'en est sorti sans une égratignure qu'on va tous réussir à faire pareil.

Thomas leva les yeux au ciel. Il en avait par-dessus la tête de l'attitude d'Alby. Si Minho éprouvait le même agacement, il le cachait bien.

— Je suis de l'avis de Thomas et de Newt, dit-il. Il faut arrêter de pleurnicher et de nous lamenter sur notre sort. (Il se frotta les mains et se pencha en avant sur sa chaise.) Demain matin à la première heure, vous devriez constituer des équipes pour examiner les plans pendant que les coureurs partent en exploration. On emportera des provisions pour plusieurs jours.

— Quoi? s'exclama Alby, manifestant enfin une émotion. Comment ça, *plusieurs jours*?

— Oui, plusieurs jours. Puisque les portes ne ferment plus et que le soleil ne se couche plus, on n'a plus vraiment de raison de rentrer. Il est temps de passer une nuit dehors et de voir ce qui se passe quand les murs se déplacent. S'ils continuent à le faire.

— Pas question, refusa Alby. On a encore la possibilité de s'abriter dans la ferme, et si ça ne marche pas, il nous reste le gnouf et la salle des cartes. On ne va pas envoyer des garçons se faire tuer, Minho! Qui serait volontaire pour un truc pareil?

— Moi, répliqua Minho. Et Thomas.

Tout le monde se tourna vers Thomas ; ce dernier fit oui de la tête. Malgré la frousse que le Labyrinthe lui inspirait, il avait une folle envie de l'explorer, à fond, depuis le jour où il en avait entendu parler.

— Je vous accompagnerai s'il le faut, déclara Newt. Et je suis sûr que les autres coureurs viendront aussi.

— Avec ta patte folle ? railla Alby avec un rire cruel.

Newt se renfrogna et baissa les yeux.

— Eh bien, je ne vais pas demander à d'autres blocards de courir un risque que je n'oserais pas prendre moi-même.

Alby s'allongea sur le lit et croisa les jambes.

— Oh, après tout, faites comme vous voulez.

— Comme on veut ? s'emporta Newt en se dressant. Qu'est-ce qui débloque chez toi, mec ? Tu crois qu'on a le choix ? Qu'on devrait rester assis là tranquillement, à attendre les Griffeurs ?

Thomas faillit se lever et applaudir. Il était convaincu que ce discours allait enfin tirer Alby de son défaitisme.

Mais leur chef ne parut pas vexé.

— Bah, c'est toujours mieux que d'aller à leur rencontre.

Newt se rassit.

— Alby, il va falloir te ressaisir très vite.

Même si ça lui faisait mal au cœur de l'admettre, Thomas savait qu'ils auraient besoin d'Alby. Les blocards suivaient son exemple.

Alby respira profondément, puis les dévisagea tour à tour.

— J'ai encore la tête à l'envers. Sérieusement, je suis… désolé. Je ne suis pas le chef qu'il vous faut en ce moment.

Thomas retint son souffle. Il n'en croyait pas ses oreilles.

— Oh, nom de…, commença Newt.

— Non ! protesta Alby. Je ne disais pas ça dans ce sens-là. Écoutez, je ne suis pas en train de vous proposer d'élire un nouveau chef. Simplement… je crois que je devrais vous laisser prendre les décisions. Je ne m'en sens pas capable pour l'instant. Alors… je me range à votre avis.

Thomas vit que Minho et Newt étaient tout aussi surpris que lui.

— Euh… d'accord, fit Newt d'un ton dubitatif. Ça va marcher, je te le promets. Tu verras.

— Oui, marmonna Alby. (Au bout d'un long moment, il reprit la parole, avec une pointe d'excitation dans la voix.) Vous savez quoi ? Vous n'avez qu'à me confier les plans. Je vais faire bosser tout le monde dessus, vous allez voir.

— Ça me va, approuva Minho.

Thomas aurait bien abondé dans son sens, mais il craignait que ce ne soit mal pris.

Alby se redressa sur le lit et posa les pieds par terre.

— En y réfléchissant, ce n'est pas malin de passer la nuit ici. On devrait déjà être dans la salle des cartes, en train de travailler.

Minho haussa les épaules.

— Pas faux.

— J'y vais tout de suite, annonça Alby avec assurance.

Newt secoua la tête.

— Laisse tomber, Alby. Les Griffeurs sont de sortie, tu les as entendus. Ça peut attendre demain.

Alby se pencha en avant, les coudes sur les genoux.

— Dis donc, c'est vous qui avez voulu me donner un coup de pied aux fesses. Alors ne venez pas vous plaindre, maintenant. Si je dois le faire, autant que ce soit ce soir. J'ai besoin de m'occuper l'esprit.

Il se dirigea vers la porte.

— Tu rigoles, protesta Newt. Tu ne vas quand même pas y aller !

— Mais si, regarde ! (Il sortit son trousseau de clefs et le fit cliqueter d'un geste moqueur. Thomas était stupéfié par cette démonstration de bravoure.) À demain matin, bande de tocards.

Sur quoi, il ouvrit la porte et les planta là.

*

C'était étrange de savoir qu'on était en pleine nuit, que le Bloc aurait dû être plongé dans le noir, et de voir toujours la même pénombre grisâtre. Thomas se sentait décalé, comme si le sommeil qui le gagnait peu à peu n'était pas naturel. Le temps paraissait s'écouler avec une lenteur insupportable, à croire que le jour suivant n'allait jamais venir.

Les blocards s'étaient couchés et se retournaient dans leurs couvertures, incapables de dormir. Personne ne disait grand-chose ; l'humeur générale était plutôt sombre. On n'entendait que des bruits discrets et quelques chuchotements.

Thomas s'efforça de trouver le sommeil, sachant que ça ferait passer le temps plus vite. Deux heures s'écoulèrent sans qu'il y parvienne. Il était allongé par terre dans l'une des chambres du haut, sur une couverture épaisse, entre plusieurs blocards serrés les uns contre les autres. C'était Newt qui avait pris le lit.

Chuck s'était installé dans une autre chambre. Sans trop savoir pourquoi, Thomas l'imaginait recroquevillé dans son coin, à sangloter en serrant sa couverture contre lui comme un ours en peluche. Cette image l'attrista et il essaya de l'effacer, en vain.

Presque tout le monde avait une lampe torche à portée de main en cas d'urgence. Newt avait fait éteindre les lumières pour ne pas attirer l'attention. Toutes les mesures envisageables en si peu de temps pour prévenir une attaque des Griffeurs avaient été prises. Ils avaient cloué des planches en travers des fenêtres, poussé les meubles devant les portes, distribué des couteaux…

Mais Thomas n'était pas rassuré pour autant.

L'attente devenait insupportable. Les cris plaintifs des Griffeurs se rapprochaient de plus en plus. La nuit s'éternisait ; chaque minute semblait plus longue que la précédente.

Une nouvelle heure passa. Puis une autre. Le sommeil finit par venir, mais entrecoupé. Thomas estima qu'il devait être deux heures du matin quand il se retourna sur le ventre pour la millionième fois. Il croisa les mains sous son menton et contempla le pied du lit, ombre indistincte dans l'éclairage diffus.

Puis tout bascula.

Un ronronnement mécanique s'éleva à l'extérieur, suivi du cliquetis familier d'un Griffeur sur le sol de pierre, comme si quelqu'un y avait jeté une poignée de clous. Thomas bondit sur ses pieds, à l'instar de presque tous les autres.

Newt fut debout le premier. Il exhorta la chambrée au silence en posant un doigt sur ses lèvres. Évitant de s'appuyer sur sa mauvaise jambe, il gagna en catimini la seule fenêtre de la pièce, barrée par trois planches. De larges fentes permettaient de regarder au-dehors. Newt s'approcha prudemment afin de jeter un coup d'œil ; Thomas le rejoignit sans bruit.

Il s'accroupit auprès de Newt au niveau de la planche du bas et colla son œil à une fissure. C'était terrifiant de se trouver aussi près du mur. La cour du Bloc semblait déserte, mais il n'avait pas assez de visibilité pour inspecter les alentours. Au bout d'un moment, il renonça et s'assit dos au mur. Newt retourna sur le lit.

Quelques minutes s'écoulèrent, pendant lesquelles des bruits de Griffeurs se firent entendre toutes les dix ou vingt secondes. Bourdonnements de petits moteurs, grincements métalliques, cliquetis de pointes contre la pierre, claquements, déclics d'ouverture et de fermeture… Thomas tressaillait chaque fois.

À l'oreille, il estima qu'ils étaient au moins trois ou quatre autour de la ferme.

Thomas avait la bouche sèche : il s'était déjà trouvé nez à nez avec ces monstres et ne s'en souvenait que trop bien. Ses compagnons de chambre restaient immobiles ; aucun n'osait faire le moindre bruit. La peur flottait dans la pièce.

L'un des Griffeurs parut se rapprocher de la maison. Puis son cliquetis prit une tonalité différente, plus grave, plus creuse. Thomas se représenta sans mal ce qui se passait : la créature, défiant la gravité, plantait ses piquants dans les murs de la ferme et montait vers leur fenêtre. Il entendit les pointes crever les planches sur son passage tandis que la chose s'élevait en roulant sur elle-même. La maison tout entière tremblait.

Frappé d'horreur, Thomas n'entendait plus que les grincements et les craquem ents du bois. Ils sonnaient de plus en plus fort, de plus en plus près. Les autres s'étaient reculés le plus loin possible de la fenêtre. Thomas finit par les imiter. Newt se tenait juste à côté de lui ; ils étaient tous pelotonnés contre le mur du fond, fixant la fenêtre. La situation était intenable.

À l'instant où Thomas se rendit compte que le Griffeur était accroché juste derrière la fenêtre, le silence se fit. Thomas pouvait presque entendre les battements de son cœur.

Des lumières clignotaient à l'extérieur, s'infiltrant par intermittence dans les fentes entre les planches. Puis des ombres minces se mirent à passer devant le faisceau lumineux. Thomas devina que le Griffeur avait déployé ses bras et ses armes, prêt à l'attaque. Il se représenta des scaralames dehors, en train de guider les créatures. Quelques secondes plus tard, les ombres cessèrent de bouger ; la lumière s'immobilisa, découpant trois rectangles de clarté dans la chambre.

La tension était palpable ; tout le monde retenait son souffle. C'était sans doute plus ou moins la même chose dans toutes les pièces de la ferme. Puis Thomas se souvint de Teresa enfermée au gnouf.

Il était en train d'espérer un message de sa part quand la porte du couloir s'ouvrit brusquement. Des cris étouffés et des exclamations de surprise retentirent dans la chambre. Les blocards avaient surveillé la fenêtre, mais pas la porte. Thomas se retourna pour voir qui avait ouvert, s'attendant à voir un Chuck terrorisé, ou peut-être Alby qui avait changé d'avis. Mais quand il vit qui se dressait sur le seuil, son crâne lui donna l'impression de comprimer son cerveau.

C'était Gally.

CHAPITRE 39

Gally roulait des yeux fous; ses vêtements étaient sales et déchirés. Il tomba à genoux et resta là, pantelant, la respiration sifflante. Il balaya la chambre du regard comme un chien enragé qui cherche quelqu'un à mordre. Personne n'osait ouvrir la bouche. Comme si chacun pensait que Gally n'était qu'un produit de son imagination.

— Ils vont vous tuer! cria Gally en postillonnant. Les Griffeurs, ils vont tous vous tuer, un à un, jusqu'au dernier!

Thomas le regarda se relever et s'avancer en traînant la jambe droite. Personne ne bougea; ils étaient tous trop abasourdis pour faire quoi que ce soit. Même Newt restait bouche bée. Thomas était presque plus effrayé par l'arrivée de Gally que par la présence des Griffeurs.

Gally s'arrêta à moins d'un mètre de Thomas et de Newt; il pointa un doigt sanguinolent sur Thomas.

— Toi! dit-il avec dégoût. Tout est ta faute!

Il balança le poing gauche sans crier gare et atteignit Thomas en plein sur l'oreille. Celui-ci tomba avec un cri, davantage sous l'effet de la surprise que de la douleur. Il bondit aussitôt sur ses pieds.

S'arrachant enfin à sa stupeur, Newt repoussa violemment Gally. Ce dernier vint se cogner contre la petite table près de la fenêtre. La lampe tomba et se brisa sur le plancher.

Thomas s'attendait à une riposte, mais Gally se contenta de se redresser, avec un regard de dément.

— C'est sans issue, dit-il d'une voix calme et glaciale. Ce foutu Labyrinthe vous aura tous, tas de tocards... Les Griffeurs vous feront la peau... Un par nuit, jusqu'à la fin... Je... C'est mieux comme ça. (Il baissa les yeux.) Ils vous élimineront l'un après l'autre... à cause de leurs stupides variables...

Thomas l'écoutait avec attention, tâchant de réprimer sa peur afin de mieux mémoriser tout ce qu'il disait.

Newt fit un pas en avant.

— Gally, bon sang, ta gueule! Il y a un Griffeur juste derrière la fenêtre. Alors pose ton cul et tiens-toi tranquille. Il va peut-être s'en aller.

Gally le dévisagea entre ses paupières plissées.

— Tu ne comprends pas, Newt. Tu es trop bête, tu as toujours été trop bête. Il n'y a pas de sortie. On ne peut pas gagner! Ils vont vous tuer, tous, un par *un*!

Hurlant le dernier mot, Gally bondit contre la fenêtre et tira sur les planches comme une bête sauvage qui essaie de s'échapper de sa cage. Avant que Thomas ou un autre ait pu réagir, il en avait déjà arraché une et la jetait par terre.

— Non! cria Newt en courant vers lui.

Thomas s'élança pour l'aider, incrédule.

Gally arracha une deuxième planche. Il la fit tournoyer à deux mains et l'abattit sur la tête de Newt, qui s'écroula en travers du lit; une giclée de sang éclaboussa les draps. Thomas s'arrêta et serra les poings.

— Gally! rugit-il. Mais qu'est-ce que tu fous?

Le garçon cracha par terre, en haletant comme un chien.

— Toi, ta gueule, *Thomas*. Ta gueule! Je sais qui tu es, mais je m'en fiche maintenant. Je sais ce qui me reste à faire.

Thomas avait l'impression d'avoir les pieds vissés au sol. Le discours de Gally le laissait pantois. Impuissant, il le regarda arracher la dernière planche. À l'instant où celle-ci toucha le sol, la fenêtre explosa vers l'intérieur avec un fracas de verre brisé. Thomas se couvrit le visage et bondit en arrière. Quand il heurta le lit, il retrouva assez de sang-froid pour lever la tête et faire face à son destin.

Un Griffeur avait introduit la moitié de son corps boursouflé et palpitant à travers les débris de la fenêtre. Ses bras métalliques armés de pinces s'agitaient en claquant dans toutes les directions. Thomas avait si peur qu'il ne remarqua pas que presque tous les autres s'étaient enfuis dans le couloir, à l'exception de Gally, et de Newt étendu sans connaissance sur le lit.

Médusé, Thomas vit l'un des longs bras du Griffeur se tendre vers le corps inanimé. Cela suffit à le faire réagir. Il chercha une arme sur le sol. Il n'y avait que des couteaux ; voilà qui n'allait pas l'aider beaucoup. La panique monta en lui, à deux doigts de le submerger.

Puis Gally se remit à crier ; le Griffeur retira son bras, comme s'il en avait besoin pour observer et écouter. Son corps, en revanche, continuait à se tortiller pour essayer d'entrer.

— Personne n'a jamais rien compris ! hurla le garçon par-dessus le vacarme effroyable produit par la créature qui forçait le passage. Personne n'a voulu comprendre ce que j'avais vu, ce que la Transformation m'a fait ! Ne retourne pas dans le monde réel, Thomas ! Je te jure que tu... *ne tiens pas...* à retrouver la mémoire !

Gally lança à Thomas un dernier regard halluciné, empli de terreur, puis il se jeta contre le Griffeur. Thomas poussa un cri en voyant les bras de la créature se refermer sur Gally. Le garçon s'enfonça de plusieurs centimètres dans la chair flasque et visqueuse du monstre, avec un bruit horrible. Ensuite, le Griffeur disparut d'un coup.

Thomas se précipita à la fenêtre et arriva juste à temps pour le voir toucher le sol et s'enfuir à travers le Bloc. Le corps de Gally apparaissait et disparaissait à chaque roulade. Les lumières du monstre jetèrent des reflets jaunes et sinistres sur les bords de la porte ouest quand il s'engouffra dans les profondeurs du Labyrinthe. Quelques secondes plus tard, ses congénères prirent le même chemin en célébrant leur victoire par un terrifiant concert de bourdonnements et de cliquetis.

Thomas se sentit sur le point de vomir. Alors qu'il allait s'écarter de la fenêtre, un mouvement capta son regard. Il se pencha au-dehors pour mieux voir. Une silhouette courait dans la cour en direction de la porte ouest.

Malgré la lumière médiocre, Thomas reconnut immédiatement de qui il s'agissait. Il lui cria d'attendre, de s'arrêter. Trop tard.

Minho avait déjà disparu dans le Labyrinthe.

CHAPITRE 40

Les lumières s'allumaient partout dans la ferme. Les blocards couraient dans tous les sens, en parlant tous à la fois. Deux garçons pleurnichaient dans leur coin. La confusion régnait.

Thomas n'y prêta aucune attention.

Il dévala l'escalier quatre à quatre, se fraya un chemin à travers la foule rassemblée dans l'entrée, jaillit hors de la ferme et piqua un sprint en direction de la porte ouest. Au seuil du Labyrinthe il ralentit sa course. Son instinct lui interdisait de s'y engouffrer à la légère. Newt l'appela, ce qui retarda sa décision.

— Minho les a suivis! cria Thomas quand Newt le rejoignit, une serviette posée sur sa plaie à la tête.

— Je suis au courant, répondit Newt. (Il regarda sa serviette, sur laquelle une tache de sang s'élargissait déjà; il la remit en place avec une grimace.) Minho a sûrement pété les plombs, et je ne te parle pas de Gally; lui, j'ai toujours su qu'il était dingue.

Thomas ne s'inquiétait que pour Minho.

— Je vais le chercher.

— Tu vas encore jouer les héros?

Thomas, vexé, lui lança un regard noir.

— Tu crois que je fais ça pour vous impressionner, toi et les autres tocards? Arrête. Tout ce qui m'intéresse, c'est de me tirer d'ici.

— Oui, oui, on sait que tu es un dur à cuire. Mais pour l'instant on a d'autres problèmes.

— Hein?

Thomas savait que s'il voulait rattraper Minho, il n'avait pas une seconde à perdre.

— Oui, quelqu'un a…, commença Newt.

— Le voilà! l'interrompit Thomas.

Minho venait de réapparaître au bout du couloir. Thomas mit ses mains en porte-voix:

— Qu'est-ce que tu fabriquais, abruti?

Minho passa la porte puis s'arrêta, plié en deux, les mains sur les genoux. Il attendit d'avoir récupéré un peu son souffle pour répondre:

— Je… voulais juste… vérifier.

— Vérifier quoi? demanda Newt. Ça nous aurait bien avancés que tu te fasses embarquer avec Gally.

Minho se redressa, les mains sur les hanches, encore essoufflé.

— Lâchez-moi, les gars. Je voulais simplement vérifier qu'ils repartaient bien vers la Falaise. Vers le trou des Griffeurs.

— Et alors? demanda Thomas.

— Bingo!

Minho s'essuya le front.

— Je n'arrive pas à le croire, marmonna Newt. Quelle nuit!

— Qu'est-ce que tu voulais me dire tout à l'heure? lui demanda Thomas. Tu as parlé de problèmes…

— Oui. (Newt fit un geste du pouce pour indiquer un point derrière lui.) On voit encore la fumée.

Thomas regarda. La porte de la salle des cartes était entre-bâillée et un ruban de fumée noire s'en échappait.

— Quelqu'un a mis le feu aux coffres, expliqua Newt. Toutes les cartes ont brûlé.

*

Thomas ne se souciait pas plus que ça des plans. Il se rendit sous la fenêtre du gnouf. Il avait vu Newt et Minho échanger un regard étrange au moment de les quitter, comme s'ils partageaient un secret. Mais lui ne pensait qu'à une chose.

— Teresa? appela-t-il.

Elle apparut derrière les barreaux en se frottant les yeux.

— Quelqu'un est mort? demanda-t-elle d'une voix ensommeillée.

— Tu *dormais*? s'exclama Thomas.

Il était si soulagé de la voir indemne qu'il commença à se détendre.

— Oui, répondit-elle. Jusqu'à ce que quelqu'un se mette en tête de démolir la ferme. Qu'est-ce qu'il s'est passé?

Thomas secoua la tête avec incrédulité.

— Je ne sais pas comment tu as pu dormir avec tous ces Griffeurs à proximité.

— Tu devrais essayer de sortir du coma, un de ces jours. Tu verrais comme on se sent.

— *Et maintenant réponds-moi,* ajouta-t-elle dans sa tête.

Thomas cligna des paupières, décontenancé.

— Arrête ça, tu veux?

— Dis-moi simplement ce qui s'est passé.

Thomas soupira; c'était une longue histoire, et il n'avait pas envie d'entrer dans les détails.

— Tu ne connais pas Gally, mais c'est un cinglé qui s'était enfui. Il est revenu, il a sauté sur un Griffeur et ils l'ont emporté dans le Labyrinthe. C'était très bizarre.

Il jeta un coup d'œil derrière lui, espérant apercevoir Alby quelque part. Il accepterait sûrement de libérer Teresa tout de suite. On voyait des blocards un peu partout, mais aucun signe de leur chef. Thomas se retourna vers Teresa.

— Je ne comprends pas. Pourquoi les Griffeurs sont-ils partis après avoir eu Gally? Il a dit qu'ils nous tueraient l'un après l'autre, un chaque nuit, jusqu'au dernier. Il l'a répété au moins deux fois.

Teresa laissa pendre ses mains entre les barreaux, les avant-bras en appui sur le rebord de la fenêtre.

— Seulement un chaque nuit ? Pourquoi ?

— Aucune idée. Il a parlé de… paramètres. Ou de variables. Je ne sais plus.

Thomas éprouva l'envie soudaine de prendre la main de Teresa. Il se retint.

— Tom, j'ai repensé à ce que je t'ai dit l'autre fois dans ta tête. Que le Labyrinthe est un code. Le fait de se retrouver enfermée ici stimule la réflexion.

— Tu as trouvé quelque chose ?

Vivement intéressé, il s'efforça d'ignorer les conversations animées qui éclataient à travers le Bloc à mesure que les blocards apprenaient l'incendie de la salle des cartes.

— Les murs se déplacent tous les jours, c'est ça ?

— Oui.

— Et Minho pense que les déplacements suivent un certain schéma, exact ?

— Exact.

Des rouages commençaient à s'enclencher dans la tête de Thomas. Il eut l'impression que certains souvenirs étaient sur le point de lui revenir en mémoire.

— Eh bien, je ne me rappelle plus pourquoi j'ai parlé de code, mais quand je suis sortie du coma, toutes sortes d'idées et de souvenirs se bousculaient dans ma tête, comme si on était en train de me les *aspirer*, pour me vider la mémoire. Et je crois que j'ai ressenti le besoin de te dire ça avant de l'oublier. C'est donc sûrement important.

Thomas l'entendait à peine. Il n'avait pas réfléchi aussi intensément depuis longtemps.

— Tous les jours, on compare le plan de chaque section avec celui de la veille, puis de l'avant-veille, et ainsi de suite, murmura-t-il. Chaque coureur s'occupe uniquement de sa section. Mais supposons qu'il faille le comparer avec les plans des *autres* sections…

Il était convaincu d'être sur la bonne voie.

Teresa ne l'écoutait pas, suivant elle aussi son propre raisonnement :

— La première chose qui me vient à l'esprit quand j'entends le mot «code», ce sont des lettres. Des lettres de l'alphabet. Peut-être que le Labyrinthe essaie d'*épeler* un message.

Tout s'emboîtait trés vite dans l'esprit de Thomas, toutes les pièces du puzzle se mettaient en place en même temps.

— C'est ça, c'est ça! Sauf que les coureurs ne regardaient pas là où il aurait fallu. Ils se trompaient depuis le début!

Teresa se cramponnait aux barreaux, les phalanges blanchies, le visage pressé contre le fer.

— Quoi? De quoi est-ce que tu parles?

Thomas empoigna les barreaux à son tour.

— Minho m'a dit que les schémas se répétaient, mais qu'ils n'arrivaient à en dégager aucune signification. Sauf qu'ils ont toujours examiné les plans section par section, jour après jour. Et si chaque jour correspondait à un élément du code, et qu'il faille étudier les huit sections dans leur ensemble?

— Tu crois que chaque jour pourrait correspondre à un mot différent? demanda Teresa. Par le mouvement des murs?

Thomas hocha la tête.

— Ou peut-être une lettre par jour, je ne sais pas. En tout cas, ils ont toujours cru que les cartes leur indiquaient un moyen d'évasion, et non un message. Ils les ont étudiées comme des plans et non comme des images. Il ne nous reste plus qu'à… (Il s'interrompit en se rappelant ce que Newt venait de lui apprendre.) Oh, non.

Une lueur d'inquiétude brilla dans les yeux de Teresa.

— Quoi?

— Oh, non, non!

Thomas lâcha les barreaux et recula en titubant, accablé. Il pivota vers la salle des cartes. La fumée s'était éclaircie, mais elle continuait à s'échapper de la porte en filaments brumeux qui recouvraient l'ensemble de la cour.

— Qu'est-ce qu'il y a? insista Teresa.

Depuis sa cellule elle ne pouvait pas voir la salle des cartes. Thomas se retourna face à elle.

— Je ne pensais pas que c'était important…

— *Quoi donc?* s'écria-t-elle.

— Quelqu'un a brûlé toutes les cartes. S'il y avait un code, il est parti en fumée.

CHAPITRE 41

— Je reviens, dit Thomas. Je dois trouver Newt, voir s'il a pu sauver quelques plans.

Une bile acide lui brûlait l'estomac.

— Attends! cria Teresa. Sors-moi d'ici!

Mais Thomas n'avait pas le temps, même s'il s'en voulait de penser ça.

— Je ne peux pas. Je vais revenir, je te le promets!

Il piqua un sprint en direction de la salle des cartes. Si Teresa avait vu juste, ils avaient été sur le point de percer le mystère du Labyrinthe, juste avant de perdre la solution dans les flammes… C'était tellement rageant que ça lui faisait mal.

Un groupe de blocards se tenait devant la porte en acier, toujours entrouverte, l'extérieur noirci. En s'approchant, Thomas s'aperçut qu'il y avait une forme étendue à leurs pieds. Newt, agenouillé, était penché au-dessus d'un corps.

Minho, debout derrière lui, désemparé et couvert de suie, fut le premier à remarquer Thomas.

— Où es-ce que tu étais passé? lui demanda-t-il.

— J'étais avec Teresa. Que s'est-il passé? répondit Thomas, inquiet.

La colère déforma le visage de Minho.

— La salle des cartes est en train de brûler, et toi tu files pour aller discuter avec ta copine? Qu'est-ce qui ne va pas chez toi?

— Je me suis dit que ça n'avait pas d'importance, vu que vous n'aviez rien tiré de ces plans…

Minho grimaça de dégoût.

— Oui, c'est vraiment le moment idéal pour baisser les bras. Qu'est-ce que… ?

— Je suis désolé. Dis-moi juste ce qui s'est passé.

Thomas se pencha pour jeter un coup d'œil sur le corps. C'était Alby, allongé sur le dos, une plaie béante en travers du front. Le sang lui coulait de part et d'autre du visage, et jusque dans les yeux. Newt l'essuyait délicatement avec un linge humide, en l'interrogeant à voix basse. Thomas se tourna vers Minho et lui reposa sa question.

— Winston l'a trouvé là, à moitié mort, pendant que la salle des cartes flambait. D'autres tocards sont arrivés pour éteindre les flammes, mais trop tard. Les coffres ne contiennent plus que des cendres. Au début, j'ai soupçonné Alby, sauf que le coupable l'a assommé contre la table. Il y a encore du sang dessus.

— Qui a pu faire ça, à ton avis ?

Thomas hésitait à lui parler de l'hypothèse que Teresa et lui avaient émise. Sans plans, elle ne valait plus rien.

— Peut-être Gally, avant de débarquer à la ferme et de nous faire son numéro de barjo ? Je ne sais pas et je m'en fiche. Ça n'a plus d'importance.

Thomas s'étonna de ce brusque changement d'humeur.

— Lequel de nous deux baisse les bras, maintenant ?

Minho redressa la tête. Thomas lut de la colère dans son regard, puis une expression de surprise ou de confusion.

— Ce n'est pas ce que je voulais dire, tocard.

Thomas plissa les paupières avec curiosité.

— Ah bon ?

— Écoute, boucle-la un peu, d'accord ? (Minho posa un doigt sur ses lèvres, en regardant à droite et à gauche pour s'assurer que personne ne les écoutait.) Boucle-la, c'est tout. Je t'expliquerai plus tard.

Thomas réfléchit. S'il voulait que les autres soient honnêtes avec lui, il avait intérêt à l'être avec eux. Avec ou sans plans, il décida de leur parler de l'existence probable d'un code dans le Labyrinthe.

— Minho, il faut que je vous confie un truc à Newt et à toi. Il faudrait aussi faire sortir Teresa : elle doit mourir de faim, et elle pourrait nous être utile.

— Ta copine ? J'ai vraiment autre chose à penser pour l'instant.

— Accorde-nous cinq minutes, on a eu une idée. Ça pourrait peut-être encore marcher si les coureurs se souviennent de leurs derniers plans.

Voilà qui retint aussitôt l'attention de Minho, mais une fois encore, il prit un air étrange, comme si Thomas passait à côté d'une chose parfaitement évidente.

— Une idée ? Laquelle ?

— Venez avec moi jusqu'au gnouf.

Minho n'hésita qu'une seconde.

— Newt ! appela-t-il.

— Oui ?

Newt se releva.

Minho pointa le doigt sur Alby.

— Laisse les medjacks s'en occuper. Il faut qu'on parle.

Newt lui lança un regard interrogateur, puis tendit son chiffon au blocard le plus proche.

— Va chercher Clint. Dis-lui qu'on a des problèmes plus urgents à régler que des gars avec des échardes.

Alors que le garçon filait, Newt s'éloigna d'Alby.

— Parler de quoi ?

Minho indiqua Thomas d'un coup de menton.

— Venez avec moi, fit Thomas.

Puis il tourna les talons et partit en direction du gnouf.

*

— Faites-la sortir, dit Thomas devant la porte de la cellule, les bras croisés. Après, on pourra parler. Croyez-moi, il faut que vous nous écoutiez.

Newt, sale et couvert de suie, les cheveux poissés de sueur, avait l'air d'une humeur exécrable.

— Tommy, ce n'est pas…

— *S'il te plaît.* Ouvre la porte et laisse-la sortir.

Il n'avait pas l'intention de céder, cette fois.

Minho se planta devant la porte, les mains sur les hanches.

— Comment veux-tu qu'on lui fasse confiance ? demanda-t-il. Dès qu'elle s'est réveillée, les choses ont commencé à dégénérer. Elle a reconnu elle-même avoir déclenché un truc.

— Il n'a pas tort, observa Newt.

Thomas fit un geste en direction de la porte.

— Elle est de notre côté. Chaque fois qu'on a discuté tous les deux, c'était pour chercher un moyen de sortir d'ici. Elle a été envoyée ici tout comme nous. C'est ridicule de la croire responsable de ce qui nous arrive.

Newt grommela.

— Alors, pourquoi est-ce qu'elle a dit qu'elle avait enclenché un processus ?

Thomas haussa les épaules, refusant d'admettre que Newt marquait un point. Il y avait forcément une explication.

— Je n'en sais rien… Elle n'avait pas les idées claires à son réveil. Peut-être que ça nous arrive à tous, dans la Boîte, de raconter n'importe quoi avant d'émerger pour de bon. Allez, libérez-la.

Newt et Minho échangèrent un long regard.

— De quoi vous avez peur ? insista Thomas. Qu'elle poignarde tous les blocards l'un après l'autre ?

Minho soupira.

— C'est bon. Il n'y a qu'à libérer cette débile.

— Je ne suis pas débile! cria Teresa d'une voix étouffée par les murs. J'entends tout ce que vous dites, bande de crétins!

Newt écarquilla les yeux.

— Une vraie câline que tu t'es dénichée là, Tommy!

— Allez, vite, dit Thomas. Je suis sûr qu'on a plein de choses à faire avant que les Griffeurs reviennent ce soir... en supposant qu'ils nous laissent tranquilles pendant la journée.

Newt bougonna et sortit son trousseau de clefs. Quelques déclics plus tard, la porte s'ouvrait en grand.

— Viens là.

Teresa sortit de sa cellule en jetant un regard noir à Newt puis à Minho. Elle vint se placer juste à côté de Thomas. Leurs bras se frôlèrent; Thomas frissonna, très gêné.

— Bon, on t'écoute, fit Minho. Qu'y a-t-il de si important?

Thomas se tourna vers Teresa. Il se demandait comment formuler la chose.

— Ah non, protesta-t-elle, c'est toi qui parles! Moi, ils me prennent pour une tueuse en série.

— Il faut reconnaître que tu sembles dangereuse, marmonna Thomas. (Il se tourna vers Newt et Minho.) OK, quand Teresa est sortie de son coma, plusieurs souvenirs lui sont revenus en mémoire. Elle, euh... (Il se retint d'avouer qu'elle lui avait parlé directement dans sa tête.) Elle m'a raconté plus tard qu'elle s'est souvenue que le Labyrinthe était un code. Si ça se trouve, au lieu de nous faire miroiter une sortie, il essaie de nous envoyer un message.

— Un code? répéta Minho. Comment ça?

Thomas secoua la tête.

— Je ne sais pas exactement, tu connais mieux les plans que moi. Mais j'ai une théorie. C'est pour ça que j'espère que les coureurs pourront se rappeler leurs derniers plans.

Minho lança à Newt un regard interrogatif. Newt hocha la tête.

— Quoi ? s'agaça Thomas, exaspéré par leurs cachotteries. Vous savez un truc que je ne sais pas ?

Minho se frotta les yeux et respira un grand coup.

— On avait caché les cartes, Thomas.

Thomas mit un instant à comprendre.

— Pardon ?

— On les avait cachées dans la cave des armes et remplacées par des fausses, expliqua Minho. À cause de la mise en garde d'Alby. Et du soi-disant processus de fin enclenché par ta copine.

Thomas, excité, en oublia momentanément leur situation désespérée. Il se souvint du comportement suspect de Minho la veille, quand il avait parlé d'une mission spéciale. Thomas se tourna vers Newt, qui confirma d'un hochement de tête.

— Elles sont intactes, conclut Minho. Il n'en manque pas une. Alors, si tu as une théorie, crache le morceau.

— Montrez-les-moi d'abord, demanda Thomas, impatient de pouvoir les consulter.

— D'accord, allons-y.

CHAPITRE 42

Minho alluma la lumière. Thomas dut plisser les paupières un instant, le temps que ses yeux s'y habituent. Des ombres menaçantes se découpaient derrière les caisses d'armes disposées par terre et sur la table ; les lames, bâtons et autres ustensiles à l'aspect redoutable semblaient attendre patiemment, prêts à s'animer et à mettre en pièces la première personne assez stupide pour s'approcher. L'odeur de terre humide ne faisait qu'ajouter à l'atmosphère sinistre de la cave.

— Il y a une pièce secrète, là, derrière, expliqua Minho en contournant une étagère dans un coin sombre. On n'était que deux à être au courant.

Thomas entendit un grincement de bois, puis Minho sortit une grosse boîte en carton, qu'il traîna sur le sol.

— J'ai rangé le contenu de chaque coffre dans un carton. Ça fait huit cartons en tout.

— Celui-là correspond à quel secteur ? demanda Thomas en s'agenouillant devant, pressé de se mettre au travail.

— Ouvre-le, tu verras bien : les feuilles sont numérotées.

Thomas ouvrit le carton et découvrit les plans de la section 2 entassés pêle-mêle. Il plongea les mains à l'intérieur et en sortit une brassée.

— D'accord, commença-t-il, vous les avez toujours comparés d'un jour à l'autre, à la recherche d'un schéma qui vous aiderait à localiser la sortie. Tu m'as dit que vous ne saviez pas vraiment ce que vous cherchiez, mais que vous continuiez à les examiner quand même. C'est bien ça ?

Minho acquiesça, les bras croisés, aussi sérieux que si on s'apprêtait à lui révéler le secret de l'immortalité.

— Bon, continua Thomas, et si le déplacement des murs n'avait aucun rapport avec le plan du Labyrinthe ou sa réorganisation ? S'il s'agissait simplement de former des *mots* ? Des indices, qui nous aideraient à nous échapper ?

Avec un soupir de frustration, Minho désigna les cartes que Thomas tenait à la main.

— Mec, tu as une idée du temps qu'on y a passé ? Tu crois que ça nous aurait échappé si on pouvait y lire des *mots* ?

— Peut-être que c'est trop difficile à repérer à l'œil nu en les comparant d'un jour à l'autre ; ou peut-être qu'il faut regrouper tous les plans d'une même journée ?

Newt rit.

— Tommy, je veux bien reconnaître que je ne suis pas le plus futé du Bloc, mais je ne comprends pas un mot de ce que tu racontes.

Tout en parlant, Thomas continuait à réfléchir intensément. Il sentait que la solution était à portée de main, là, sous ses yeux. Pourtant, il avait beaucoup de mal à la formuler.

— D'accord, d'accord. (Il décida de recommencer depuis le début). Vous avez systématiquement nommé un coureur par section ?

— Oui, répondit Minho, sincèrement intéressé et prêt à comprendre.

— Et ce coureur dessine un nouveau plan chaque jour, qu'il compare aux plans précédents, *uniquement pour sa section*. Mais supposons qu'il faille comparer les plans de chaque section *les uns aux autres*, tous les jours ? Et que chaque jour fournisse un indice précis, ou un élément du code ? Est-ce que vous avez déjà comparé les plans des différentes sections ?

Minho se caressa le menton d'un air songeur.

— Oui, plus ou moins. On a essayé de les mettre bout à bout pour voir ce que ça donnait. On a tout essayé.

Thomas s'assit en tailleur et posa la liasse sur ses genoux. Les lignes de la deuxième carte se devinaient par transparence à travers la feuille du dessus. Il sut alors ce qu'il leur restait à faire. Il leva les yeux vers ses camarades.

— Du papier cuisson!

— Hein? dit Minho. Qu'est-ce que tu…?

— Fais-moi confiance. Il nous faut du papier cuisson et des ciseaux. Et plein de marqueurs noirs et de stylos.

*

Poêle-à-frire accueillit sans enthousiasme la réquisition de tous ses rouleaux de papier cuisson, surtout qu'à présent il n'en recevrait plus d'autres. Mais il finit par les leur donner.

Après dix minutes de chasse aux marqueurs et aux stylos – la plupart avaient brûlé dans l'incendie de la salle des cartes –, Thomas s'installait à la table de travail de la cave en compagnie de Newt, Minho et Teresa. Comme ils n'avaient pas trouvé de ciseaux, il dut se contenter d'un couteau bien aiguisé.

— J'espère qu'on n'est pas en train de perdre notre temps, prévint Minho.

Bien que sa voix soit sévère, ses yeux brillaient d'excitation.

Newt se pencha en avant, les coudes sur la table, comme s'il s'attendait à un tour de magie.

— On t'écoute, Tommy.

— C'est parti.

Thomas avait une trouille bleue à l'idée de s'être trompé. Il tendit le couteau à Minho en lui indiquant le papier cuisson.

— Découpe des rectangles de la taille des plans. Teresa et moi, on va prendre les dix premiers plans de chaque section.

Minho contempla le couteau d'un air dépité.

— C'est quoi ? Une séance de travaux manuels ? grogna-t-il. Pourquoi tu ne nous dis pas simplement à quoi ça va servir ?

— Parce que j'en ai assez d'expliquer, rétorqua Thomas. (Il se leva.) Je préfère vous montrer. Si j'ai tort, on pourra toujours retourner trotter dans le Labyrinthe comme des souris de laboratoire.

Minho soupira, clairement agacé, puis grommela dans sa barbe. Teresa, qui n'avait pas dit un mot depuis un moment, s'adressa mentalement à Thomas.

— *Je crois comprendre où tu veux en venir. C'est génial, bravo.*

Quoique surpris, Thomas s'efforça de rester impassible. Mieux valait éviter de trahir leur secret.

— *Viens… plutôt… m'aider,* essaya-t-il de lui demander, en pensant distinctement chaque mot et en s'efforçant de visualiser son message avant de l'*envoyer.* Teresa resta sans réaction.

— Teresa, dit-il à voix haute, tu peux m'aider une seconde ?

Ils passèrent dans la pièce secrète et ouvrirent tous les cartons. Ils prélevèrent une liasse de feuilles dans chaque. Lorsqu'ils ramenèrent leur butin sur la table, ils constatèrent que Minho avait déjà découpé une vingtaine de rectangles, empilés en désordre sur sa droite.

Thomas en prit un et l'éleva sous une ampoule à la luminosité laiteuse. C'était exactement ce qu'il lui fallait.

Il attrapa un marqueur.

— Bon, on va décalquer les dix derniers plans de chaque section sur ces feuilles. N'oubliez pas de noter le numéro dans le coin pour qu'on s'y retrouve. Quand ce sera fait, il est possible qu'on voie quelque chose apparaître.

— Que… ? commença Minho.

— Continue à découper, toi, lui ordonna Newt. J'ai l'impression que je commence à comprendre.

Thomas fut soulagé de l'entendre.

Ils se mirent à décalquer un à un les plans sur le papier cuisson, s'appliquant à les reproduire vite et bien. Thomas se servit d'une planchette comme d'une règle pour tracer ses lignes droites. Il eut bientôt terminé cinq plans, puis cinq autres. Ses camarades avançaient au même rythme.

Ils continuèrent ainsi carton après carton, section après section.

— J'en ai marre, finit par annoncer Newt. J'ai les doigts en feu. Voyons ce que ça donne.

Thomas posa son marqueur, puis s'assouplit les doigts. Il espérait ne pas s'être trompé.

— D'accord, passez-moi les derniers jours de chaque section. On va les ranger en piles le long de la table, de la section 1 à la section 8 – 1 ici et 8 là.

Ils trièrent les calques en silence jusqu'à former huit piles de feuilles soigneusement alignées.

Autant surexcité qu'angoissé, Thomas prit la première feuille de chaque pile et vérifia qu'elles correspondaient bien au même jour. Puis il les superposa. Par transparence, il pouvait ainsi observer les huit sections du Labyrinthe à la fois. Ce qu'il vit le stupéfia. Une image était apparue comme par magie dans le fouillis des lignes. Teresa laissa échapper un petit cri.

Les tracés se recoupaient, de haut en bas, si bien que Thomas avait l'impression de regarder une simple grille. Mais certaines lignes, au milieu, revenaient plus souvent que d'autres et formaient un tracé plus foncé. Quoique subtile, la différence était indubitable.

Pile au centre de la page se dessinait la lettre F.

CHAPITRE 43

Thomas fut envahi par un flot d'émotions variées : du soulagement en voyant que ça marchait, de la surprise, de l'excitation et de la curiosité à l'idée de ce qu'ils allaient découvrir.

— Mince, murmura Minho.

— C'est peut-être une coïncidence, dit Teresa. Vérifie avec les autres, vite.

Thomas regroupa les huit feuilles de chaque section pour les différentes journées. Chaque fois, une lettre apparaissait dans le réseau des lignes entrecroisées. Après le F vint un L, puis un O, deux T, un E, un R, un A et un T.

— Regardez, dit Thomas en indiquant la rangée de piles qu'il venait de constituer. On lit FLOTTE, puis RAT.

— Flotte rat ? répéta Minho. Drôle de code pour une évasion.

— Continuons, suggéra Thomas.

Une demi-douzaine de combinaisons supplémentaires leur permirent de comprendre qu'en réalité le deuxième mot était ATTRAPER. FLOTTER puis ATTRAPER.

— Ça n'est pas une coïncidence, fit Minho.

— Sûrement pas, approuva Thomas.

Il avait hâte de découvrir la suite.

Teresa indiqua la pièce secrète.

— Il va falloir faire pareil avec tous les plans qui sont dans ces cartons.

— Oui, confirma Thomas. Au boulot !

— On ne va pas pouvoir vous aider, déclara Minho.

Ses trois camarades le dévisagèrent. Il soutint leur regard.

— Pas Thomas et moi, en tout cas. Il faut qu'on renvoie les coureurs dans le Labyrinthe.

— Quoi? s'exclama Thomas. Ça, c'est beaucoup plus important!

— Peut-être, admit Minho avec calme, mais on ne peut pas se permettre de rater une journée. Surtout pas maintenant.

Thomas était très déçu. Cartographier le Labyrinthe lui paraissait une perte de temps à côté du décryptage du code.

— Pourquoi, Minho? Tu as dit toi-même que les schémas se répètent à l'identique tous les mois ou à peu près. Un jour de plus ou de moins, quelle différence?

Minho tapa un bon coup sur la table.

— Réfléchis un peu, Thomas! Ces jours-ci sont peut-être les plus importants de tous. Quelque chose a très bien pu changer, peut-être qu'une porte s'est ouverte quelque part. En fait, vu que ces saletés de murs ne veulent plus se fermer, je crois qu'on devrait tester ton idée : rester dehors toute la nuit et pousser nos explorations à fond.

Cela faisait un moment que Thomas voulait tenter ça. Tiraillé, il objecta :

— Mais… et le code? Qui va…?

— Tommy, l'interrompit Newt d'une voix apaisante, Minho a raison. Partez avec les autres coureurs. Je vais réunir quelques tocards dignes de confiance et les mettre là-dessus.

Newt n'avait jamais autant donné l'impression d'être un chef.

— Je vais rester pour aider Newt, ajouta Teresa.

Thomas se tourna vers elle.

— Tu es sûre?

L'envie de déchiffrer le code lui-même le démangeait, mais il devait admettre que Minho et Newt avaient raison.

Teresa sourit en croisant les bras.

— Pour ce qui est de déchiffrer un code complexe caché dans des plans, je pense que le cerveau d'une fille ne sera pas de trop.

Son sourire se fit franchement narquois.

— Si tu le dis...

— D'accord, fit Minho en hochant la tête. C'est réglé, donc. Allons-y.

Il se dirigea vers la porte, puis s'arrêta quand il se rendit compte que Thomas ne le suivait pas.

— Ne t'en fais pas, Tommy, dit Newt. Je veillerai sur ta copine.

Mille pensées confuses se bousculèrent dans la tête de Thomas, partagé entre l'envie de connaître le code, la gêne à l'idée de ce qu'on pensait de Teresa et de lui, la curiosité de ce qu'ils pourraient découvrir dans le Labyrinthe... et la peur.

Il suivit Minho sans un mot.

*

Thomas aida Minho à rassembler les coureurs et à organiser l'expédition. Il fut surpris de les voir approuver aussi facilement leur projet d'explorer à fond le Labyrinthe en y passant la nuit. Malgré une certaine nervosité, il proposa à Minho de s'occuper seul d'une section, mais Minho refusa. Ils étaient huit coureurs expérimentés pour ça. Thomas viendrait avec lui. Il accueillit cette réponse avec un soulagement honteux.

Minho et lui bourrèrent de provisions leurs sacs à dos ; ils ne savaient pas combien de temps durerait leur absence. Malgré la peur, Thomas ne pouvait s'empêcher d'éprouver de l'excitation. Peut-être trouveraient-ils enfin une issue.

Ils s'étiraient devant la porte ouest quand Chuck les rejoignit pour leur dire au revoir.

— Je vous accompagnerais bien, dit-il avec une fausse bonne humeur, mais j'aurais trop peur de mourir dans d'atroces souffrances.

Thomas s'esclaffa malgré lui.

— Merci pour ces paroles d'encouragement.

— Faites attention à vous, ajouta Chuck d'une voix qui trahissait une inquiétude sincère. J'aimerais pouvoir vous aider.

Thomas fut touché. Il aurait parié que si on le lui avait demandé, Chuck serait venu avec eux.

— Merci, Chuck. On sera prudents.

— La prudence ne nous a menés nulle part, grommela Minho. Cette fois-ci, ça passe ou ça casse !

— On ferait mieux d'y aller, suggéra Thomas.

Il avait hâte de se mettre en route. Après tout, aller dans le Labyrinthe n'était pas plus dangereux que de rester au Bloc avec les portes ouvertes. Mais cette idée ne le réconfortait pas beaucoup.

— Oui, approuva Minho d'une voix neutre. Allons-y.

— Bonne chance ! fit Chuck en regardant ses chaussures avant de relever la tête vers Thomas. Si ta copine s'ennuie, je m'occuperai d'elle.

Thomas leva les yeux au ciel.

— Ce n'est pas ma copine, guignol.

— Waouh, s'exclama Chuck. Tu piques les expressions d'Alby, maintenant ? (À l'évidence, il se donnait beaucoup de mal pour cacher son angoisse mais ses yeux le trahissaient.) Sérieusement, bonne chance.

— Merci, c'est très émouvant, commenta Minho en levant les yeux au ciel lui aussi. À plus tard, tocard !

— C'est ça, à plus tard, marmonna Chuck.

Thomas éprouva soudain une bouffée de mélancolie : il ne reverrait peut-être plus jamais Chuck, Teresa et les autres. Son cœur se serra.

— N'oublie pas ma promesse ! dit-il. Je te ramènerai chez toi !

Chuck leva les deux pouces, les larmes aux yeux.

Thomas leva les pouces à son tour ; après quoi, Minho et lui endossèrent leurs sacs et pénétrèrent dans le Labyrinthe.

CHAPITRE 44

Thomas et Minho ne firent pas un seul arrêt avant d'arriver à mi-chemin du dernier cul-de-sac de la section 8. Ils progressaient vite. Il devint rapidement évident que les murs n'avaient pas bougé depuis la veille. Ils n'avaient donc pas besoin de prendre de notes ; leur unique tâche consistait à parcourir toute la section puis à revenir sur leurs pas, à l'affût du moindre détail, n'importe lequel. Minho leur accorda une pause de vingt minutes, puis ils repartirent.

Ils couraient en silence. Minho avait appris à Thomas que parler n'était qu'un gaspillage d'énergie ; il se concentrait donc sur sa foulée et sur son souffle. Profond, régulier. Inspirer, souffler. Inspirer, souffler. Ils s'enfonçaient de plus en plus loin dans le Labyrinthe, perdus dans leurs pensées, sans autre bruit que le claquement de leurs semelles sur le sol de pierre.

Au cours de la troisième heure, Teresa surprit Thomas en lui parlant par télépathie depuis le Bloc.

— *On avance. On a trouvé deux autres mots. Mais ça ne veut pas dire grand-chose pour l'instant.*

Le premier réflexe de Thomas fut de l'ignorer, de nier qu'une personne puisse s'introduire ainsi dans son esprit, violer son intimité. Mais il avait très envie de lui parler.

— *Est-ce que tu m'entends ?* demanda-t-il, en formulant sa question dans son esprit, avant de la lui envoyer d'une manière qu'il n'aurait pas su expliquer.

Il se concentra et répéta :

— *Est-ce que tu m'entends ?*

— *Oui !* répondit-elle. *Très clairement, la deuxième fois.*

Thomas en fut tellement abasourdi qu'il faillit s'arrêter de courir. Ça marchait !

— *Je me demande comment on arrive à discuter comme ça,* dit-il.

L'effort mental que cela lui réclamait n'était pas sans conséquence : un début de migraine lui serrait le crâne comme dans un étau.

— *On est peut-être amoureux,* suggéra Teresa.

Thomas trébucha et roula dans la poussière. Il fit un sourire stupide à Minho, qui s'était retourné sans ralentir, se releva et piqua un sprint pour le rattraper.

— *Pardon ?* dit-il enfin.

Il perçut son rire comme une image trouble et pleine de couleurs.

— *C'est trop bizarre,* avoua-t-elle. *On dirait que tu es un inconnu, mais je sais que ce n'est pas vrai.*

Il avait beau suer sang et eau, Thomas éprouva une agréable sensation de fraîcheur.

— *Désolé de te dire ça, mais on est des inconnus l'un pour l'autre. On vient à peine de se rencontrer, tu as déjà oublié ?*

— *Arrête, Tom. À mon avis, on a modifié nos deux cerveaux avant qu'on débarque ici pour nous permettre d'établir ce lien télépathique. Ce qui veut dire qu'on se connaissait déjà.*

Thomas admit qu'elle avait probablement raison. Il l'espérait, en outre, car il l'appréciait de plus en plus.

— *Modifier nos cerveaux ? Comment ça ?*

— *Je ne sais pas. Je ne m'en souviens pas exactement. Je crois qu'on a fait quelque chose d'énorme.*

— *De quoi est-ce que tu parles ?* répondit-il.

— *J'aimerais bien le savoir. J'essaie juste de jeter des idées en vrac pour voir si ça réveille quelque chose chez toi.*

Thomas repensa à ce que Gally, Ben et Alby lui avaient dit : on ne pouvait pas lui faire confiance, parce qu'il n'était pas l'un des leurs. Il se souvint des mots de Teresa : elle et lui étaient en quelque sorte responsables de leur situation à tous.

— *Ce code doit bien vouloir dire quelque chose,* ajouta-t-elle. *Comme ce truc que j'avais écrit sur mon bras :* WICKED is good.

Thomas plissa les paupières durant quelques secondes pour mieux se concentrer. Il avait l'impression qu'une bulle d'air gonflait dans sa poitrine chaque fois qu'ils se parlaient, sensation irritante et stimulante à la fois. Il réalisa d'un coup qu'elle pouvait peut-être lire ses pensées même quand elles ne lui étaient pas adressées. Il attendit en vain une réaction de sa part.

— *Tu es encore là ?* demanda-t-il.

— *Oui, mais cette télépathie me file toujours la migraine.*

Thomas fut soulagé d'apprendre qu'il n'était pas le seul.

— *Moi aussi, j'ai mal à la tête.*

— *D'accord,* dit-elle. *À plus tard.*

— *Non, attends !*

Il n'avait pas envie de rompre le contact ; leur discussion faisait passer le temps, rendait la course plus agréable.

— *À plus, Tom. Je te préviendrai si on découvre quoi que ce soit.*

— *Teresa, et ce truc que tu avais écrit sur ton bras ?*

Plusieurs secondes s'écoulèrent sans réponse.

— *Teresa ?*

Elle était partie. Thomas eut l'impression que la bulle dans sa poitrine avait éclaté, libérant un flot de toxines dans son organisme. Il avait mal au ventre, et tout à coup l'idée de passer le reste de la journée à courir le déprimait.

Il aurait bien aimé parler à Minho de ses conversations mentales avec Teresa, se confier à lui avant que son cerveau n'explose. Mais il n'osait pas. La situation était suffisamment bizarre comme ça.

Thomas courba la tête et prit une grande inspiration. Il continuerait à se taire et à courir.

Deux croisements plus loin, Minho finit par ralentir au fond d'une longue impasse. Il termina sa course en marchant et s'assit, adossé au mur du fond. Le lierre, particulièrement dense à cet endroit, tissait un rideau vert et luxuriant.

Thomas se laissa glisser au sol à côté de son camarade et ils attaquèrent leur pique-nique.

— Et voilà, déclara Minho, la bouche pleine. On a parcouru toute la section d'un bout à l'autre. Et pas l'ombre d'une sortie.

Bien que Thomas le sache déjà, l'entendre énoncer comme ça rendait la chose encore plus démoralisante. Ils achevèrent de manger en silence puis se préparèrent à repartir.

Pendant plusieurs heures, Minho et lui scrutèrent le sol, palpèrent les murs, grimpèrent dans le lierre au hasard. Ils ne trouvaient rien, et Thomas se sentait de plus en plus découragé. La seule chose digne d'intérêt fut l'un de ces panneaux qui annonçaient WORLD IN CATASTROPHE : KILLZONE EXPERIMENT DEPARTMENT. Minho ne lui accorda qu'un coup d'œil dédaigneux.

Ils prirent un deuxième repas, et continuèrent leurs recherches. Quand vint l'heure de la fermeture des portes, ils se mirent à guetter les Griffeurs et marquèrent un temps d'hésitation à chaque tournant. Tous deux avançaient avec un couteau dans chaque main.

Vers minuit Minho vit un Griffeur traverser un croisement devant eux et disparaître. Trente minutes plus tard, Thomas en vit un autre répéter le même manège. Une heure plus tard, un Griffeur leur fonça dessus et les croisa sans même ralentir. Thomas faillit s'évanouir de terreur.

Minho et lui continuèrent.

— Je crois qu'ils jouent avec nos nerfs, dit finalement Minho.

Thomas se rendit compte qu'il avait cessé de scruter les murs et qu'il traînait les pieds. À voir sa tête, Minho devait être dans le même état d'esprit.

— Comment ça? demanda Thomas.

Le maton soupira.

— Je crois que les Créateurs nous indiquent qu'il n'y a pas de sortie. Les murs ne bougeront plus. La partie se termine. Ils veulent qu'on rentre pour prévenir tout le monde. Combien tu paries qu'à notre retour on apprendra qu'un Griffeur a encore emporté l'un des nôtres? Gally avait raison : ils vont nous éliminer les uns après les autres.

Thomas sentait au fond de lui que Minho était dans le vrai. Et l'espoir qu'il avait ressenti un peu plus tôt, au moment de pénétrer dans le Labyrinthe, n'était plus qu'un souvenir lointain.

— Rentrons, conclut Minho d'une voix lasse.

Thomas avait horreur de s'avouer vaincu, mais il hocha la tête. Il leur restait le code, et il décida de se concentrer là-dessus.

Silencieux, ils regagnèrent le Bloc. Ils ne croisèrent plus le moindre Griffeur sur tout le trajet.

CHAPITRE 45

D'après la montre de Thomas, ils rentrèrent au Bloc en milieu de matinée. Thomas était si fatigué qu'il aurait volontiers fait une sieste. Ils étaient restés près de vingt-quatre heures d'affilée dans le Labyrinthe.

Étonnamment, en dépit de la lumière crépusculaire et de la dégradation générale de la situation, la vie au Bloc semblait suivre son cours : jardinage, soin des bêtes, nettoyage... L'un des blocards s'aperçut bientôt de leur présence. Quelqu'un alla prévenir Newt, qui s'empressa d'accourir.

— Vous êtes les premiers à rentrer, souffla-t-il. Vous avez trouvé quelque chose ? (L'espoir qui se lisait sur son visage serra le cœur de Thomas. Il devait s'imaginer qu'ils avaient fait une découverte importante.) Dites-moi que vous ramenez de bonnes nouvelles !

— Rien du tout, répondit Minho, dont le regard morne se perdait dans le vague. Ce Labyrinthe est une vaste blague.

Newt se tourna vers Thomas d'un air perplexe.

— Qu'est-ce qu'il a ?

— Un peu de découragement, c'est tout, lui assura Thomas en haussant les épaules. On n'a constaté aucun changement. Les murs n'ont pas bougé, et il n'y a toujours aucune sortie nulle part. Les Griffeurs sont venus hier soir ?

Newt se rembrunit, hésita, puis finit par hocher la tête.

— Oui. Ils ont pris Adam.

Ce nom ne disait rien à Thomas. « Un seul à la fois, songea-t-il. Gally avait peut-être raison. »

Newt était sur le point d'ajouter quelque chose quand tout à coup Minho explosa, prenant Thomas par surprise.

— J'en ai marre ! s'écria-t-il. (Il cracha sur le lierre ; les veines saillaient sur son cou.) Ras le bol ! Cette fois, c'est fini !

Il ôta son sac à dos et le jeta par terre.

— Il n'y a pas d'issue, continua-t-il, il n'y en a jamais eu et il n'y en aura jamais. On est fichus !

Thomas, la gorge nouée, le regarda s'éloigner à grands pas en direction de la ferme. Il était très inquiet. Si Minho renonçait, leur situation à tous ne ferait qu'empirer.

Newt ne dit pas un mot. Il laissa Thomas planté là, bouche bée. Un désespoir palpable flottait dans l'air, aussi âcre et épais que la fumée de la salle des cartes.

*

Les autres coureurs revinrent moins d'une heure après. Aucun d'eux n'avait rien trouvé et ils avaient tous fini par renoncer eux aussi. La plupart des blocards avaient abandonné leur travail ; les visages étaient moroses.

Thomas savait que le code du Labyrinthe représentait désormais leur seul espoir. Il devait leur fournir des indices. Il le fallait ! Après avoir traîné un moment dans la cour pour écouter le récit des autres coureurs, il s'arracha à sa mélancolie.

— *Teresa ?* appela-t-il mentalement en fermant les yeux. *Tu es là ? Est-ce que vous avez du nouveau ?*

Au bout d'un moment, il renonça, convaincu que ça n'avait pas fonctionné.

— *Euh, Tom ? Tu m'as dit quelque chose ?*

— *Oui !* s'exclama-t-il, tout excité d'avoir réussi à renouer le contact. *Tu m'entends ?*

— *Pas toujours très bien, mais je t'entends. C'est flippant, hein ?*

En fait, Thomas commençait à s'y habituer.

— *Pas tant que ça. Vous êtes toujours à la cave ? J'ai vu Newt, mais il est reparti tout de suite.*

— *Oui, on y est toujours. Newt a recruté quelques blocards pour nous donner un coup de main pour les calques. Je crois qu'on a reconstitué tous les mots.*

Thomas sentit son pouls s'accélérer.

— *Sérieux ?*

— *Amène-toi.*

— *J'arrive !*

Il se dirigeait déjà vers l'arrière de la ferme, sa fatigue oubliée.

*

Newt le fit entrer.

— Personne ne sait où est passé Minho, confia-t-il à Thomas dans l'escalier qui menait à la cave. Quand il s'y met, c'est une vraie tête de lard.

Thomas était surpris que Minho perde son temps à bouder, surtout avec les possibilités offertes par le code. Il balaya cette pensée en pénétrant dans la cave. Plusieurs blocards qu'il ne connaissait pas se tenaient debout autour de la table ; tous avaient l'air épuisé et les yeux cernés. Des piles de plans gisaient un peu partout. On aurait dit qu'une tornade avait surgi au centre de la pièce.

Teresa, adossée à une étagère, consultait une feuille.

— *Il faut que tu voies ça,* lui dit-elle tandis que Newt congédiait les autres.

Les blocards remontèrent l'escalier d'un pas lourd, en bougonnant que ça valait bien la peine de s'être donné autant de mal.

Thomas tressaillit, inquiet à l'idée que Newt puisse se rendre compte de quelque chose.

— *Ne me parle pas dans ma tête quand Newt est dans les parages. Je ne veux pas qu'il sache, à propos de notre... pouvoir.*

— Viens jeter un coup d'œil là-dessus, dit-elle à voix haute avec un petit sourire malicieux.

— Si tu y comprends quelque chose, je veux bien m'agenouiller et te baiser les pieds, promit Newt.

Thomas s'avança vers Teresa, impatient de voir ce qu'ils avaient découvert. Elle lui tendit la feuille en haussant les sourcils.

— Les mots sont les bons, lui assura-t-elle. Mais on ne sait pas ce qu'ils veulent dire.

Thomas prit la feuille et la parcourut rapidement. Des cercles numérotés de 1 à 6 s'alignaient sur la gauche. En face de chacun, on avait inscrit un mot en majuscules.

FLOTTER
ATTRAPER
SAIGNER
MOURIR
RAIDIR
POUSSER

Six mots en tout.

Une vague de déception submergea Thomas. Il avait cru qu'une fois en possession du code ils comprendraient tout. Il adressa un regard désemparé à Teresa.

— C'est tout? Vous êtes sûrs qu'ils sont dans le bon ordre? Elle lui reprit la feuille des mains.

— Le Labyrinthe a répété ces six mots pendant des mois. On a cessé de vérifier quand c'est devenu parfaitement clair. Chaque fois, après le mot POUSSER, il attend une semaine sans rien épeler avant de reprendre à partir de FLOTTER.

C'est comme ça qu'on sait que c'est le premier mot, et qu'il faut les lire dans cet ordre.

Thomas croisa les bras et s'adossa contre l'étagère à côté de Teresa. Sans réfléchir, il avait retenu les mots par cœur et les répétait. *Flotter. Attraper. Saigner. Mourir. Raidir. Pousser.* Ça n'annonçait rien de bon.

— Drôlement encourageant, hein ? ironisa Newt, comme s'il avait lu dans ses pensées.

— Tu parles, grommela Thomas avec un soupir de frustration. Il faudrait montrer ça à Minho : il a peut-être des éléments qu'on ignore. Il nous faudrait plus d'indices...

Il se figea, glacé d'horreur. Il venait d'avoir une idée. Une idée horrible, effroyable, la plus abominable de toutes.

Mais son instinct lui soufflait qu'il avait raison et que c'était la bonne solution.

— Tommy ? fit Newt, le front barré d'un pli soucieux. Qu'est-ce qu'il y a ? On dirait que tu viens de voir un fantôme.

Thomas secoua la tête et reprit son sang-froid.

— Oh... rien, désolé. Les yeux qui me piquent... Je crois que j'ai besoin de sommeil.

— *Ça va ?* lui demanda Teresa.

Elle avait l'air aussi inquiète que Newt, ce qui lui fit très plaisir.

— *Oui. Juste un peu de fatigue, c'est tout. J'ai besoin de dormir.*

— D'accord, dit Newt en lui pressant l'épaule. Tu as passé toute la nuit dans le Labyrinthe, va donc faire une petite sieste.

Thomas regarda Teresa, puis Newt. Il hésitait à leur faire part de son idée ; il décida finalement de s'en abstenir. Il hocha la tête et se dirigea vers l'escalier.

Désormais, il avait un plan. Calamiteux, sans doute, mais un plan malgré tout.

Il leur fallait des indices à propos du code. Ils avaient besoin de *souvenirs*.

Il ne lui restait plus qu'à se faire piquer par un Griffeur et à subir la Transformation. Volontairement.

CHAPITRE 46

Thomas s'enferma dans le silence pour le restant de la journée.

Teresa essaya plusieurs fois de lui parler. Mais il lui répétait qu'il ne se sentait pas bien, qu'il avait envie de rester seul et de dormir un peu dans son coin au fond du bosquet, et peut-être réfléchir au calme un moment. Essayer de découvrir un secret enfoui dans sa mémoire qui puisse les aider à y voir plus clair.

En vérité, il avait besoin de se préparer à ce qu'il envisageait pour la nuit prochaine; de se persuader que c'était la meilleure chose à faire. La *seule*. Sans compter qu'il était terrifié et ne tenait pas à ce que les autres s'en aperçoivent.

Lorsque sa montre lui indiqua qu'il était l'heure de dîner, il regagna la ferme avec les autres. Il s'aperçut qu'il avait faim quand il se mit à dévorer le repas de biscuits et de soupe à la tomate que Poêle-à-frire leur avait cuisiné à la hâte.

Puis il fut temps d'entamer une nouvelle nuit blanche.

Les bâtisseurs avaient rebouché les trous béants laissés par les monstres qui avaient emporté Gally et Adam. Aux yeux de Thomas, le résultat ressemblait à du travail d'amateurs, mais cela devrait tenir. Alby se sentait suffisamment remis pour marcher, la tête emmaillotée dans un gros bandage. Newt et lui avaient établi un plan de rotation afin que personne ne dorme deux nuits de suite à la même place.

Thomas se retrouva ainsi dans le salon, au rez-de-chaussée, en compagnie de ceux avec qui il avait dormi l'avant-veille. Le silence se fit rapidement dans la pièce. Thomas n'aurait pas su dire si ses compagnons étaient assoupis ou terrifiés, en train d'espérer que les Griffeurs ne reviendraient pas. On avait autorisé Teresa à dormir dans la ferme. Elle se trouvait près de lui, pelotonnée dans deux couvertures. Elle dormait à poings fermés.

Thomas, lui, n'arrivait pas à trouver le sommeil, bien qu'il sache que son corps en avait désespérément besoin. Il s'appliqua à garder les yeux fermés, à se détendre ; en vain.

Et puis, comme ils s'y attendaient tous, le gémissement lugubre et les bruits mécaniques des Griffeurs retentirent à l'extérieur. L'heure était venue.

Tout le monde se pressa contre le mur le plus éloigné de la fenêtre en faisant de son mieux pour rester calme. Thomas se tenait dans un coin, les bras autour des genoux, le regard fixé sur la fenêtre. La réalité de la décision qu'il avait prise plus tôt lui serrait le cœur comme un poing. Mais il savait que tout le reste en dépendait peut-être.

La tension monta peu à peu dans la pièce. Les blocards étaient silencieux ; personne ne faisait le moindre geste. Un grattement de métal contre du bois résonna à travers la maison. Thomas eut l'impression qu'un Griffeur escaladait la façade arrière de la ferme, du côté opposé au salon. D'autres bruits se firent entendre quelques secondes plus tard, venus de toutes les directions, les plus proches juste derrière leur fenêtre. L'air parut se changer en glace dans la pièce, et Thomas pressa les deux poings contre ses yeux ; cette attente le mettait à la torture.

Une explosion assourdissante de bois et de verre brisé résonna à l'étage et fit trembler toute la maison. Thomas, hébété, entendit des cris et des pas précipités. Les craquements au plafond indiquaient qu'une horde de blocards se ruait vers le rez-de-chaussée.

— Ils ont eu Dave! hurla une voix terrorisée.

Dans le salon, personne ne remua un muscle. Chacun d'eux devait se sentir coupable du soulagement qu'il éprouvait : un autre avait été pris. Les deux nuits précédentes, les Griffeurs n'avaient emporté qu'une seule victime et les garçons commençaient à croire que Gally leur avait dit la vérité.

Thomas sursauta tandis qu'un bruit terrible résonnait juste derrière leur porte, accompagné de hurlements et de craquements, comme si un monstre aux mâchoires de fer dévorait l'escalier. Une seconde plus tard, on entendit une autre explosion de bois : la porte d'entrée. Le Griffeur avait traversé toute la maison pour ressortir par l'avant.

Un frisson de peur parcourut Thomas. C'était maintenant ou jamais.

Il courut jusqu'à la porte et l'ouvrit d'un geste brusque. Il entendit Newt lui crier quelque chose. Sans l'écouter, il se précipita dans le couloir en zigzaguant entre les débris. L'entrée était un trou béant ouvert sur la nuit grise. Il fonça à travers et jaillit dans la cour.

Tom! s'écria Teresa dans sa tête. *Qu'est-ce que tu fabriques?*

Il l'ignora et continua à courir.

Le Griffeur qui tenait Dave, un garçon auquel Thomas n'avait jamais parlé, roulait sur ses pointes en direction de la porte ouest. Ses congénères s'étaient rassemblés dans la cour et le suivaient. Sans hésiter, conscient que les autres allaient croire qu'il voulait se suicider, Thomas se dirigea droit sur eux. Il se retrouva bientôt au milieu de la meute. Pris au dépourvu, les Griffeurs hésitèrent.

Thomas bondit sur celui qui tenait Dave et tenta de lui arracher sa proie, dans l'espoir qu'il riposte. Le cri de Teresa dans sa tête fut si strident qu'il eut l'impression qu'on lui vrillait le crâne avec un couteau.

Trois Griffeurs lui tombèrent dessus en agitant leurs pinces, leurs griffes et leurs aiguilles. Thomas se débattit à coups de poing et de pied, repoussant leurs bras métalliques et ruant dans le corps flasque des créatures. Il voulait se faire piquer, mais sans être emporté comme Dave. Thomas ressentit enfin une douleur fulgurante sur chaque centimètre carré de sa peau… Des piqûres. Il avait réussi. Avec un hurlement, il roula dans la poussière pour tenter de se dégager. Tremblant sous la décharge d'adrénaline, il finit par trouver une sortie dans la mêlée, bondit sur ses pieds et s'enfuit à toutes jambes.

Dès qu'il fut hors de portée, les Griffeurs abandonnèrent et battirent en retraite dans le Labyrinthe. Thomas s'écroula sur le sol en gémissant de douleur.

Newt arriva dans la seconde, suivi par Chuck, Teresa et plusieurs autres. Il le saisit par les épaules, le redressa puis l'empoigna sous les aisselles.

— Prenez-le par les pieds! cria-t-il.

Le monde tournoyait autour de Thomas qui se sentait délirant et nauséeux. On l'emporta dans la ferme. Là, on l'allongea sur un canapé. La tête continuait à lui tourner.

— Qu'est-ce que tu as foutu? lui hurla Newt. Tu voulais te faire tuer?

Thomas voulut répondre avant de tourner de l'œil.

— Non… Newt… tu ne comprends pas…

— Ta gueule! le coupa Newt. Ne gaspille pas tes forces!

Thomas sentit qu'on lui examinait les bras, les jambes, qu'on lui arrachait ses vêtements pour faire le compte de ses plaies. Il entendit la voix de Chuck et fut soulagé de savoir que son ami n'avait rien. Un medjack annonça qu'il avait reçu des dizaines de piqûres.

Teresa se tenait à ses pieds et lui pressait doucement la cheville droite.

— *Pourquoi, Tom? Qu'est-ce qui t'a pris de faire ça?*

— *Parce que…*

La force lui manqua.

Newt hurla qu'on apporte le sérum. Une minute plus tard,

Thomas sentit une aiguille s'enfoncer dans son bras. Une sensation de chaleur se répandit dans tout son corps, apaisante, atténuant la douleur. Mais le monde semblait toujours imploser autour de lui. Thomas sut qu'il allait bientôt s'évanouir.

La pièce tournoyait ; les couleurs se fondaient les unes dans les autres, de plus en plus vite. Au prix d'un gros effort, il murmura avant de se laisser happer par les ténèbres :

— Ne vous en faites pas. Je l'ai fait exprès…

CHAPITRE 47

Thomas perdit toute notion du temps pendant sa Transformation.

Cela débuta comme dans son premier souvenir de la Boîte : le noir et le froid. Mais cette fois, il n'avait conscience d'aucun contact sous ses pieds ni contre son corps. Il flottait dans le néant, dans un océan de noirceur. Il ne voyait rien, n'entendait rien, ne sentait rien. Comme si on l'avait privé de ses sens et jeté dans le vide.

Le temps s'écoula à l'infini. La peur céda la place à la curiosité, puis à l'ennui.

Enfin, à l'issue d'une attente interminable, les choses commencèrent à changer.

Une brise lointaine se leva ; il pouvait l'entendre. Puis un tourbillon de brume apparut, une tornade de fumée blanche qui s'étirait à perte de vue. Il perçut bientôt le souffle de la trombe, qui faisait voler ses cheveux et ses vêtements comme des drapeaux. La colonne de brume blanche se dirigeait vers lui à une vitesse vertigineuse.

Le tourbillon l'engloutit. Happé par la brume, il sentit les souvenirs affluer dans son esprit.

Tout le reste devint douleur.

CHAPITRE 48

— Thomas ?

La voix était lointaine, déformée, comme un écho piégé dans un long tunnel.

— Thomas, tu m'entends ?

Il n'avait pas envie de répondre. Son esprit s'était fermé quand il n'avait plus supporté la douleur ; il craignait de la réveiller s'il reprenait connaissance. Il percevait de la lumière derrière ses paupières closes. Il savait qu'ouvrir les yeux lui serait trop pénible. Il préféra ne rien faire.

— Thomas, c'est Chuck. Ça va ? Je t'en prie, ne meurs pas, mec.

Tout lui revint en mémoire. Le Bloc, les Griffeurs, les piqûres, la Transformation. *Les souvenirs.* Le Labyrinthe était insoluble. Le seul moyen d'en sortir se trouvait dans un endroit auquel ils n'auraient jamais pensé. Un lieu terrifiant. Le désespoir l'accabla.

Il se força à ouvrir les yeux. Chuck était penché sur lui et le fixait, l'air inquiet. Un large sourire éclaira bientôt son visage rondouillard. Malgré l'horreur de la situation, Chuck sourit.

— Il s'est réveillé ! claironna le garçon à la cantonade. Thomas s'est réveillé !

Sa voix criarde fit grimacer Thomas, qui referma les yeux.

— Chuck, tu es vraiment obligé de hurler ? Je ne me sens pas très bien.

— Désolé… Je suis tellement content que tu sois en vie! J'ai presque envie de t'embrasser.

— Non, s'il te plaît.

Thomas rouvrit les yeux et se redressa laborieusement dans son lit. Il s'adossa au mur et étendit les jambes. Il avait mal aux articulations et dans chacun de ses muscles.

— Je suis resté comme ça combien de temps?

— Trois jours, répondit Chuck. On t'enfermait au gnouf pendant la nuit pour que tu sois plus en sécurité. On te ramenait ici pendant la journée. Je t'ai cru mort une bonne trentaine de fois, mais regarde-toi, tu es dans une forme incroyable!

— Les Griffeurs sont revenus? demanda Thomas.

La joie de Chuck s'évanouit d'un coup. Il baissa les yeux.

— Oui. Ils ont emporté Zart et deux autres tocards. Une nuit, Minho et les coureurs ont sillonné le Labyrinthe à la recherche d'une sortie ou d'un moyen d'utiliser ce stupide code que vous avez découvert. Mais ils sont rentrés bredouille. À ton avis, pourquoi les Griffeurs n'emportent qu'une seule victime à la fois?

Le ventre de Thomas se noua. Il connaissait à présent la réponse à cette question, ainsi qu'à quelques autres, et savait que l'ignorance est parfois un bienfait.

— Va chercher Newt et Alby, dit-il en guise de réponse. Dis-leur de convoquer un conseil le plus tôt possible.

— Sérieux?

Thomas soupira.

— Chuck, je viens de subir la Transformation. Tu crois que j'ai envie de plaisanter?

Sans ajouter un mot, Chuck se leva d'un bond et quitta la pièce en appelant Newt à grands cris.

Thomas ferma les yeux et appuya sa tête contre le mur. Puis il appela Teresa en esprit.

— *Teresa.*

Elle ne répondit pas immédiatement, mais ensuite, sa voix jaillit aussi claire que si elle se tenait juste à côté de lui.

— *C'était débile, Tom. C'était complètement débile.*

— *Je n'avais pas le choix.*

— *Je t'ai vraiment détesté, ces deux derniers jours. Tu aurais dû voir l'état dans lequel tu étais. Ta peau, tes veines…*

— *Ah bon, tu m'as détesté ?*

Il était ravi d'apprendre qu'elle tenait autant à lui.

Elle marqua une pause.

— *Eh bien, si tu n'avais pas survécu, je t'aurais fait passer un sale quart d'heure.*

Thomas sentit une douce chaleur se répandre dans son torse.

— *C'est gentil. Enfin, j'imagine.*

— *Alors, tu t'es rappelé des choses ?*

Il réfléchit.

— *Quelques-unes. Ce que tu as dit à propos de nous deux, et de ce qu'on leur a fait…*

— *C'était vrai ?*

— *On a mal agi, Teresa.*

Il perçut une grande frustration chez elle. Elle avait des tas de questions à lui poser sans savoir par laquelle commencer.

— *As-tu découvert un moyen de sortir d'ici ?* demanda-t-elle, comme si elle ne tenait pas à connaître le rôle qu'elle avait pu jouer dans toute cette histoire.

Thomas hésita. Il ne se sentait pas encore prêt à en parler. Il fallait d'abord qu'il rassemble ses idées. Leur seule voie d'évasion leur ferait courir un risque mortel.

— *Peut-être*, répondit-il enfin, *mais ce ne sera pas une partie de plaisir. On doit organiser un rassemblement. Je demanderai à ce que tu y assistes car je ne me sens pas en état de tout répéter.*

Ils ne dirent plus un mot. Un sentiment de désespoir flottait entre eux.

— *Teresa ?*

— *Oui ?*

— *Le Labyrinthe est insoluble.*

Il s'écoula un long moment avant qu'elle dise :

— *Je crois qu'on en est tous conscients, maintenant.*

Thomas détestait la douleur qu'il sentait dans sa voix.

— *Ne t'en fais pas ; les Créateurs ont quand même prévu une issue. J'ai un plan.*

Il tenait à lui laisser un espoir, aussi mince soit-il.

— *Ah ?*

— *Oui. Ce n'est pas la joie, et certains d'entre nous risquent d'y rester. Ça te plaît ?*

— *J'adore. En quoi ça consiste ?*

— *Il va falloir…*

Newt entra dans la pièce.

— *Je te raconterai plus tard,* promit Thomas.

— *Grouille-toi !* dit-elle, puis elle rompit le contact.

Newt vint s'asseoir au bord du lit.

— Eh, Tommy, tu as l'air en pleine forme !

Thomas hocha la tête.

— Un peu nauséeux, mais sinon, je me sens bien. Même si j'ai passé de sales moments.

Newt secoua la tête, partagé entre la colère et l'admiration.

— Ce que tu as fait était aussi courageux que stupide. Ça devient une spécialité, chez toi. (Il marqua une pause.) Mais je comprends pourquoi tu l'as fait. Tes souvenirs te sont revenus ? Quelque chose qui puisse nous aider ?

— Il faut rassembler les matons, dit Thomas en remontant les jambes sous la couverture pour être mieux assis. Avant que je n'oublie tout.

— Oui, Chuck me l'a dit, on s'en occupe. Mais pourquoi ? Qu'est-ce que tu as découvert ?

— C'est un test, Newt, toute cette histoire est un test.

Newt hocha la tête.

— Une sorte d'expérience ?

— Non, plutôt une épreuve, répondit Thomas. Ils éliminent les candidats les plus faibles, ceux qui baissent les bras, et sélectionnent les meilleurs. Ils nous balancent des variables, nous incitent à abandonner. Ils testent notre capacité à garder espoir. L'arrivée de Teresa et la disparition du soleil n'étaient que la dernière étape, une... dernière variable. Maintenant, c'est l'heure du test ultime. L'évasion.

CHAPITRE 49

Une heure plus tard, Thomas se retrouva assis pour la deuxième fois devant les matons réunis en demi-cercle. Ils avaient refusé la présence de Teresa, ce qui l'agaçait autant qu'elle. Alors que Newt et Minho lui faisaient désormais confiance, les autres avaient encore des doutes.

— Très bien, le bleu, déclara Alby en prenant place à côté de Newt. (Les autres chaises étaient toutes occupées sauf deux, triste rappel que Zart et Gally avaient disparu entre les griffes des monstres.) On t'écoute.

Thomas prit une seconde pour rassembler ses idées.

— C'est une longue histoire, commença-t-il. On n'a pas le temps d'entrer dans les détails, mais je vais vous en raconter les grandes lignes. Pendant la Transformation, beaucoup d'images me sont revenues, comme une projection de diapositives en accéléré. Seules quelques-unes étaient assez claires pour que je puisse en parler. D'autres se sont estompées, ou sont en train de le faire. (Il marqua une pause.) Mais je me souviens de l'essentiel. Les Créateurs nous testent. Leur Labyrinthe n'a jamais été conçu pour qu'on s'en échappe. Ils ont besoin des vainqueurs – ou des survivants – pour quelque chose d'important.

Il s'interrompit, embarrassé.

— Allez, continue ! s'impatienta Newt.

— Je ferais mieux de commencer par le début, reprit

Thomas en se frottant les yeux. Chacun d'entre nous a été sélectionné dans sa petite enfance. Je ne me souviens plus exactement comment ni pourquoi car je n'ai que des images fragmentaires, et la sensation que le monde a connu de grands bouleversements, qu'il est arrivé une chose terrible. J'ignore quoi. Les Créateurs nous ont volés à nos parents, et je crois qu'ils estimaient avoir de bonnes raisons de le faire. Ils ont jugé que nous avions une intelligence supérieure à la moyenne. Tout ça reste assez flou, et ça n'a de toute façon pas grande importance.

Après notre enlèvement, on nous a envoyés plusieurs années dans des écoles spéciales, où nous avons eu une vie plus ou moins normale, jusqu'à ce qu'ils soient en mesure de financer et de construire le Labyrinthe. Ils nous ont donné des surnoms stupides – Alby pour Albert Einstein, Newt pour Isaac Newton, ou moi, Thomas, pour Edison.

Alby réagit comme s'il venait de prendre une gifle.

— Nos noms… ce ne sont pas les vrais ?

Thomas secoua la tête.

— À mon avis, on ne les connaîtra jamais.

— Qu'est-ce que tu es en train de nous dire ? protesta Poêle-à-frire. Qu'on est de pauvres petits orphelins élevés par des savants ?

— Oui, répondit Thomas, en espérant que son expression ne trahissait rien de son abattement. Et tous très intelligents. C'est pour ça qu'ils étudient et analysent nos moindres faits et gestes. Ils observent lesquels d'entre nous capitulent ou continuent à se battre. Lesquels sont les plus doués pour survivre. Pas étonnant qu'on trouve des scaralames dans tous les coins. Sans compter que certains d'entre nous ont subi des… altérations du cerveau.

— Tout ça, c'est du plonk, grommela Winston d'un air las. Bientôt, tu vas nous raconter que la bouffe de Poêle-à-frire est bonne pour la santé.

— Pourquoi j'irais inventer tout ça? protesta Thomas en haussant le ton. (Il s'était quand même fait piquer volontairement pour retrouver la mémoire!) Et puis, tu as une meilleure explication? Tu crois qu'on nous a envoyés sur une autre planète?

— Continue, dit Alby. Mais je ne comprends pas pourquoi tu serais le seul à te rappeler ça. J'ai subi la Transformation, moi aussi, et tout ce que j'ai vu, c'est... (Il jeta un regard gêné autour de lui, comme s'il en avait trop dit.) Bref, je n'ai rien appris de spécial.

— Attends une minute, promit Thomas, qui appréhendait cette partie de l'histoire. Je raconte, ou je ne raconte pas?

— Vas-y, l'encouragea Newt.

Thomas prit une grande goulée d'air, comme s'il était sur le point de se jeter à l'eau.

— Ils ont trouvé un moyen d'effacer nos souvenirs, non seulement tous ceux qui se rapportent à notre enfance, mais aussi ceux qui ont un rapport avec notre entrée dans le Labyrinthe. Ils nous ont mis dans la Boîte et envoyés ici, d'abord un bon groupe puis un nouveau tous les mois pendant deux ans.

— Mais pourquoi? demanda Newt. À quoi ça les avance?

Thomas leva la main pour le faire taire.

— Une seconde. Comme je vous le disais, ils voulaient nous tester pour voir comment on réagirait à ce qu'ils appellent leurs «variables», face à un problème insoluble. Voir si on arriverait à s'entendre, ou même à bâtir une communauté. Ils nous ont fourni tout le nécessaire et confrontés à l'une des plus vieilles énigmes de la civilisation: le labyrinthe. Tout ça dans le dessein de nous faire croire à une solution, de nous pousser à la chercher à tout prix, tout en décuplant notre frustration de ne pas la trouver. (Il marqua une pause, le temps de s'assurer qu'il avait bien l'attention de chacun.) Ce que je suis en train de vous dire, c'est qu'il n'y a pas de solution.

Les matons se mirent à parler tous en même temps. Les questions fusaient de toutes parts.

Thomas leva les mains. Il regretta de ne pas pouvoir leur transmettre ses découvertes directement dans le cerveau.

— Vous voyez? Votre réaction prouve que j'ai raison. La plupart des gens seraient effondrés en apprenant ça. Mais je crois qu'on est différents. On ne pouvait pas accepter l'idée d'un problème insoluble, surtout qu'il s'agissait d'un labyrinthe. Et on a continué à chercher même quand il n'y a plus eu d'espoir.

Thomas se rendit compte que sa voix grimpait dans les aigus à mesure qu'il parlait, et que son visage s'échauffait.

— Quelle qu'en soit la raison, ça me rend malade! Tout ça – les Griffeurs, les murs qui bougent, la Falaise –, ce ne sont que les éléments d'un foutu *test*. On nous a manipulés, on s'est servi de nous. Les Créateurs nous ont fait suer sang et eau à chercher une solution inexistante. C'est la même chose avec Teresa, qu'on a envoyée ici pour enclencher le processus de fin – ne me demandez pas ce que c'est –, les murs qui tombent en panne, le ciel gris, etc. Ils sont en train de nous balancer tous les obstacles possibles et imaginables pour étudier nos réactions, mettre notre volonté à l'épreuve. Voir si on se retourne les uns contre les autres. En fin de compte, ils se serviront des survivants pour quelque chose d'important.

Poêle-à-frire se leva.

— Et les morts? Ça fait partie de leur plan, ça aussi?

Thomas frémit de peur à l'idée que les matons déchargent leur colère sur lui, qui en savait tellement. Et encore, il ne leur avait pas avoué le pire.

— Oui, Poêle-à-frire, les morts aussi. La raison pour laquelle les Griffeurs n'emportent qu'une victime à la fois, c'est qu'il faut bien des vainqueurs à la fin. Les plus forts survivent... Seuls les meilleurs d'entre nous arriveront à s'échapper.

Poêle-à-frire donna un coup de pied dans sa chaise.

— Dans ce cas, tu ferais mieux de nous parler de ton fameux plan d'évasion !

— Ça va venir, intervint Newt à voix basse. Ferme-la, et écoute la suite.

Minho, qui n'avait pas encore pris part à la discussion, s'éclaircit la gorge.

— Mon petit doigt me dit que ça ne va pas me plaire.

— Sans doute pas, reconnut Thomas.

Il ferma les yeux une seconde et croisa les bras. Les prochaines minutes allaient être cruciales.

— Les Créateurs veulent sélectionner les meilleurs pour je ne sais quelle raison. Mais il va falloir mériter notre place. (Un silence de mort s'abattit sur l'assistance. Tous les regards étaient braqués sur lui.) Le code…

— Le code ? répéta Poêle-à-frire avec une pointe d'espoir dans la voix. Eh bien ?

Thomas le dévisagea gravement.

— Ce n'est pas pour rien s'il était dissimulé dans les mouvements des murs. Je suis bien placé pour le savoir : j'étais là quand les Créateurs l'ont conçu.

CHAPITRE 50

Pendant un long moment, personne ne dit mot. Les visages étaient inexpressifs. Thomas sentait la sueur perler sur son front, au creux de ses mains ; il était terrifié à l'idée de continuer.

Newt, complètement abasourdi, fut le premier à rompre le silence.

— De quoi est-ce que tu parles ?

— Eh bien, il faut d'abord que je vous avoue quelque chose. À propos de Teresa et de moi. Il y a une raison aux accusations de Gally et au fait que tous ceux qui ont subi la Transformation se souviennent de moi.

Il s'attendait à une avalanche de questions, mais les matons observaient un silence de mort.

— Teresa et moi sommes... différents, continua-t-il. On faisait partie des épreuves du Labyrinthe depuis le début – mais contre notre volonté, je vous le jure.

Cette fois, ce fut Minho qui demanda :

— Qu'est-ce que tu racontes, Thomas ?

— Teresa et moi avons été utilisés par les Créateurs. Si vous recouvriez la mémoire, vous auriez probablement envie de nous tuer. Mais je préfère vous en parler moi-même, histoire de vous montrer qu'on peut nous faire confiance maintenant. Pour que vous me croyiez quand je vous expliquerai la seule manière de sortir d'ici.

Thomas parcourut du regard les visages des matons, hésitant

sur la façon de présenter les choses. Mais il fallait qu'il se lance. Il n'avait pas le choix.

— Teresa et moi avons aidé à concevoir le Labyrinthe. On a participé à sa création.

Tout le monde parut trop éberlué pour réagir. Peut-être qu'ils n'avaient pas compris, ou ne le croyaient pas.

— C'est n'importe quoi! explosa Newt. Tu as seize ans. Comment aurais-tu pu créer le Labyrinthe?

Thomas lui-même avait du mal à y croire. Pourtant, aussi fou que cela puisse sembler, il savait que c'était la vérité.

— On était... très intelligents. Et je crois que ça faisait peut-être partie des variables. Mais surtout, Teresa et moi avons un... don qui nous rendait précieux au moment de la conception de cet endroit.

Il s'arrêta, sachant que la suite allait paraître absurde.

— Vas-y, parle! s'emporta Newt. Crache le morceau!

— On est télépathes! On peut communiquer à distance par la pensée!

Il eut presque honte, comme s'il venait de reconnaître qu'il était un voleur.

Newt cligna des paupières, stupéfait; quelqu'un toussota.

— Écoutez, se défendit Thomas, ils nous ont obligés à les aider. Je ne sais pas comment ni pourquoi, mais c'est comme ça. (Il marqua une pause.) Peut-être pour voir si on arriverait à gagner votre confiance après avoir été des leurs. Ou bien ils avaient prévu depuis le début que ce serait nous qui vous donnerions la clef. En tout cas, grâce aux cartes, on a pu trouver le code qui va nous servir à nous échapper.

Thomas regarda autour de lui. À sa grande stupéfaction, personne ne paraissait en colère. La plupart des blocards le fixaient d'un air éberlué ou secouaient la tête avec émerveillement ou incrédulité. Minho souriait.

— C'est la vérité, et j'en suis désolé, continua Thomas. Je peux toutefois vous dire une chose: je suis dans le même bateau que vous maintenant. Teresa et moi avons été envoyés ici comme vous, et nous sommes nous aussi en danger de mort. Les Créateurs en ont vu assez et l'heure est venue de passer l'épreuve finale. Je suppose que j'avais besoin de la Transformation pour remettre en place les dernières pièces du puzzle. Voilà, je tenais à ce que vous connaissiez la vérité et que vous sachiez qu'on a une chance de réussir.

Newt secoua la tête, le regard rivé au sol. Puis il se tourna vers les autres matons.

— Les Créateurs, ce sont ces tocards qui nous ont fait ça, et non Tommy ou Teresa. Les Créateurs vont nous le payer.

— On s'en fiche, dit Minho, quelle importance? Parlenous plutôt de ton plan d'évasion, Thomas.

Le soulagement rendait Thomas muet. Il était convaincu qu'on l'accablerait de reproches après sa confession, voire qu'on le jetterait du haut de la Falaise.

— Il y a un poste informatique dans un endroit où on n'a pas encore regardé. Le code ouvrira une porte pour nous permettre de sortir du Labyrinthe. Il désactivera aussi les Griffeurs pour les empêcher de nous suivre... si on survit assez longtemps pour arriver jusque-là.

— Un endroit où on n'a pas encore regardé? répéta Alby. Qu'est-ce que tu crois qu'on a fichu ces deux dernières années?

— Crois-moi, personne n'a jamais cherché là.

Minho se leva.

— Où ça?

— C'est presque du suicide, prévint Thomas, conscient d'être en train de gagner du temps. Les Griffeurs vont nous tomber dessus comme des mouches. Tous à la fois. Ce sera l'épreuve finale.

Il voulait être certain qu'ils mesurent les enjeux, qu'ils sachent que les chances de survie étaient infimes.

— D'accord. C'est où? demanda Newt en se penchant sur sa chaise.

— À l'aplomb de la Falaise, répondit Thomas. Dans le trou des Griffeurs.

CHAPITRE 51

Alby se dressa si brusquement qu'il renversa sa chaise. Ses yeux injectés de sang étincelaient sous la blancheur de son bandage. Il fit deux pas en avant, comme s'il était sur le point de se jeter sur Thomas.

— Là, tu parles comme un idiot, gronda-t-il en le foudroyant du regard. Ou un traître. Comment veux-tu qu'on te fasse confiance alors que tu as aidé à concevoir cet endroit, et à nous y envoyer ! Si on n'est pas de taille à affronter un Griffeur ici, sur notre terrain, ce n'est pas pour aller les défier tous ensemble dans leur tanière. Qu'est-ce que tu vas encore inventer ?

Thomas était furieux.

— Rien du tout ! Pourquoi j'irais inventer une histoire pareille ?

Alby raidit les bras, poings serrés.

— Tu as très bien pu être envoyé ici pour nous éliminer. Pourquoi on te ferait confiance ?

Thomas le fixa avec incrédulité.

— Alby, tu as un problème de mémoire ou quoi ? J'ai risqué ma peau dans le Labyrinthe pour te sauver. Sans moi, tu serais mort !

— Peut-être que c'était une ruse pour gagner notre confiance. Si tu es de mèche avec les tocards qui nous ont envoyés ici, tu n'as rien à craindre des Griffeurs. Peut-être que tu nous as joué la comédie.

La colère de Thomas se changea en pitié. Il y avait quelque chose d'étrange dans le comportement d'Alby.

— Alby, intervint Minho, au grand soulagement de Thomas, c'est la théorie la plus débile que j'aie jamais entendue. Il a failli se faire tailler en pièces il y a trois jours. Tu crois qu'il jouait la comédie ?

Alby hocha sèchement la tête.

— Peut-être.

— Je l'ai fait dans l'espoir de récupérer suffisamment la mémoire pour nous aider à sortir d'ici, déclara Thomas en mettant dans sa voix toute l'irritation qu'il ressentait. Tu veux que je te montre mes bleus et mes traces de piqûres ?

Alby garda le silence. Il tremblait de rage ; il avait les larmes aux yeux, et les veines de son cou saillaient comme des cordes.

— On ne peut pas retourner chez nous ! s'écria-t-il. J'ai vu à quoi ressemblait la vie là-bas. On ne peut pas y retourner !

— Alors, c'est ça ? fit Newt. Tu rigoles, j'espère ?

Alby lui fit face, menaçant, puis il regagna sa chaise où il s'écroula. Il se prit le visage dans les mains avant de fondre en larmes. Thomas n'en revenait pas. L'indomptable chef des blocards pleurait comme un bébé.

— Alby, parle-nous, le pressa Newt. Qu'est-ce que tu as ?

— C'est moi, avoua Alby entre deux sanglots. C'est moi qui l'ai fait.

— Fait quoi ? demanda Newt, aussi perplexe que Thomas.

Alby releva la tête, les joues mouillées de larmes.

— J'ai brûlé les plans. C'est moi. Je me suis cogné la tête contre la table pour vous faire croire que c'était quelqu'un d'autre. J'ai menti, j'ai tout brûlé. C'est moi !

Les matons, sous le choc, échangèrent des regards stupéfaits. Thomas, pour sa part, comprenait : Alby s'était souvenu à quel point sa vie d'avant était horrible, il n'avait pas envie de la retrouver.

— Eh bien, heureusement qu'on les avait cachées, observa Minho le plus tranquillement du monde. Merci pour le conseil que tu nous as donné après ta Transformation quand tu nous as dit de les protéger.

Thomas se demanda comment Alby allait réagir à cette remarque sarcastique, presque cruelle, mais l'autre se comporta comme s'il n'avait rien entendu.

Au lieu de se mettre en colère, Newt demanda à Alby de s'expliquer. Thomas savait pourquoi il restait aussi calme : ils avaient pu sauver les plans, déchiffrer le code… Tout ça n'avait plus d'importance.

— Je vous l'ai dit, répondit Alby d'une voix suppliante, presque hystérique. On ne peut pas retourner d'où on vient. C'était affreux. Une terre brûlée, une épidémie – une maladie appelée la Braise. C'était horrible, bien pire que la vie qu'on a ici.

— Si on reste, on va tous mourir ! s'écria Minho. C'est vraiment pire là-bas ?

Alby le contempla un long moment. Thomas rumina ce qu'il venait d'entendre. « La Braise. » Ce nom lui évoquait quelque chose. Pourtant, il n'avait eu aucun souvenir là-dessus lors de sa Transformation.

— Oui, finit par répondre Alby. C'est pire. Mieux vaut encore crever ici que rentrer chez nous.

Minho s'adossa à sa chaise en ricanant.

— Mec, permets-moi de te dire que tu débloques. Je suis avec Thomas. Je suis à cent pour cent avec Thomas. Quitte à crever, j'aime autant que ce soit en combattant.

Thomas était heureux de pouvoir compter sur le soutien de Minho. Il se tourna vers Alby et le dévisagea d'un air grave.

— On vit toujours dans le monde dont tu te souviens, tu sais ?

Alby se leva de nouveau. La défaite se lisait sur son visage.

— Faites ce que vous voulez, grogna-t-il. Ça n'a pas d'importance. De toute manière, on est foutus.

Là-dessus, il quitta la pièce.

Newt poussa un soupir et secoua la tête.

— Il n'est plus le même depuis qu'il s'est fait piquer. Il a dû avoir de sales souvenirs. Et la Braise dont il a parlé?

— Peu importe, dit Minho. Ça vaut toujours mieux que mourir ici. Il sera temps de s'occuper des Créateurs une fois qu'on sera dehors. En attendant, on doit suivre le programme qu'ils nous ont réservé. Passer par le trou des Griffeurs et nous enfuir. Et si certains d'entre nous doivent y rester, tant pis.

Poêle-à-frire renifla avec mépris.

— Vous allez tous me rendre dingue. On ne peut pas sortir du Labyrinthe, et cette idée d'aller rejoindre les Griffeurs dans leur tanière est la plus stupide que j'aie jamais entendue de ma vie. Autant nous tailler les veines tout de suite.

Les autres matons commencèrent à se disputer en parlant tous à la fois. Newt finit par leur crier de se taire.

Quand le calme fut revenu, Thomas prit la parole.

— Je vais tenter ma chance par le trou des Griffeurs, même si je dois y rester. J'ai l'impression que Minho en sera aussi. Et je suis sûr de pouvoir compter sur Teresa. Si on peut tenir les Griffeurs à distance le temps de taper le code, on pourra sortir par le chemin qu'ils empruntent pour venir. On aura passé le test. Et on se retrouvera face aux Créateurs.

Newt lui adressa un sourire sans joie.

— Parce que tu espères pouvoir repousser les Griffeurs? À supposer qu'on y arrive, on se fera sûrement tous piquer. Si ça se trouve, ils nous attendront au fond de leur trou. Les scaralames nous surveillent en permanence. Dès qu'on se mettra en route, les Créateurs le sauront.

Malgré ses appréhensions, Thomas comprit qu'il était temps d'aborder la dernière partie de son plan.

— Je ne crois pas qu'ils nous piqueront. La Transformation est une variable dans le cadre du Labyrinthe ; mais une fois dehors, ce sera fini. Et puis, il nous reste une carte à jouer.

— Ah oui ? dit Newt en levant les yeux au ciel. Je suis impatient de l'entendre.

— Les Créateurs n'ont aucun intérêt à tous nous tuer : l'épreuve doit être difficile, mais pas impossible. On est à peu près certains que les Griffeurs sont programmés pour faire un mort par jour. Donc, si l'un de nous se sacrifie, les autres devraient avoir le temps de courir jusqu'au trou. Je pense que c'est plus ou moins comme ça que les choses sont censées se passer.

Un grand silence s'abattit sur la pièce, jusqu'à ce que le maton de l'abattoir s'esclaffe bruyamment.

— Pardon ? ricana Winston. Alors, ton idée, c'est de jeter un pauvre tocard en pâture à la meute pour permettre aux autres de s'échapper ? C'est ça, ta brillante suggestion ?

Thomas refusa d'admettre à quel point ça semblait inhumain. Une idée lui vint.

— Oui, Winston, je suis content de voir qu'il y en a au moins un qui suit, répondit-il en ignorant le regard noir du maton. Le choix du pauvre tocard en question me paraît évident.

— Ah oui ? ironisa Winston. Et ça serait qui ?

Thomas croisa les bras.

— Moi.

CHAPITRE 52

La déclaration de Thomas déclencha un concert de cris. Newt se leva calmement, s'approcha de Thomas, le prit par le bras et l'entraîna vers la porte.

— Laisse-nous, maintenant. Dehors!

Thomas était abasourdi.

— Hein? Pourquoi?

— Je crois que tu en as suffisamment dit comme ça. Il faut qu'on en discute et qu'on décide quoi faire... sans toi. (Parvenu à la porte, Newt le poussa gentiment dehors.) Attends-moi près de la Boîte. Après le conseil, j'aurai deux mots à te dire.

Il tourna les talons, mais Thomas le retint par le bras et l'entraîna dans le couloir.

— Il faut que tu me croies, Newt. C'est le seul moyen de sortir d'ici. On peut y arriver, je te le jure. C'est *prévu*.

Newt vint se coller à lui et lui souffla avec colère:

— Oui, j'ai adoré le passage où tu t'es porté volontaire pour te faire tuer.

— J'étais tout à fait sérieux.

Thomas était prêt à se sacrifier, c'était vrai, mais uniquement à cause de la culpabilité qui le rongeait. Il se sentait honteux d'avoir aidé à concevoir le Labyrinthe. Au fond de lui, pourtant, il espérait pouvoir tenir assez longtemps pour que quelqu'un tape le code et désactive les Griffeurs avant qu'il ne se fasse tuer.

— Ah, vraiment? s'agaça Newt. C'est très noble de ta part.

— J'ai mes raisons. C'est un peu ma faute si on est là. De toute façon, je vais tenter le coup, alors autant que vous en profitiez.

Newt se renfrogna, les yeux pleins de compassion.

— Même si tu as participé à l'élaboration du Labyrinthe, Thomas, ce n'est pas ta faute. Tu es un *gamin*... On t'a obligé à le faire.

Peu importaient les arguments de Newt. Ou ce que les autres pouvaient penser. Il se sentait responsable.

— Je... je veux juste essayer de vous sauver. J'en ai besoin pour me racheter.

Newt recula en secouant la tête.

— Tu sais le plus drôle, Tommy?

— Non, quoi? demanda Thomas, sur ses gardes.

— Au fond, je te crois. Tes yeux ne mentent pas. Et je n'en reviens pas de te dire ça, mais... je vais retourner à l'intérieur convaincre tous ces tocards qu'on doit tenter notre chance par le trou des Griffeurs, comme tu l'as dit. Mieux vaut les affronter qu'attendre bêtement qu'ils viennent nous chercher. (Il leva le doigt.) Seulement, attention! Je ne veux plus entendre parler de sacrifice. Si on prend le risque, c'est tous ensemble. Chacun sa chance. Compris?

Thomas leva les mains, submergé par le soulagement.

— Cinq sur cinq. Ce que je voulais dire, c'est que ça vaut le coup. Puisqu'il y a un mort tous les soirs, autant que ça serve à quelque chose.

Newt fronça les sourcils.

— Tu es très réconfortant, dis donc!

Thomas fit mine de s'éloigner. Newt le rappela.

— Tommy?

— Oui? dit-il en s'arrêtant, sans se retourner.

— Si j'arrive à convaincre ces tocards – ce qui est loin d'être gagné –, le mieux serait de partir à la tombée de la nuit. Comme ça, la plupart des Griffeurs seront de sortie dans le Labyrinthe, au lieu de nous attendre dans leur repaire.

— Bien vu, approuva Thomas.

Il ne restait plus qu'à convaincre les matons. Thomas se tourna vers Newt.

Son ami lui adressa un mince sourire, presque imperceptible dans sa mine inquiète.

— Il faudrait y aller ce soir, avant que quelqu'un d'autre ne se fasse tuer.

Avant que Thomas ait pu réagir, Newt retourna dans la salle de réunion.

Thomas, sous le choc, quitta la ferme et alla s'asseoir sur un banc à proximité de la Boîte. Il avait le cerveau en ébullition. Il n'arrêtait pas de repenser à ce que leur avait dit Alby au sujet de la Braise. Le garçon avait également parlé d'une terre brûlée. Si Alby avait raison, le monde dans lequel ils se préparaient à retourner n'avait rien de très engageant. Malgré tout, avaient-ils vraiment le choix ? Outre le fait que les Griffeurs les attaquaient désormais tous les soirs, le Bloc tournait au ralenti.

Frustré, inquiet, fatigué de ressasser toujours les mêmes choses, il appela Teresa.

— *Tu m'entends ?*

— *Oui*, répondit-elle. *Où es-tu ?*

— *Près de la Boîte.*

— *J'arrive.*

Thomas se rendit compte alors à quel point il avait besoin d'elle.

— *Parfait. Je te raconterai le plan ; je crois qu'on va essayer.*

— *C'est quoi l'idée, en gros ?*

Thomas s'adossa au banc et croisa les jambes devant lui. Il se demanda comment Teresa allait réagir.

— *On passe par le trou des Griffeurs. On se sert du code pour les mettre hors service et on s'enfuit par là.*

Un blanc.

— *J'avais peur de quelque chose comme ça.*

Thomas réfléchit une seconde, puis ajouta :

— *Sauf si tu as une meilleure idée ?*

— *Non. Ça va être un carnage.*

Il abattit son poing au creux de sa paume, même si Teresa ne pouvait pas le voir.

— *On y arrivera.*

— *Ça m'étonnerait.*

— *Au moins, on aura essayé.*

Une autre pause, plus longue. Il sentit sa résolution s'affirmer.

— *Tu as raison.*

— *Newt veut partir ce soir. Viens me rejoindre ici, qu'on puisse terminer cette discussion tranquillement.*

— *J'arrive tout de suite.*

La peur le saisit au ventre. La réalité du plan que Newt tentait de faire accepter aux autres matons le rattrapait de plein fouet. Thomas savait que c'était dangereux, mais c'était surtout l'idée d'affronter les Griffeurs qui le terrifiait. Dans le meilleur des cas, seul l'un d'entre eux y resterait ; mais même ça, ce n'était pas certain. Les Créateurs pouvaient aussi reprogrammer leurs créatures. Et là, personne ne pourrait plus jurer de rien.

Il essaya de ne pas y penser.

*

Teresa le rejoignit plus vite qu'il ne s'y attendait et vint s'asseoir près de lui. Elle lui prit la main. Il lui pressa les doigts si fort qu'il dut lui faire mal.

— Raconte-moi, demanda-t-elle.

Thomas lui répéta tout ce qu'il avait dit aux matons. Le regard de Teresa se remplit d'inquiétude et de terreur.

— Sur le moment, ça m'a paru facile, conclut-il à la fin de son récit. Seulement, Newt pense qu'on devrait tenter le coup *ce soir*. Et là, je ne suis plus aussi sûr que ce soit une bonne idée. Il s'inquiétait surtout pour Chuck et Teresa. Lui connaissait le Labyrinthe, il avait déjà affronté les Griffeurs et savait à quoi s'attendre. Il aurait voulu épargner cette expérience à ses amis, mais il savait que c'était impossible.

— On y arrivera, lui assura-t-elle d'une voix douce.

— Si tu savais comme j'ai la trouille, murmura-t-il.

— Tu es *humain*. C'est normal que tu aies la trouille.

Thomas ne dit plus rien, et pendant un long moment ils restèrent assis là, à se tenir la main, en silence. Thomas ressentit une brève sensation de paix ; il s'efforça de la savourer.

CHAPITRE 53

Thomas fut presque déçu de voir le conseil se terminer. Quand Newt sortit de la ferme, il sut que sa pause était finie.

Le maton les aperçut et les rejoignit en boitillant. Thomas avait lâché la main de Teresa. Newt s'arrêta devant leur banc et les toisa tous les deux, les bras croisés.

— C'est complètement cinglé, ton truc, tu en es conscient?

Son expression était indéchiffrable, mais Thomas crut lire une lueur de triomphe dans son regard. Il se leva, parcouru par un frisson d'excitation.

— Ça veut dire qu'ils ont dit oui?

Newt hocha la tête.

— Tous, sans exception. Ç'a été moins difficile que je ne le craignais. Ces tocards ont bien vu ce qui se produit toutes les nuits maintenant que ces foutues portes refusent de se fermer. On ne peut pas sortir du Labyrinthe. Il faut bien tenter quelque chose. (Il se tourna vers la ferme, où les matons avaient commencé à réunir leurs groupes.) Il ne reste plus qu'à convaincre les autres.

Thomas savait que ce serait encore plus délicat que de persuader les matons.

Teresa se leva à son tour.

— Tu crois qu'ils suivront? demanda-t-elle.

— Pas tous, répondit Newt avec une grimace de frustration.

À tous les coups certains préféreront rester et tenter leur chance ici.

— Et Alby? s'inquiéta Thomas.

— Va savoir, fit Newt en jetant un regard circulaire sur le Bloc. À mon avis, ce tocard a encore plus peur de rentrer chez lui que d'affronter des Griffeurs. Mais je réussirai à le convaincre, ne t'inquiète pas.

— Comment tu comptes t'y prendre? s'enquit Thomas.

Newt s'esclaffa.

— Je trouverai un truc. Je lui raconterai qu'on va tous démarrer une nouvelle vie dans une autre région du monde, où on vivra heureux jusqu'à la fin des temps.

Thomas sourit.

— Oh, ce sera peut-être le cas. J'ai promis à Chuck de le ramener chez lui, tu sais? Ou au moins de lui trouver un endroit où il sera en sécurité.

— N'importe où, murmura Teresa, ça sera toujours mieux qu'ici.

La discussion s'animait à travers le Bloc, où les matons faisaient de leur mieux pour convaincre leurs gars de risquer le tout pour le tout dans le trou des Griffeurs. Certains se mettaient en colère, mais la plupart semblaient disposés à entendre les arguments.

— Bon, et maintenant? demanda Teresa.

Newt prit une grande respiration.

— Eh bien, on dresse la liste de ceux qui partent et de ceux qui restent. On s'équipe: provisions, armes, etc. Et ensuite on y va. Thomas, je t'aurais bien confié la responsabilité de tout ça vu que c'est ton idée, mais, ne te vexe pas, on aura suffisamment de mal à convaincre tout le monde de nous suivre sans mettre un bleu à notre tête. Alors garde un profil bas, d'accord? On vous laissera vous occuper du code, Teresa et toi. Vous pouvez gérer ça de votre côté.

Cette suggestion de faire profil bas convenait tout à fait à

Thomas. Trouver ce poste informatique et rentrer le code lui semblait une responsabilité plus que suffisante. Il dut combattre la panique qu'il sentait monter en lui.

— Présenté de cette manière, ça paraît simple, observa-t-il en s'efforçant de prendre un air décontracté.

Newt croisa les bras de nouveau et le dévisagea attentivement.

— Tu l'as dit toi-même : si on reste ici ou si on s'en va, l'un de nous va mourir ce soir. Alors où est la différence ? (Il pointa le doigt sur Thomas.) Sauf si tu te trompes.

— Je sais que j'ai raison.

S'il y avait bien une chose dont Thomas était absolument certain, c'est qu'il avait intérêt à garder ses doutes pour lui.

Newt lui donna une grande tape dans le dos.

— Parfait. Au travail !

*

Les heures suivantes furent frénétiques.

Pour finir, la plupart des blocards acceptèrent de venir. Même Alby décida de risquer le coup. Personne ne voulait l'admettre, mais sans doute misaient-ils sur l'hypothèse que les Griffeurs ne feraient qu'une seule victime, et ils se disaient qu'ils avaient de bonnes chances de ne pas être celle-là. Ceux qui préféraient rester au Bloc étaient peu nombreux mais inflexibles et très remontés. Ils passaient parmi leurs camarades, le visage renfrogné, en essayant de les convaincre qu'ils commettaient une folie.

Quant à Thomas et à tous ceux qui avaient choisi de s'évader, ils avaient une tonne de choses à faire.

Il fallut commencer par remplir les sacs à dos. Poêle-à-frire – Newt avait dit à Thomas que le cuistot avait été l'un des derniers à se décider – fut chargé des vivres, qu'il devait répartir équitablement entre les sacs. On emporta des seringues de sérum, même si Thomas ne pensait pas qu'ils se feraient piquer.

Chuck était chargé de remplir les gourdes et de les distribuer. Teresa lui donna un coup de main. Thomas demanda à son amie de lui présenter l'expédition sous le meilleur jour possible, quitte à mentir comme un arracheur de dents. Chuck tentait de se montrer courageux depuis l'instant où il avait appris où ils allaient, mais son visage en sueur et ses yeux égarés le trahissaient.

Minho partit pour la Falaise avec un groupe de coureurs. Ils emportèrent des cordes de lierre tressé et des pierres afin de tester une dernière fois le trou invisible des Griffeurs. Ils espéraient que les créatures respecteraient leurs horaires habituels et ne sortiraient pas dans la journée. Thomas avait envisagé de sauter directement dans le trou et de taper le code aussitôt, mais il n'avait aucune idée de ce qui l'attendait de l'autre côté. Newt avait raison : il valait mieux attendre la nuit et prier pour que la majeure partie des Griffeurs soit dans le Labyrinthe, et non dans leur repaire. Quand Minho rentra sain et sauf, un léger espoir gagna les blocards.

Thomas aida Newt à distribuer les armes. Dans la fièvre des préparatifs ils en fabriquèrent d'autres tout spécialement pour combattre les Griffeurs. Les bâtons furent taillés en pointe pour devenir des épieux, ou enveloppés de barbelés ; les couteaux furent aiguisés et fixés au bout de branches solides coupées dans le bosquet ; on colla des morceaux de verre sur des pelles avec du ruban adhésif. À la fin de la journée, les blocards s'étaient transformés en une petite armée. Pathétique et mal préparée, songea Thomas, mais tout de même une armée.

Quand Teresa et lui eurent terminé d'aider les autres, ils se retirèrent au fond du terminus pour parler du poste informatique et de la manière dont ils envisageaient d'y taper le code.

— Il faut que ce soit nous, dit Thomas, alors qu'ils s'adossaient à des arbres noueux dont le feuillage virait déjà au jaune en l'absence de soleil artificiel. Comme ça, si on est séparés, on pourra rester en contact et continuer à s'aider.

Teresa avait ramassé un bout de bois et l'écorçait distraitement.

— D'accord, mais il nous faut du soutien au cas où il nous arriverait quelque chose.

— Tu as raison. Minho et Newt connaissent le code. On leur dira de le taper eux-mêmes dans l'ordinateur si on... enfin, tu comprends.

Thomas ne voulait pas penser à tout ce qui était susceptible de leur arriver.

— Au fond, c'est tout simple, observa Teresa en bâillant.

— Tout simple. On affronte les Griffeurs, on tape le code, on s'enfuit par la porte. Et on s'occupe des Créateurs.

— Six mots de code, et va savoir combien de Griffeurs. (Teresa cassa son bout de bois en deux.) À ton avis, WICKED, c'est l'anagramme de quoi ?

Thomas eut la sensation de prendre un coup de poing dans le ventre. Une connexion s'opéra dans son esprit. Il fut abasourdi de ne pas y avoir pensé plus tôt.

— Ce panneau en métal qu'on voit partout dans le Labyrinthe, tu te rappelles ?

L'excitation faisait battre son cœur à toute vitesse.

Teresa plissa le front, perplexe, puis une lueur s'alluma dans ses yeux.

— Waouh ! *World In Catastrophe: Killzone Experiment Department.* WICKED. Mais alors, ce que j'avais écrit sur mon bras : *WICKED is good* ? Qu'est-ce que ça pouvait bien vouloir dire ?

— Aucune idée. C'est pour ça que j'ai peur qu'on ne soit sur le point de commettre une erreur monumentale. Ça risque d'être un carnage.

— Tout le monde en est conscient. (Teresa lui prit la main.) On n'a rien à perdre, tu sais ?

— Rien, répéta Thomas.

CHAPITRE 54

Juste avant l'heure habituelle de la fermeture des portes, Poêle-à-frire prépara un dernier dîner pour que tout le monde tienne pendant la nuit. Les blocards mangèrent dans une atmosphère sinistre, où la peur était omniprésente. Thomas se retrouva assis à côté de Chuck.

— Dis-moi, Thomas, demanda le garçon, la bouche pleine. À ton avis, à qui correspond mon surnom ?

Thomas secoua la tête. Ils étaient sur le point de se lancer dans ce qui serait sans doute l'opération la plus dangereuse de toute leur vie, et Chuck s'interrogeait sur son surnom.

— Je ne sais pas. Darwin, peut-être ? C'est le mec qui a découvert l'Évolution.

— Je parie que personne ne l'avait appelé « mec » avant toi.

Chuck prit une bouchée de purée avant de continuer.

— Tu sais, au fond, je n'ai pas peur. Les dernières nuits qu'on a passées dans la ferme, à attendre qu'un Griffeur s'amène et emporte l'un de nous, c'était vraiment l'horreur. Alors que là, on essaie de s'en sortir. Et au moins…

— Au moins quoi ?

Thomas ne croyait pas une seconde que Chuck n'avait pas peur ; il avait le cœur serré de le voir jouer les braves de cette manière.

— Eh bien, tout le monde dit qu'il n'y aura qu'une seule victime. Ça va peut-être te paraître dégueulasse, mais je trouve ça plutôt encourageant. Ça veut dire que la plupart d'entre nous vont s'en sortir, sauf un. Ce n'est pas si mal.

Thomas était malade de voir ses camarades se raccrocher à cet espoir qu'il n'y aurait qu'une seule victime ; plus il y réfléchissait, moins ça lui paraissait crédible. Les Créateurs, connaissant leur plan, pouvaient parfaitement reprogrammer les Griffeurs. Mais un faux espoir valait mieux que rien.

— Peut-être qu'on pourra tous s'en sortir. Si tout le monde se bat.

Chuck cessa de s'empiffrer pour dévisager Thomas avec méfiance.

— Tu le penses vraiment, ou tu dis ça pour me remonter le moral ?

— Non, on peut y arriver.

Thomas termina sa purée et but une grande gorgée d'eau. Il n'avait encore jamais menti comme ça. Certaines personnes allaient mourir. Mais il ferait tout son possible pour s'assurer que ce ne soit pas Chuck. Ou Teresa.

— N'oublie pas ce que je t'ai promis. Tu peux compter sur moi.

Chuck se renfrogna.

— Tu parles ! On dit que le monde est dans un sale état.

— C'est peut-être vrai, mais au moins on retrouvera ceux qui tiennent à nous, tu verras.

— Je ne veux même pas y penser, dit Chuck en se levant. Sors-moi juste du Labyrinthe, et ça m'ira très bien.

— D'accord, fit Thomas.

Un attroupement attira son attention. Newt et Alby annonçaient aux blocards qu'il était temps de partir. Alby paraissait égal à lui-même, mais Thomas continuait à s'inquiéter pour son état mental. Il avait parfois un comportement de tête brûlée.

La peur panique que Thomas avait connue si souvent ces derniers jours le frappa de plein fouet. Cette fois-ci, on y était :

c'était l'heure du départ. Il s'efforça de ne pas trop réfléchir et attrapa son sac. Chuck l'imita, et tout le monde se dirigea vers la porte ouest, celle qui menait à la Falaise.

Thomas y retrouva Minho et Teresa, en train de revoir ensemble leur plan succinct concernant le code d'évasion quand ils seraient dans le repaire des Griffeurs.

— Vous êtes prêts, les tocards? leur lança Minho en les voyant approcher. Thomas, tout ça, c'est ton idée, alors ça a plutôt intérêt à marcher. Sinon je te tue moi-même avant que les Griffeurs puissent s'en charger.

— Merci, dit Thomas.

Il ne parvenait pas à se défaire de sa terrible appréhension. Et s'il avait commis une erreur? Si ses souvenirs étaient trompeurs? Si on les lui avait implantés? Il écarta ces idées terrifiantes; il n'était plus temps de faire machine arrière.

Il se tourna vers Teresa, qui se balançait d'un pied sur l'autre en se tordant les mains.

— Ça va aller? lui demanda-t-il.

— Oui, oui, lui assura-t-elle avec un petit sourire forcé. J'ai juste hâte que tout ça soit derrière nous.

— Amen, ma sœur, dit Minho.

Il semblait de loin le plus calme, le plus confiant, le moins effrayé de tous. Thomas l'envia.

Quand Newt eut rassemblé tout le monde, il réclama le silence. Thomas se tourna vers lui pour écouter ce qu'il allait dire.

— Nous sommes quarante et un.

Il hissa son sac à dos sur ses épaules et brandit un grand gourdin enveloppé de barbelés à son extrémité.

— Assurez-vous de ne pas oublier vos armes. Pour le reste, je n'ai pas grand-chose à dire. Vous connaissez tous le plan. On passe par le trou des Griffeurs, l'ami Tommy rentre son petit code magique dans l'ordinateur et on part faire la peau aux Créateurs. Ce n'est pas plus compliqué que ça.

Thomas l'entendit à peine ; son attention s'était tournée vers Alby, qui se tenait à l'écart, l'air renfrogné, un carquois en travers du dos. Il tirait machinalement sur la corde de son arc, les yeux baissés. Thomas était de plus en plus convaincu qu'Alby risquait de tout faire rater. Il se promit de l'avoir à l'œil.

— Quelqu'un devrait peut-être prononcer un discours pour motiver les troupes, non ? suggéra Minho.

— Vas-y, répliqua Newt.

Minho hocha la tête et se retourna vers la foule.

— Soyez prudents, leur dit-il sèchement. Ne vous faites pas tuer.

Thomas aurait ri s'il l'avait pu.

— Super, commenta Newt. Nous voilà bien motivés. (Il indiqua le Labyrinthe par-dessus son épaule.) Vous savez tous pourquoi on est là. On a joué les souris de laboratoire pendant deux ans, mais, cette nuit, l'heure de la vengeance a sonné. Maintenant, c'est au tour des Créateurs d'avoir peur, et je peux vous dire qu'on ne leur fera pas de cadeau. Les Griffeurs ont plutôt intérêt à se planquer !

Une acclamation s'éleva, puis une autre. Bientôt, des cris de guerre éclataient, emplissant l'air comme un roulement de tonnerre. Thomas perçut une étincelle de courage en lui ; il s'y cramponna. Newt avait raison. Cette nuit, ils allaient se battre. Ils allaient rendre les coups une bonne fois pour toutes.

Thomas se sentait prêt. Il rugit avec les autres blocards. Sans doute aurait-il mieux fait de rester discret, d'éviter d'attirer l'attention, mais il s'en moquait. Les dés étaient jetés.

Newt brandit sa massue et cria :

— Vous entendez ça, les Créateurs ? On arrive !

Là-dessus, il pivota et courut dans le Labyrinthe, en boitillant à peine. L'air gris paraissait plus sombre que le Bloc. Autour de Thomas, les autres blocards ramassèrent leurs armes et le suivirent au pas de course. Thomas leur emboîta le pas, entre Teresa et Chuck ; il tenait à la main une sorte d'épieu avec un couteau attaché au bout. La responsabilité qui le liait à ses amis l'écrasa brusquement et lui coupa les jambes. Il continua néanmoins, déterminé à remporter la victoire.

«Tu peux le faire. Il suffit d'arriver jusqu'à ce fichu trou», se dit-il.

CHAPITRE 55

Thomas maintint une foulée régulière le long des chemins de pierre. Il avait pris l'habitude de courir dans le Labyrinthe, mais, cette nuit, tout était différent. Les murs renvoyaient l'écho de leurs bruits de pas et les lumières des scaralames rougeoyaient dans le lierre : les Créateurs étaient certainement en train de les espionner et de les écouter. D'une manière ou d'une autre, il allait y avoir de la bagarre.

— *Tu es nerveux ?* lui demanda Teresa.

— *Non, j'adore les amalgames de chair et d'acier. Je suis impatient d'en revoir.*

Il n'éprouvait ni joie ni bonne humeur en répondant ça, et il se demanda s'il retrouverait l'une ou l'autre un jour.

— *Très drôle,* dit-elle.

Elle courait à côté de lui, le regard obstinément fixé devant elle.

— *Ça ira. Reste près de Minho et de moi.*

— *Ah, mon chevalier. Tu ne me crois pas capable de me défendre ?*

En réalité, il était persuadé que Teresa était tout aussi coriace que n'importe lequel d'entre eux.

— *Non, j'essaie juste d'être gentil.*

Le groupe s'était déployé sur toute la largeur du couloir et courait à vive allure. Thomas se demandait combien de temps ceux qui n'appartenaient pas aux coureurs arriveraient à suivre le rythme. Comme en réponse à sa préoccupation, Newt se laissa rattraper par les derniers et toucha l'épaule de Minho.

— À toi, maintenant, lui souffla-t-il.

Minho acquiesça et passa en tête pour guider les blocards à travers le Labyrinthe. Thomas vivait chaque pas comme une souffrance. La peur avait remplacé le peu de courage qu'il avait pu trouver. À quel moment les Griffeurs se décideraient-ils à leur donner la chasse ? À quel moment la bagarre éclaterait-elle enfin ?

Finalement, après l'heure la plus longue de leur vie, ils atteignirent le couloir qui menait au dernier virage avant la Falaise – un bref couloir vers la droite menant à un croisement en T.

Thomas, le cœur battant, tout en sueur, était remonté avec Teresa juste derrière Minho. Ce dernier ralentit en arrivant au coin, puis s'arrêta, le bras tendu pour faire signe aux autres de faire de même. Il se retourna vers eux avec une expression horrifiée.

— Vous entendez ça ? chuchota-t-il.

Thomas essaya de refouler la terreur que l'expression de Minho faisait monter en lui.

Celui-ci s'avança à pas de loup et jeta un coup d'œil derrière le mur. Thomas l'avait vu faire exactement le même geste quand ils avaient suivi le Griffeur dans ce même couloir. Comme la première fois, Minho recula d'un coup en arrière avant de se retourner vers lui.

— Oh, non, gémit le maton. Non !

Puis Thomas entendit. Des Griffeurs. Comme s'ils s'étaient mis en embuscade et s'animaient tout à coup. Inutile de regarder : il savait ce que Minho allait dire.

— Ils sont au moins une douzaine. Peut-être une quinzaine. Ils nous attendaient !

La panique gagna Thomas, plus forte que jamais. Il se tourna vers Teresa, faillit dire quelque chose, mais se retint en découvrant son visage livide. Il ne l'avait jamais vue aussi terrorisée.

Newt et Alby s'étaient détachés de la masse des blocards pour rejoindre Thomas et les autres. Apparemment, l'explication de Minho avait déjà circulé dans les rangs. Newt déclara :

— Bon, on savait qu'il faudrait se battre tôt ou tard.

Mais le tremblement de sa voix le trahissait ; il s'efforçait de les rassurer.

Thomas en avait bien besoin. Il se demanda ce qu'attendaient les Griffeurs. De toute évidence, les scaralames les avaient prévenus de l'arrivée des blocards. Les Créateurs savouraient-ils le moment ?

Il eut une idée.

— Peut-être qu'ils ont déjà pris un tocard au Bloc et qu'ils nous laisseront passer. Sinon, pourquoi est-ce qu'ils… ?

Un bruit de ferraille retentit dans son dos. Il fit volte-face et vit d'autres Griffeurs s'approcher dans le couloir, toutes pointes dehors, bras métalliques déployés, en provenance du Bloc. Thomas entendit le même bruit à l'autre bout du couloir. Il leva la tête et vit arriver d'autres Griffeurs.

L'ennemi leur bloquait toutes les issues. Ils étaient encerclés.

Les blocards se rapprochèrent de Thomas, en masse compacte, l'obligeant à avancer au milieu de l'intersection. Il découvrit la meute de Griffeurs dans le couloir de la Falaise, avec leurs pointes métalliques, leur peau visqueuse et palpitante. Ils les attendaient, les guettaient. Les deux autres groupes de Griffeurs s'arrêtèrent à quelques mètres des blocards. Eux aussi attendaient.

Thomas pivota lentement sur lui-même, en luttant contre la peur, pour mieux évaluer la situation. Ils étaient pris au piège. Ils n'avaient plus le choix désormais : ils ne pouvaient plus aller nulle part. Une migraine lancinante lui vrillait le crâne.

Les blocards se pressèrent encore autour de lui, tournés vers l'extérieur, au centre de l'intersection. Thomas se retrouva coincé entre Newt et Teresa. Newt tremblait. Tous restaient silencieux. On n'entendait que les gémissements lugubres et les ronronnements mécaniques des Griffeurs qui restaient tapis là comme s'ils savouraient le petit piège qu'ils avaient tendu à leurs proies. Leurs corps répugnants palpitaient en émettant des soupirs mécaniques.

— *Que font-ils ? Qu'est-ce qu'ils attendent ?* demanda Thomas à Teresa.

Elle ne lui répondit pas, ce qui l'inquiéta. Il lui prit la main et la serra doucement. Autour de lui, les autres blocards étreignaient leurs armes dérisoires.

Thomas se tourna vers Newt.

— Tu as une idée ?

— Non, répondit l'autre d'une voix mal assurée. Je ne comprends pas ce qu'ils attendent.

— On n'aurait pas dû venir, dit Alby.

Il avait été si discret jusque-là que sa voix leur parut étrange, surtout avec l'écho renvoyé par les murs.

— Parce que tu crois qu'on serait mieux à la ferme ? répliqua Thomas. Je suis désolé, mais même si l'un de nous doit y rester, c'est toujours mieux que nous tous.

Il espérait vraiment que cette histoire d'une victime par soir allait se confirmer très vite. Parce que la vue de tous ces Griffeurs le ramenait brutalement à la réalité : les blocards étaient-ils vraiment en mesure de les affronter ?

Au bout d'un long moment, Alby répondit :

— Je devrais peut-être…

Il n'acheva pas, mais s'avança lentement en direction de la Falaise, comme en état de transe. Thomas le regarda, éberlué. Il n'en croyait pas ses yeux.

— Alby ! fit Newt. Reviens ici !

Au lieu d'obtempérer, Alby se mit à courir droit vers les Griffeurs qui défendaient l'accès à la Falaise.

— Alby ! hurla Newt.

Alby avait déjà bondi sur l'un des monstres. Newt esquissa un pas en avant. Cinq ou six Griffeurs s'abattaient sur le garçon dans un tourbillon de chair et de métal. Thomas saisit Newt par les bras avant qu'il n'aille plus loin et le tira en arrière.

— Lâche-moi ! cria Newt en se débattant.

— Tu es cinglé ? hurla Thomas. Tu ne peux rien pour lui !

Deux autres Griffeurs se détachèrent du groupe et se jetèrent sur Alby. Les uns sur les autres, ils lacéraient et déchiquetaient les chairs du garçon, comme pour mieux montrer leur cruauté. Alby ne poussa pas un cri. Heureusement, Thomas le perdit vite de vue en luttant contre Newt ; ce dernier finit par renoncer et recula en chancelant, vaincu.

Alby avait fini par craquer, se dit Thomas. Leur chef avait eu si peur de retrouver le monde auquel on l'avait arraché qu'il avait préféré se sacrifier. Il avait fait son choix.

Newt fixait obstinément l'endroit où son ami avait disparu.

— Je ne peux pas le croire, murmura-t-il. Je ne peux pas croire qu'il ait fait ça.

Thomas secoua la tête, incapable de dire quoi que ce soit. Voir Alby s'en aller de cette manière… Une douleur comme il n'en avait encore jamais connu envahit son cerveau – une douleur malsaine, indéfinissable, pire que n'importe quelle souffrance physique. Il n'était pas sûr que ce soit en rapport avec Alby, qu'il n'avait jamais beaucoup apprécié. Mais l'idée qu'une chose pareille puisse arriver à Chuck ou à Teresa…

Minho s'approcha et posa la main sur l'épaule de Newt.

— Il ne faut pas qu'il soit mort pour rien. (Il se tourna vers Thomas.) On va les combattre s'il le faut, vous ouvrir un chemin jusqu'à la Falaise, à Teresa et à toi. Sautez dans le trou et faites votre truc. On les retiendra jusqu'à ce que vous nous appeliez.

Thomas regarda les trois groupes de Griffeurs – aucun n'avait esquissé le moindre mouvement en direction des blocards – et acquiesça de la tête.

— Avec un peu de chance, ils vont se mettre en veille. On devrait en avoir pour une minute maximum à taper le code.

— Comment pouvez-vous être aussi insensibles ? murmura Newt, avec un dégoût qui surprit Thomas.

— Qu'est-ce que tu voudrais qu'on fasse ? riposta Minho. Qu'on se mette en costard et qu'on lui organise des funérailles ?

Newt ne répondit rien. Il continuait de fixer l'endroit où les Griffeurs semblaient *dévorer* les restes d'Alby. Thomas ne put s'empêcher de jeter un coup d'œil : il y avait une grande tache écarlate sur l'une des créatures. Son estomac fit des soubresauts et il se détourna aussitôt.

Minho poursuivit :

— Alby ne voulait pas retrouver son ancienne vie. Il a préféré se *sacrifier* pour nous. Vu qu'ils ne nous attaquent pas, j'ai l'impression que ç'a marché. Ce serait stupide de gâcher cette chance.

Newt haussa les épaules et ferma les yeux.

Minho se retourna vers les autres blocards.

— Écoutez-moi ! Notre priorité numéro un est de protéger Thomas et Teresa. On va les escorter jusqu'à la Falaise, pour qu'ils puissent…

Les bruits des Griffeurs en train de s'animer l'interrompirent. Thomas leva les yeux avec horreur. De chaque côté les créatures semblaient de nouveau leur prêter attention. Leurs piquants sortaient de leur chair visqueuse ; leurs corps pulsaient et tremblotaient. À l'unisson, elles convergèrent lentement vers eux, en déployant leurs appendices bardés d'instruments.

Le sacrifice d'Alby avait misérablement échoué.

CHAPITRE 56

Thomas saisit Minho par le bras.

— Il faut trouver un moyen d'aller là-bas.

Il indiqua d'un signe de tête la meute des Griffeurs qui les séparait de la Falaise. Les créatures semblaient d'autant plus menaçantes dans la lumière grisâtre.

Minho et Newt échangèrent un long regard. L'idée du combat était presque pire que la peur elle-même.

— Ils *arrivent*! hurla Teresa. Décidez-vous! Vite!

— Passe devant, dit Newt à Minho dans un murmure. On doit ouvrir la voie à Tommy et à la fille. Vas-y.

Minho acquiesça, une résolution farouche sur ses traits. Puis il se tourna vers les blocards.

— On va foncer tout droit vers la Falaise. On attaque au milieu et on repousse ces saletés vers les murs. L'essentiel, c'est de permettre à Thomas et à Teresa d'atteindre le trou des Griffeurs.

Thomas se tourna vers les monstres qui s'approchaient : ils n'étaient plus qu'à un mètre. Il étreignit son modeste épieu.

— *Reste à côté de moi,* dit-il à Teresa. *Laisse-les s'occuper des Griffeurs. On ne doit penser qu'au trou.*

Il se sentait lâche, mais il savait que leur combat ne servirait à rien s'ils ne parvenaient pas à taper le code et à ouvrir la porte qui menait aux Créateurs.

— *Je sais,* répondit-elle. *Je reste avec toi.*

— Prêts ? cria Minho juste à côté de Thomas, en brandissant d'une main son gourdin barbelé et de l'autre un long poignard. (Il pointa sa lame scintillante sur les Griffeurs.) *En avant !*

Le maton s'élança, suivi aussitôt de Newt et de la meute de garçons vociférants qui se ruaient les armes à la main vers un combat meurtrier.

Alors que les premiers garçons enfonçaient la ligne des Griffeurs à grand fracas, Thomas vit Chuck passer devant lui au pas de charge. Il le retint par le bras.

Chuck leva la tête vers Thomas. On lisait une telle frayeur dans ses yeux que Thomas en eut un pincement au cœur. Il prit sa décision en une fraction de seconde.

— Chuck, tu viens avec Teresa et moi.

Il dit ça d'une voix ferme, autoritaire, qui ne laissait aucune place au doute.

Chuck jeta un regard à la bataille engagée devant eux.

— Mais…

Il n'acheva pas. Thomas comprit qu'il mourait d'envie d'accepter, mais qu'il avait honte de l'admettre. Pour épargner sa dignité, il lui dit :

— On a besoin de toi dans le trou des Griffeurs, au cas où il y en aurait un à l'intérieur pour nous attendre.

Chuck hocha la tête… un peu trop rapidement. Thomas ressentit plus que jamais le besoin de ramener Chuck en sécurité chez lui.

— Allez, dit Thomas. Tiens la main de Teresa. On y va.

Chuck obéit, s'efforçant de paraître courageux.

— *Ils ont ouvert une brèche !* s'écria mentalement Teresa.

Thomas sentit une vive douleur lui traverser le crâne. Elle indiqua du doigt un passage étroit au milieu du couloir, défendu par des blocards qui luttaient sauvagement pour repousser les Griffeurs de chaque côté.

— Maintenant ! cria Thomas.

Il se précipita en tirant par la main Teresa, qui elle-même tenait Chuck. Tous trois s'élancèrent au pas de course, épieux et couteaux à la main, dans le couloir rempli de sang et de cris. Droit vers la Falaise.

La bataille faisait rage autour d'eux. Les blocards étaient déchaînés, survoltés par l'adrénaline ; les murs renvoyaient une cacophonie de hurlements, de crissements de métal, de rugissements de moteurs et de lamentations lugubres des Griffeurs. On ne distinguait qu'une masse indistincte de sang, de grisaille et d'acier ; Thomas s'appliqua à ne pas regarder à droite ni à gauche, mais uniquement devant, au-delà de la brèche dégagée par les blocards.

Tout en courant, Thomas se remémora rapidement les mots de code. FLOTTER, ATTRAPER, SAIGNER, MOURIR, RAIDIR, POUSSER. Le trou n'était plus qu'à une dizaine de mètres.

— *Je me suis fait taillader le bras !* cria Teresa.

Au même instant, Thomas sentit une lame lui entailler la jambe. Il ne se retourna pas, et ne se donna pas la peine de répondre. L'impossibilité de la tâche qui les attendait le submergeait comme une eau noire, cherchant à l'entraîner vers l'abandon.

La Falaise était à six ou sept mètres, débouchant sur le ciel gris sombre. Il fonça en entraînant ses amis.

Un Griffeur se mit en travers de son chemin ; il tenait entre ses pinces un garçon, dont on ne voyait pas le visage, qui le lardait de coups pour se dégager. Thomas l'esquiva et continua. Il entendit un grand cri, un hurlement déchirant : le blocard venait de perdre le combat. Ce hurlement résonna par-dessus le fracas de la bataille, avant de s'éteindre dans la mort. Thomas frémit ; il espérait qu'il ne s'agissait pas de quelqu'un qu'il connaissait.

— *Ne t'arrête pas !* lui dit Teresa.

— Je sais ! lui cria Thomas, à voix haute cette fois.

Quelqu'un passa en courant près de lui et le bouscula. Un Griffeur le chargea par la gauche, en faisant tournoyer ses lames. Un blocard s'interposa avec une épée dans chaque main ; ils s'affrontèrent en faisant tinter leurs lames. Thomas entendit une voix au loin qui vociférait toujours les mêmes mots, ordonnant qu'on les protège. C'était Minho, dont les cris trahissaient le désespoir et la fatigue.

Thomas continua à courir.

— *Chuck a failli se faire avoir !* s'écria Teresa, provoquant un violent écho dans sa tête.

D'autres Griffeurs leur tombèrent dessus, d'autres blocards vinrent les aider. Winston, qui avait ramassé l'arc et les flèches d'Alby, tirait sur toutes les formes inhumaines en mouvement, ratant souvent sa cible. Des garçons que Thomas n'avait jamais vus couraient à côté de lui ; ils écartaient les bras des Griffeurs avec leurs armes de fortune, leur sautaient dessus, les taillaient en pièces. Le tumulte de la bataille allait crescendo, devenait insoutenable.

Thomas hurla tout en continuant à courir jusqu'à la Falaise. Il s'arrêta juste au bord. Teresa et Chuck le heurtèrent par-derrière, et il s'en fallut de peu qu'ils basculent dans le gouffre tous les trois. Thomas vit tout de suite le trou des Griffeurs. Il flottait dans le vide, dessiné par des lianes.

Quand Minho et ses coureurs étaient venus plus tôt avec leurs cordes tressées, ils en avaient attaché une extrémité au mur, avant de jeter l'autre en direction du trou ; à présent, six ou sept lianes partaient du bord de la Falaise et rejoignaient un carré invisible en plein ciel, dans lequel elles disparaissaient.

Il était temps de sauter. Thomas hésita un instant, pétrifié de terreur, pris entre les bruits horribles qu'il entendait derrière lui et l'illusion d'optique qu'il voyait devant lui. Il se reprit très vite.

— Toi d'abord, Teresa.

Il voulait passer le dernier pour s'assurer qu'aucun Griffeur ne retienne ses compagnons.

Elle n'hésita pas une seconde. Elle pressa la main de Thomas, toucha l'épaule de Chuck, puis bondit dans le vide et tendit les jambes, les bras le long du corps. Thomas retint son souffle tandis qu'elle se glissait dans le trou entre les lianes et disparaissait. Comme si on l'avait effacée d'un coup de gomme.

— Waouh! s'écria Chuck, retrouvant brièvement son enthousiasme naturel.

— Comme tu dis, approuva Thomas. À toi, maintenant.

Avant que le garçon ne puisse protester, Thomas l'attrapa sous les aisselles.

— Tu vas pousser avec tes jambes et je vais te lancer. Prêt? Un, deux, *trois*!

Grognant sous l'effort, il projeta son ami en direction du trou.

Chuck vola dans les airs en hurlant et faillit rater la cible. Pourtant, ses pieds s'y enfoncèrent; puis son ventre et ses bras se cognèrent contre la paroi du trou invisible, et il disparut. Le courage du garçon impressionna Thomas. Il aimait ce gosse. Il l'aimait comme un frère.

Thomas resserra les lanières de son sac à dos et assura sa prise sur son épieu. Les bruits derrière lui étaient affreux, abominables; il se sentait coupable de ne pas aider ses camarades. «Fais ce que tu as à faire», se dit-il.

Il prit appui sur son pied gauche au bord de la Falaise et se catapulta dans le ciel crépusculaire, il ramena son épieu contre son torse, tendit la pointe des pieds vers le bas et se raidit tout entier.

Puis il s'enfonça dans le trou.

CHAPITRE 57

Une ligne de froid parcourut la peau de Thomas à son passage dans le trou, en commençant par ses orteils avant de remonter sur tout son corps, comme s'il traversait une mince pellicule d'eau glacée. Tout s'assombrit autour de lui tandis qu'il se réceptionnait sur une surface glissante. Il s'écroula en arrière dans les bras de Teresa. Elle et Chuck l'aidèrent à se relever. C'était un miracle que Thomas ne leur ait pas crevé un œil avec son épieu.

Le trou des Griffeurs aurait été plongé dans le noir total si Teresa n'avait pas allumé sa lampe torche. En regardant autour de lui, Thomas vit qu'ils se tenaient au fond d'un tunnel de pierre de trois mètres de haut. Humide, tapissé d'une substance huileuse, il s'étendait sur plusieurs dizaines de mètres avant de s'estomper dans les ténèbres. Thomas jeta un coup d'œil au trou par lequel ils étaient entrés : on aurait dit une fenêtre ouverte sur une nuit sans étoiles.

— L'ordinateur se trouve par là, annonça Teresa.

Elle braqua sa lampe un peu plus loin dans le tunnel, sur un petit carré de verre crasseux d'où émanait une lueur verdâtre. Juste en dessous, un clavier était encastré dans la paroi à hauteur d'homme. Il n'y avait plus qu'à taper le code. Thomas ne put s'empêcher de penser que c'était trop facile, trop beau pour être vrai.

— Vas-y ! l'encouragea Chuck en lui donnant une bourrade dans le dos. Tape le code !

Thomas fit signe à Teresa de s'en charger.

— Chuck et moi allons monter la garde, au cas où un Griffeur arriverait par le trou.

Restait à espérer que les blocards, après avoir ouvert une brèche, arriveraient à tenir les créatures à distance de la Falaise.

— D'accord, dit Teresa.

Thomas la savait trop maligne pour perdre du temps à discuter. Elle s'avança devant le clavier et se mit à taper.

— *Attends !* lui cria mentalement Thomas. *Tu es sûre de te rappeler tous les mots ?*

Elle se tourna vers lui en fronçant les sourcils.

— Je ne suis pas idiote, Tom. Oui, je suis parfaitement capable de me rappeler…

Un sifflement l'interrompit et fit sursauter Thomas. Il pivota sur ses talons à temps pour voir un Griffeur surgir comme par magie du carré gris percé dans la voûte. La créature avait rétracté ses piquants et ses bras pour passer, mais quand elle atterrit avec un bruit sourd, une douzaine de bras et de pointes jaillirent de sa chair, plus impressionnants que jamais.

Thomas poussa Chuck derrière lui et fit face à la créature, en brandissant son épieu pour tenter de lui faire peur.

— Continue à taper, Teresa ! cria-t-il.

Une longue tige métallique, terminée par trois lames rotatives, s'arracha à la peau flasque du Griffeur et pointa droit vers le visage de Thomas.

Ce dernier empoigna des deux mains le bout de son épieu et appuya contre le sol la lame qui en constituait la pointe. Le bras articulé parvint à moins d'un mètre de lui, prêt à le déchiqueter. Quand il ne fut plus qu'à trente centimètres, Thomas banda ses muscles et releva son épieu avec le plus de force possible. Le bras métallique, touché de plein fouet, se recourba et retomba sur le corps du Griffeur. Le monstre poussa un cri rageur ; il recula d'un bon mètre en rétractant ses piquants. Thomas haletait.

— *Je ne vais pas le retenir longtemps,* prévint-il Teresa. *Dépêche-toi !*

— *J'ai presque terminé,* répondit-elle.

Les pointes du Griffeur réapparurent ; il s'avança de nouveau et sortit un autre bras, qui se terminait cette fois par d'énormes griffes, pour tenter de saisir l'épieu. Thomas abattit son arme comme une massue, en y mettant toutes ses forces. L'épieu toucha le membre au niveau de l'articulation ; avec un choc sourd, le bras entier s'arracha et tomba sur le sol. Le Griffeur ouvrit sa gueule et poussa un long cri déchirant, avant de battre en retraite.

— On peut gagner ! s'écria Thomas.

— *Je n'arrive pas à rentrer le dernier mot !* lui dit Teresa.

Il l'entendit à peine, et ne comprit pas ce qu'elle lui avait dit ; il poussa un rugissement et chargea le Griffeur pour profiter de son moment de faiblesse. Il bondit sur le corps boursouflé de la créature en écartant deux bras métalliques à grands coups d'épieu. Puis il leva son arme bien haut, se campa sur ses pieds – il les sentit s'enfoncer dans la masse répugnante – et planta son épieu à deux mains dans le corps du monstre. Un pus jaunâtre jaillit de la plaie, lui éclaboussant les jambes tandis qu'il plongeait profondément l'arme dans les chairs. Il lâcha le manche, s'écarta d'un bond et courut rejoindre Chuck et Teresa.

Fasciné, Thomas regarda le Griffeur se cabrer en crachant de l'huile dans toutes les directions. Ses pointes sortaient et se rétractaient en désordre ; ses autres bras s'agitaient en tout sens, et transperçaient parfois son propre corps. Ses soubresauts s'atténuèrent bientôt, à mesure qu'il se vidait de son sang... ou de son carburant.

Quelques instants plus tard, il s'arrêta complètement. Thomas n'en revenait pas. C'était incroyable. Il venait de vaincre un Griffeur, l'un de ces monstres qui terrorisaient les blocards depuis plus de deux ans.

Il jeta un coup d'œil par-dessus son épaule. Chuck le fixait avec des yeux ronds.

— Tu l'as eu ! s'écria le garçon.

Chuck s'esclaffa, comme si cette petite victoire résolvait tous leurs problèmes. Thomas se tourna vers Teresa qui pianotait de manière frénétique sur le clavier. Il comprit tout de suite que quelque chose n'allait pas.

— Qu'est-ce qu'il y a ? lui demanda-t-il, en criant presque.

Il se pencha par-dessus son épaule et vit qu'elle tapait et retapait le mot POUSSER, sans que rien n'apparaisse à l'écran.

Elle indiqua le carré de verre crasseux.

— J'ai saisi tous les mots un par un ; ils sont apparus à l'écran, et puis j'ai entendu un bip et ils ont disparu. Mais quand j'écris le dernier mot, il ne se passe rien !

Thomas sentit son sang se glacer.

— Hein ? Mais… pourquoi ?

— Aucune idée !

Elle essaya encore. En vain.

— *Thomas !* hurla Chuck derrière eux.

Thomas se retourna et vit un Griffeur en train de se glisser par le trou. La créature se laissa tomber sur le cadavre de son congénère et un troisième Griffeur apparut à sa suite.

— Pourquoi c'est si long ? s'écria Chuck avec angoisse. Vous disiez qu'ils seraient désactivés dès que vous auriez rentré le code !

Les deux Griffeurs s'étaient relevés, avaient sorti leurs piquants et s'avançaient vers eux dans le tunnel.

— Impossible de taper le mot POUSSER, répondit Thomas.

— *Je ne comprends pas,* gémit Teresa.

Les Griffeurs arrivèrent à moins d'un mètre. Thomas, qui sentait son courage l'abandonner, se campa sur ses pieds et leva les poings dans un geste désespéré. Leur plan aurait dû fonctionner. Le code aurait dû…

— Il faut peut-être pousser sur ce bouton ? suggéra Chuck.

Thomas, stupéfait, regarda son ami. Le garçon indiquait un endroit au ras du sol, juste sous l'écran et le clavier.

Avant même que Thomas ait pu réagir, Teresa se laissait tomber à genoux. Dévoré par la curiosité et envahi par une bouffée d'espoir, Thomas la rejoignit, en tombant à plat ventre pour mieux voir. Il entendit les Griffeurs gémir et rugir derrière lui ; une pince déchira son tee-shirt, lui infligeant une vive douleur. Il ouvrit de grands yeux.

Un petit bouton rouge était encastré dans le mur à dix centimètres du sol. Trois mots en lettres noires s'étalaient juste au-dessus, tellement évidents qu'il ne pouvait pas croire qu'il les avait ratés :

Arrêt du Labyrinthe

D'autres douleurs l'arrachèrent à sa stupeur. Le Griffeur l'avait saisi avec deux appendices et commençait à le traîner vers lui. L'autre s'était emparé de Chuck et s'apprêtait à le transpercer au moyen d'une longue lame.

— *Pousse-le !* hurla Thomas.

Teresa s'exécuta.

Elle pressa le bouton et un silence total s'abattit sur eux. Et puis, plus loin dans le tunnel, on entendit coulisser une porte.

CHAPITRE 58

Les Griffeurs s'étaient éteints presque aussitôt : ils avaient rétracté leurs instruments, coupé leurs lumières, et leurs moteurs internes s'étaient tus. Et cette porte…

Thomas, relâché par son agresseur, tomba rudement par terre, et malgré la douleur due à plusieurs lacérations en travers du dos et des épaules, il ressentit une énorme joie. Il poussa un petit cri, rit, puis étouffa un sanglot avant de s'esclaffer de plus belle.

Chuck, en reculant loin des Griffeurs, s'était cogné dans Teresa. Elle le serra dans ses bras à l'étouffer.

— Bravo, Chuck, dit Teresa. On était tellement obnubilés par ce fichu code qu'on n'avait même pas pensé à regarder s'il y avait quelque chose à *pousser* – le dernier mot, la dernière pièce du puzzle.

Thomas riait toujours, stupéfait de pouvoir le faire après ce qu'ils venaient de traverser.

— Elle a raison, Chuck. Tu nous as sauvés, mec ! Je t'avais dit qu'on avait besoin de toi ! (Il bondit sur ses pieds, fou de joie, et prit ses amis dans ses bras.) Tu es un putain de héros !

— Et les autres ? lui rappela Teresa en désignant le trou des Griffeurs.

Thomas sentit son enthousiasme retomber aussitôt. Il se tourna vers le trou.

Comme en réponse à Teresa, quelqu'un se glissa par l'ouverture : c'était Minho, qui donnait l'impression d'avoir des entailles sur quatre-vingt-dix-neuf pour cent de son corps.

— Minho ! s'écria Thomas, ivre de soulagement. Tu n'as rien de grave ? Comment vont les autres ?

Minho s'adossa contre la paroi voûtée du tunnel en haletant bruyamment.

— On a perdu plein de gars... Il y a du sang partout, là-haut... Tous les Griffeurs se sont éteints d'un seul coup. (Il marqua une pause, prit une grande inspiration et se vida les poumons.) Vous avez réussi. Je n'en reviens pas !

Puis Newt bondit dans le tunnel, suivi de Poêle-à-frire, de Winston et d'autres. Bientôt, ils furent dix-huit garçons à avoir rejoint Thomas et ses amis, ce qui faisait vingt et un blocards en tout. Ceux qui s'étaient battus étaient couverts d'huile de Griffeurs et de sang humain, et leurs vêtements étaient tout déchirés.

— Et les autres ? demanda Thomas, redoutant la réponse.

— La moitié d'entre nous sont morts, lui confirma Newt à voix basse.

Personne ne dit plus rien pendant un long moment.

— Vous savez quoi ? reprit Minho en se redressant. Peut-être que la moitié d'entre nous y est restée, mais les autres sont toujours en vie. Personne ne s'est fait piquer, comme Thomas l'avait prédit. On s'en est sortis !

« D'accord, songea Thomas, mais à quel prix ! » Sa joie l'abandonna, remplacée par une immense tristesse pour la vingtaine de garçons qui venaient de perdre la vie. Il avait beau savoir qu'ils n'avaient pas eu le choix, que s'ils n'avaient pas essayé de s'enfuir, ils seraient probablement tous morts, cela faisait mal. Un carnage pareil, pouvait-on considérer ça comme une victoire ?

— Sortons tout de suite d'ici, suggéra Newt.

— Par où ? demanda Minho.

Thomas indiqua le tunnel.

— J'ai entendu une porte s'ouvrir de ce côté-là.

Il s'efforça de refouler la souffrance de la bataille qu'ils venaient de remporter.

— Eh bien, allons-y, s'impatienta Minho.

Et il s'éloigna dans le tunnel sans attendre la réaction des autres.

Newt hocha la tête et fit signe aux blocards de le suivre. Il les poussa devant lui un à un jusqu'à ce qu'il ne reste plus que Thomas, Teresa et Chuck.

— Je vais passer en dernier, dit Thomas.

Personne ne protesta. Newt, Chuck et Teresa s'enfoncèrent tour à tour dans le tunnel. La lumière de leurs torches parut avalée par la gueule sombre. Thomas leur emboîta le pas, sans un coup d'œil vers les Griffeurs.

Au bout d'une ou deux minutes de marche, il entendit un cri, loin devant, puis un autre, et encore un autre. Ces cris s'estompaient rapidement, comme si ceux qui les émettaient tombaient...

Des murmures remontèrent le long de la file, jusqu'à Teresa, qui se retourna vers Thomas.

— Apparemment, le tunnel se termine par un toboggan.

C'était bien une sorte de jeu, en fin de compte, se dit Thomas. Au moins pour ceux qui avaient construit cet endroit.

L'un après l'autre, les blocards se laissèrent glisser dans le vide avec un grand cri. Puis vint le tour de Newt et de Chuck. La torche de Teresa éclaira un toboggan de métal qui descendait en pente raide.

— *J'imagine qu'on n'a pas le choix,* lui dit-elle mentalement.

— *J'ai bien peur que non,* répondit Thomas. Il espérait simplement que ce toboggan ne les conduirait pas vers d'autres Griffeurs.

Teresa se lança dans la pente avec un cri presque joyeux, et Thomas la suivit avant de changer d'avis – ça ne pourrait pas être pire que le Labyrinthe.

Le toboggan était enduit d'une substance grasse à l'odeur nauséabonde : un mélange de plastique brûlé et d'huile de moteur. Il descendit pieds devant, puis essaya de se ralentir avec les mains. Peine perdue, les murs étaient recouverts de la même substance, et n'offraient pas la moindre prise.

Les cris des blocards résonnaient le long du boyau qu'ils dévalaient dans le noir. Un sentiment de panique étreignit le cœur de Thomas. Il se voyait en train de glisser dans l'œsophage de quelque monstre gigantesque, sur le point d'atterrir dans son estomac. Puis l'odeur fut remplacée par des relents de moisissure. Il s'étrangla et dut faire un violent effort pour ne pas vomir.

Le tunnel se mit à tourner en une spirale grossière, juste assez pour les ralentir, et les pieds de Thomas vinrent cogner la tête de Teresa. Ils descendaient toujours. Le temps semblait s'étirer à l'infini. La nausée lui brûlait l'estomac. Le contact de la graisse contre son corps, l'odeur, le mouvement circulaire... Il était sur le point de tourner la tête pour vomir sur le côté quand Teresa poussa un cri aigu – sans écho, cette fois. Une seconde plus tard, Thomas s'envolait hors du tunnel et lui atterrissait dessus.

Les blocards empilés, en désordre, grognaient et se tortillaient pour s'extraire de la masse. Thomas joua des bras et des jambes pour se dégager de Teresa, rampa encore un mètre et se vida l'estomac.

Frémissant, il s'essuya la bouche avec le dos de la main et s'aperçut qu'elle était recouverte d'une sorte de graisse répugnante. Il s'assit, se frotta les deux mains par terre, puis il jeta enfin un coup d'œil alentour. Les autres s'étaient déjà regroupés pour découvrir les lieux ensemble. Lors de sa Transformation, Thomas en avait eu plusieurs images fugaces.

Ils se trouvaient dans une immense salle souterraine, qui aurait pu contenir neuf ou dix fermes comme celle du Bloc. La salle était envahie par toutes sortes de machines, de câbles, de tuyaux et d'ordinateurs. À sa droite s'alignaient une quarantaine de nacelles blanches qui ressemblaient à des cercueils. En face, il y avait de grandes portes vitrées.

— Regardez! cria quelqu'un.

Mais Thomas avait déjà vu; il avait la gorge nouée, la chair de poule et un sentiment de peur qui lui grimpait sur la nuque comme une araignée.

Devant eux, une vingtaine de vitres fumées barraient le mur du fond à l'horizontale. Derrière chacune, une personne se tenait assise et observait les blocards en plissant les paupières. Thomas frissonna, terrorisé. On aurait dit des fantômes. En colère, affamés, sinistres; des êtres qui n'avaient jamais été heureux de leur vivant, et qui l'étaient encore moins dans la mort.

Mais Thomas savait que ce n'étaient pas des fantômes. C'étaient ceux qui les avaient envoyés au Bloc, leur volant leur vie.

Les Créateurs.

CHAPITRE 59

Thomas eut un mouvement de recul. Un silence mortel se répandit dans la salle à mesure que tous les blocards découvraient la rangée de fenêtres. Thomas vit l'un des observateurs prendre des notes sur un calepin, un autre tendre le bras pour attraper ses lunettes. Tous portaient une chemise blanche et une blouse noire avec un mot brodé dessus. Aucun n'affichait la moindre expression. Le teint jaunâtre, décharnés, ils offraient un bien triste spectacle.

Ils continuèrent à scruter les blocards. Un homme secoua la tête, une femme opina du chef. Un autre leva la main pour se gratter le nez.

— Qui sont ces gars-là ? murmura Chuck, dont la voix résonna à travers la salle avec un accent rauque.

— Les Créateurs, répondit Minho, avant de cracher par terre. Je vais vous casser la gueule ! cria-t-il si fort que Thomas faillit se boucher les oreilles.

— Qu'est-ce qu'on fait ? demanda Thomas. Qu'est-ce qu'ils attendent ?

— Ils ont probablement réactivé les Griffeurs, dit Newt. Ces saletés vont se ramener d'une minute à…

Une sonnerie grave retentit, semblable à l'alarme de recul d'un camion, en beaucoup plus puissant. Le son provenait de toutes les directions.

— Et maintenant ? cria Chuck, sans chercher à dissimuler son inquiétude.

Tous se tournèrent vers Thomas. Il haussa les épaules : il ne se rappelait pas tout. Désormais il n'en savait pas plus que les autres. Et il avait tout aussi peur. Il examina les lieux de haut en bas, pour chercher l'origine de la sonnerie. Rien ne semblait avoir changé. Et puis, du coin de l'œil, il vit les blocards regarder en direction des portes. Il fit de même ; son pouls s'accéléra quand il s'aperçut que l'une des portes pivotait dans leur direction.

La sonnerie s'interrompit et laissa la place à un silence aussi profond que le vide intersidéral. Thomas retint son souffle et se prépara au pire.

Deux personnes entrèrent dans la salle, dont une femme à l'allure très ordinaire, vêtue d'un pantalon noir et d'une chemise blanche avec un logo brodé sur la poitrine, WICKED, en majuscules bleues. Ses cheveux châtains lui arrivaient aux épaules ; elle avait un visage étroit et des yeux foncés. Elle s'approcha sans sourire ni froncer les sourcils : on aurait cru qu'elle ne les avait pas remarqués, ou qu'elle se moquait qu'ils soient là.

« Je la connais », songea Thomas. Mais son souvenir était diffus : il ne se rappelait ni son nom, ni son rapport avec le Labyrinthe ; elle lui était simplement familière. Et pas seulement dans son allure mais aussi dans sa façon de marcher, dans ses manières rigides. Elle s'arrêta à un mètre des blocards et les détailla un à un, de gauche à droite.

La personne qui l'accompagnait était un garçon vêtu d'un sweat-shirt trop grand pour lui, dont le capuchon dissimulait le visage.

— Bienvenue chez vous, déclara enfin la femme. Ça fait plus de deux ans, et vous avez eu si peu de morts. C'est remarquable.

Thomas en resta bouche bée et rougit de colère.

— Pardon ? demanda Newt.

Elle balaya à nouveau le groupe du regard avant de ramener son attention sur Newt.

— Tout s'est déroulé conformément au plan, monsieur Newton. Même si nous pensions que vous seriez plus nombreux à renoncer.

Elle jeta un coup d'œil à son compagnon, puis tendit le bras pour rabattre son capuchon en arrière. Il leva la tête, les yeux mouillés de larmes. Tous les blocards poussèrent une exclamation de surprise. Thomas sentit ses genoux se dérober sous lui.

C'était Gally.

Thomas cligna des paupières puis se frotta les yeux, comme un personnage de dessin animé. Il était sous le choc et tremblait de colère.

Gally.

— Qu'est-ce qu'il fout là, lui ? explosa Minho.

— Vous ne risquez plus rien ici, déclara la femme comme si elle ne l'avait pas entendu. Vous pouvez vous détendre, maintenant.

— Nous détendre ? aboya Minho. Vous êtes qui, pour nous dire de nous détendre ? On veut voir la police, le maire, le président… quelqu'un !

Thomas s'inquiétait un peu de ce que Minho risquait de faire, mais d'un autre côté, il ne lui aurait pas déplu de le voir coller son poing dans la figure de cette femme.

Elle dévisagea Minho entre ses paupières plissées.

— Tu ne sais pas de quoi tu parles, mon garçon. Je m'attendais à plus de maturité de la part de quelqu'un qui a passé les épreuves du Labyrinthe.

Thomas fut choqué par sa condescendance. Minho ouvrit la bouche pour répliquer, mais un coup de coude de Newt le fit taire.

— Gally, dit Newt. Comment ça va ?

Leur ancien camarade le regarda. Ses yeux flamboyaient, et sa tête tremblait légèrement ; mais il n'eut pas d'autre réaction.

« Quelque chose ne tourne pas rond chez lui », pensa Thomas.

La femme hocha la tête avec fierté.

— Un jour, vous nous serez tous reconnaissants de ce que nous avons fait pour vous. Je vous en donne ma parole, et je pense que vous l'accepterez. Dans le cas contraire, cela voudra dire que nous nous sommes trompés. Les temps sont durs, monsieur Newton. Très durs. (Elle marqua une pause.) Naturellement, il reste une dernière variable.

Elle recula d'un pas.

Thomas se focalisa sur Gally. Le garçon tremblait maintenant de la tête aux pieds ; son visage livide faisait ressortir ses yeux rougis comme deux taches de sang sur une feuille de papier. Ses lèvres pincées frémissaient, comme s'il essayait en vain de parler.

— Gally ? fit Thomas, en s'efforçant de réprimer la haine que l'autre lui inspirait.

— Ils… me contrôlent…, bredouilla Gally. Je… n'arrive pas à… (Les yeux exorbités, il porta la main à sa gorge. On aurait dit qu'il suffoquait.) Je… dois…

Chaque mot semblait lui coûter un effort déchirant. Puis il se tut, son visage se détendit et il parut s'apaiser.

Comme Alby dans son lit, au Bloc, après sa Transformation. Il lui était arrivé la même chose. Qu'est-ce qui pouvait bien… ?

Mais Thomas n'eut pas le temps de mener sa réflexion jusqu'au bout. Gally passa la main dans son dos et sortit de sa poche arrière un objet scintillant. Les lumières de la salle le firent miroiter : c'était un long couteau d'un aspect redoutable, qu'il tenait fermement entre ses doigts. Avec une promptitude inattendue, il arma son bras et lança le couteau sur Thomas. Au même instant, Thomas entendit crier à sa droite et perçut un mouvement vers lui.

Le couteau tournoya dans les airs. Thomas put suivre

chacune de ses rotations, comme si le temps s'était ralenti pour lui permettre de s'imprégner de la terreur de cet instant. Le couteau se rapprochait. Thomas sentit un cri étranglé se former dans sa gorge. Il voulut s'écarter mais en fut incapable. Et puis, inexplicablement, Chuck surgit et se plaça devant lui. Thomas avait l'impression d'avoir les deux pieds enfoncés dans du béton ; impuissant, il ne pouvait qu'assister à la scène qui se déroulait devant lui.

Avec un bruit écœurant, le couteau s'enfonça jusqu'à la garde dans le torse de Chuck. Le garçon hurla et s'écroula au sol, pris de convulsions. Un flot de sang cramoisi jaillit de la plaie. Ses jambes frappaient le sol, agitées de soubresauts. Une écume rougeâtre moussait sur ses lèvres. Thomas eut l'impression que le monde s'écroulait autour de lui et lui broyait le cœur.

Il tomba à genoux et serra le corps frémissant de son ami dans ses bras.

— Chuck ! cria-t-il à s'en déchirer les cordes vocales. Chuck !

Le garçon tremblait de manière incontrôlable et saignait abondamment ; Thomas avait les mains trempées. Les yeux de Chuck roulèrent en arrière dans leurs orbites. Un filet de sang s'écoula de son nez et de sa bouche.

— Chuck…, répéta Thomas dans un murmure.

Il y avait forcément quelque chose à faire. On devait pouvoir le sauver. On devait…

Le garçon se raidit et cessa de s'agiter. Ses yeux se posèrent sur Thomas.

— Thom… as, souffla-t-il d'une voix presque inaudible.

— Accroche-toi, Chuck, le supplia Thomas. Ne meurs pas, bats-toi ! *Que quelqu'un aille chercher de l'aide !*

Personne ne fit un geste. Au fond de lui, Thomas savait pourquoi. Il était trop tard. C'était fini. Des mouches noires dansèrent dans son champ de vision ; la salle basculait autour de lui. « Non, songea-t-il. Pas Chuck. Pas Chuck. N'importe qui sauf lui. »

— Thomas, murmura Chuck. Retrouve… ma mère. (Une quinte de toux le secoua, et il cracha du sang.) Dis-lui…

Il n'eut pas la force de terminer. Ses paupières se fermèrent, son corps s'affaissa. Un dernier soupir s'échappa de ses lèvres.

Thomas resta là, à contempler le corps sans vie de son ami. Un sentiment de rage remonta du fond de sa poitrine. Une envie de vengeance. De la haine. Une chose sombre et terrible, qui explosa et se répandit dans ses poumons, son cou, ses bras et ses jambes. Jusque dans son cerveau.

Thomas reposa Chuck, se leva en tremblant et pivota vers leurs visiteurs.

Puis il perdit la tête. Complètement. Il devint fou.

Il bondit, se jeta sur Gally, les doigts recourbés comme des griffes. Il trouva la gorge du garçon, la serra et le renversa sur le sol. Il se laissa tomber à califourchon sur son torse en lui coinçant les bras entre ses cuisses. Et il se mit à le cogner.

Pendant qu'il maintenait la tête de Gally par terre avec sa main gauche, en l'étranglant, il s'acharnait sur son visage à coups de poing. Ses phalanges crispées frappaient inlassablement les joues et le nez du garçon. Il y eut des os brisés, des giclées de sang, des cris horribles. Thomas n'aurait pas su dire lequel des deux criait le plus fort, de Gally ou de lui. Il le cogna jusqu'à évacuer toute sa rage.

Enfin Minho et Newt vinrent l'arracher à sa victime. Il continua à frapper dans le vide. Ils le traînèrent sur le sol ; il se débattit, rua, leur hurla de le laisser tranquille. Son regard ne quittait pas Gally qui gisait sur le sol, immobile. Thomas pouvait sentir sa haine se déverser sur lui, comme une ligne de flamme qui les aurait reliés tous les deux.

Et puis comme ça, brusquement, sa folie le quitta et il ne pensa plus qu'à Chuck.

Il repoussa Minho et Newt et courut auprès de son ami. Il le saisit sans faire attention au sang ni à son expression figée.

— Non! cria Thomas, dévoré par le chagrin. Non!

Teresa posa la main sur son épaule. Il se dégagea d'une secousse.

— Je lui avais promis! gémit-il. Je lui avais promis de le sauver, de le ramener chez lui! J'avais donné ma parole!

Teresa se contenta de hocher la tête, les yeux fixés au sol.

Thomas serra Chuck contre lui, de toutes ses forces, comme si ça pouvait le faire revenir, ou lui témoigner sa gratitude. Il les avait sauvés, avait été son seul ami à son arrivée dans le Bloc.

Thomas pleura comme jamais. Ses sanglots douloureux envahirent la salle en soulevant des échos d'une tristesse infinie.

CHAPITRE 60

Au Bloc, Chuck était devenu un repère pour lui : le symbole qu'ils parviendraient un jour à retrouver une vie normale. Dormir dans un lit. Se faire embrasser par leurs parents au moment du coucher. Manger des œufs au bacon pour le petit déjeuner, aller au lycée. Être heureux.

Mais voilà, Chuck était mort. Son cadavre, que Thomas n'avait toujours pas lâché, n'était plus qu'un mauvais présage, le signe que non seulement ces espoirs d'un avenir radieux ne se concrétiseraient pas, mais que leur existence n'avait de toute façon jamais été heureuse. Et que même s'ils s'évadaient, ils ne connaîtraient que le malheur, et une vie de souffrance.

Il n'y avait pas beaucoup d'espoir à retirer des souvenirs qu'il avait retrouvés.

Pour Teresa, comme pour Newt et Minho, Thomas dompta sa douleur et l'enferma à double tour au plus profond de lui-même. Quelles que soient les épreuves qui les attendaient, ils les affronteraient ensemble. En cet instant c'était la seule chose qui comptait.

Il reposa Chuck sur le sol en évitant de regarder la chemise de son ami, noire de sang. Il essuya les larmes sur ses joues et se frotta les yeux. Quand il releva la tête, il vit Teresa et ses immenses yeux bleus pleins de tristesse – pour lui autant que pour Chuck.

Elle se pencha et lui tendit la main pour l'aider à se relever. Quand il fut debout, elle garda sa main dans la sienne. Lui non plus n'avait pas envie de la lâcher. Il lui pressa les doigts pour essayer de lui transmettre ce qu'il éprouvait. Ils n'échangèrent pas un mot ; ils restèrent plantés là devant le corps de Chuck, sans manifester la moindre émotion, bien au-delà des sentiments. Ils n'eurent pas un regard pour Gally, immobile, mais qui respirait encore.

Ce fut la femme à la chemise imprimée WICKED qui brisa le silence.

— Les choses n'arrivent jamais sans raison, déclara-t-elle, sans plus aucune trace de malice dans la voix. Vous devez le comprendre.

Thomas la dévisagea en concentrant toute sa haine dans son regard.

Teresa posa sa main libre sur son bras.

— *Et maintenant ?* demanda-t-elle.

— *Je ne sais pas,* répondit-il. *Je ne peux pas…*

Il fut interrompu par des cris et des bruits de lutte de l'autre côté des portes vitrées. La femme blêmit et se retourna avec une expression paniquée. Thomas suivit son regard.

Plusieurs hommes et femmes vêtus de jeans crasseux et de manteaux trempés firent irruption dans la salle. Ils brandissaient des armes à feu et criaient. Leurs armes – quelques fusils, des pistolets – semblaient… rustiques, archaïques. Un peu comme des jouets abandonnés dans la forêt pendant des années, et qu'une nouvelle génération d'enfants aurait découverts pour jouer à la guerre.

Deux d'entre eux plaquèrent au sol la femme au logo WICKED sous le regard stupéfait de Thomas. Puis l'un d'eux se recula, arma son pistolet et visa.

« Non, se dit Thomas. Ils ne vont quand même pas… »

Plusieurs détonations résonnèrent dans là salle. La femme était morte : elle baignait dans une mare de sang.

Thomas recula en trébuchant.

Un homme s'approcha des blocards tandis que les autres se

déployaient autour d'eux et se mettaient à tirer en direction des fenêtres d'observation. Les vitres volèrent en éclats. Thomas entendit des hurlements, vit gicler le sang. Il détourna les yeux pour observer celui qui venait leur parler. L'homme avait les cheveux bruns, le visage jeune encore, mais avec de petites rides soucieuses au coin des yeux.

— Je n'ai pas le temps de vous expliquer, leur lança-t-il, d'une voix aussi tendue que ses traits. Suivez-moi, et courez comme si votre vie en dépendait. Parce que je peux vous garantir que c'est le cas.

Là-dessus, il adressa quelques signes à ses compagnons puis tourna les talons et repassa les portes vitrées au pas de course, en braquant son arme devant lui. D'autres détonations et râles d'agonie continuaient à résonner dans la pièce. Thomas s'efforça de les ignorer et de suivre les instructions.

— Allez! leur cria l'un de leurs «sauveurs» – ce fut le mot qui vint spontanément à l'esprit de Thomas.

Après une très brève hésitation, les blocards obéirent et se ruèrent en pagaille hors de la pièce, le plus loin possible des Griffeurs et du Labyrinthe. Thomas, qui n'avait toujours pas lâché la main de Teresa, courut derrière eux. Ils n'eurent pas d'autre choix que d'abandonner le corps de Chuck.

Ils suivirent un couloir, un escalier, d'autres couloirs. Thomas ne ressentait plus qu'un grand vide. Il courait machinalement.

Ils continuèrent ainsi, guidés par leurs sauveurs, encouragés par d'autres à l'arrière.

Ils franchirent une porte vitrée et sortirent dans la nuit noire. Il tombait des cordes; on ne voyait rien, sinon quelques reflets tremblotants dans les flaques d'eau martelées par la pluie.

Le chef s'arrêta devant un grand bus aux flancs rayés et cabossés, dont la plupart des vitres étaient fendues. Ruisselant de pluie, le véhicule ressemblait à un monstre gigantesque surgi de l'océan.

— Grimpez! leur cria l'homme. Vite!

Ils se massèrent à la porte avant de monter un par un. Cela prit une éternité ; les blocards se bousculaient les uns les autres pour gravir les trois marches et s'installer sur les sièges.

Thomas venait en dernier, juste derrière Teresa. Il leva la tête vers le ciel et laissa la pluie lui cingler le visage : elle était tiède, presque chaude, et curieusement épaisse. Il sortit de sa transe et reprit ses esprits. Il se concentra sur le bus, sur Teresa, sur l'évasion.

Il avait presque atteint la porte quand une main s'abattit sur son épaule et l'empoigna par le tee-shirt. Tiré en arrière, il poussa un cri et lâcha Teresa. Elle pivota juste à temps pour le voir s'étaler au sol dans une gerbe d'éclaboussures. Une vive douleur remonta dans les reins de Thomas tandis qu'un visage de femme, à l'envers, venait se pencher sur lui et lui boucher la vue.

Les cheveux gras de la femme lui frôlèrent le front. Une puanteur atroce d'œufs pourris et de lait tourné lui emplit les narines. La femme se redressa suffisamment pour que la lueur d'une lampe torche dévoile ses traits. Sa peau pâle et fripée était couverte d'ulcères purulents. Une terreur glacée s'empara de Thomas, qui demeura pétrifié.

— Z'allez tous nous sauver ! hurla la femme en couvrant Thomas de postillons. Z'allez tous nous sauver d'la Braise !

Elle éclata d'un rire grinçant qui ressemblait à une quinte de toux.

Elle hurla quand l'un des sauveteurs l'empoigna à deux mains et l'arracha à Thomas. Ce dernier recouvra assez de sang-froid pour se relever d'un bond. Il recula et se cogna à Teresa ; il regardait l'homme entraîner la femme, qui se débattait faiblement. Elle tendit le doigt vers lui en criant :

— Les croyez pas, surtout ! Z'allez nous sauver d'la Braise !

Au bout de quelques mètres, l'homme jeta la femme par terre.

— Reste là ou je te descends! la menaça-t-il. (Puis il se tourna vers Thomas:) Monte dans le bus!

Terrifié par l'incident, tremblant comme une feuille, il suivit Teresa à bord du bus. On les dévisagea avec des yeux ronds tandis qu'ils s'avançaient entre les sièges jusqu'à la banquette arrière, où ils se laissèrent tomber côte à côte. La pluie tambourinait sur le toit. Une eau noire ruisselait sur les vitres. Le tonnerre ébranlait le ciel au-dessus d'eux.

— *Qu'est-ce qu'elle voulait?* demanda mentalement Teresa.

Désemparé, il se contenta de secouer la tête. L'image de Chuck s'imposa de nouveau à lui, chassant celle de la folle. Son humeur s'assombrit encore. Il se moquait de tout; il n'éprouvait même aucun soulagement à s'être enfui du Labyrinthe. *Chuck...*

Une femme s'assit de l'autre côté de l'allée. Le chef s'installa au volant et démarra. Le bus se mit à rouler.

À cet instant, Thomas distingua un mouvement dehors. La femme couverte d'ulcères s'était relevée et courait se placer devant le bus en agitant les bras. Ses cris furent noyés par le grondement de l'orage. Une lueur – de démence ou de terreur – brillait dans ses yeux.

Thomas se pencha contre le carreau, lorsqu'il la vit disparaître à l'avant du bus.

— Attendez! cria-t-il.

Mais personne ne l'entendit; ou peut-être que tout le monde s'en moquait.

Le chauffeur écrasa la pédale de l'accélérateur. Le bus fit une embardée et renversa la malheureuse. Un premier cahot faillit jeter Thomas au bas de son siège quand les roues avant passèrent sur le corps, suivi d'un deuxième soubresaut... les roues arrière. Sans un mot, le chauffeur passa une vitesse et le bus s'enfonça dans la nuit diluvienne.

CHAPITRE 61

L'heure suivante passa comme un tourbillon d'images et de sons pour Thomas.

Le chauffeur conduisait à une vitesse insensée, à travers des villages et des villes difficilement visibles à travers le rideau de pluie. Les lumières et les bâtiments leur apparaissaient déformés derrière les vitres ruisselantes, comme une hallucination. À un moment, des gens affluèrent autour du bus, dépenaillés, les cheveux en pagaille, couverts d'ulcères étranges semblables à ceux de la folle. L'air terrorisé, ils martelaient les flancs du véhicule comme s'ils voulaient monter à bord, échapper à l'existence terrible qui était la leur.

Le bus ne ralentit pas. Teresa demeurait silencieuse.

Thomas trouva enfin assez de cran pour s'adresser à la femme assise de l'autre côté de l'allée.

— Que se passe-t-il ici ? demanda-t-il, ne sachant pas comment le formuler autrement.

La femme se tourna vers lui. Ses cheveux trempés pendaient en mèches noires autour de son visage. Ses yeux sombres étaient remplis de chagrin.

— Oh, c'est une longue histoire, répondit-elle d'une voix beaucoup plus aimable que Thomas ne s'y attendait, ce qui lui fit espérer que leurs sauveurs étaient tous des amis.

Même s'ils avaient écrasé de sang-froid une pauvre femme.

— Je vous en prie, intervint Teresa. Racontez-nous.

La femme les regarda tour à tour, avant de soupirer.

— Il va vous falloir un moment pour retrouver la mémoire, si vous la retrouvez un jour. Nous ne sommes pas des savants, nous n'avons aucune idée de ce qu'ils vous ont fait ni de comment ils s'y sont pris.

Le cœur de Thomas se serra à l'idée qu'il ne retrouverait peut-être jamais la mémoire.

— Qui sont ces gens?

Le regard de la femme devint vague.

— Tout ça remonte aux grandes éruptions solaires, répondit-elle.

— Qu'est-ce que… ? commença Teresa.

Thomas lui fit signe de se taire.

La femme se mit à raconter, presque en transe.

— Elles ont eu lieu de manière imprévisible. Il y a toujours eu des éruptions solaires, mais celles-ci étaient gigantesques, d'une intensité sans précédent. Quand on les a remarquées, leur chaleur n'était plus qu'à quelques minutes de la Terre. Les satellites ont brûlé en premier. Des milliers de gens sont morts tout de suite, et des millions en quelques jours, pendant que des pays entiers se transformaient en déserts. Après, il y a eu la maladie.

Elle fit une pause, le temps de reprendre son souffle.

— Quand l'écosystème s'est effondré, il est devenu impossible de contrôler la maladie – ou même de la contenir en Amérique du Sud. La jungle avait disparu mais pas les insectes. On l'appelle la Braise, aujourd'hui. C'est une chose horrible, horrible. Seuls les plus riches ont les moyens de se payer un traitement. Il n'existe aucun remède. À moins que les rumeurs qui nous viennent des Andes soient fondées.

Thomas, la tête pleine de questions, sentait monter en lui un sentiment d'horreur. Malgré tout, il se contenta d'écouter pendant que la femme poursuivait son récit.

— Quant à vous, vous n'êtes que quelques orphelins parmi des millions. Ils en ont testé des milliers, mais vous avez décroché votre place pour le dernier test. Tout ce que vous avez subi a été soigneusement pensé et calculé afin d'étudier vos réactions, vos ondes cérébrales, vos pensées. Tout ça pour aider nos chercheurs à découvrir un remède contre la Braise.

Elle repoussa une mèche de cheveux derrière son oreille.

— La plupart des symptômes physiques sont identiques. Ça commence par un délire, puis l'instinct animal remplace les réflexes conditionnés. Pour finir, la maladie détruit l'humanité de la victime. Tout ça se déroule entièrement dans le cerveau. La Braise *vit* dans le cerveau. C'est vraiment une saloperie ; je préfère encore mourir que l'attraper.

La femme posa les yeux sur Thomas, puis sur Teresa, puis de nouveau sur Thomas.

— Il n'est pas question de les laisser infliger ça à des enfants. On a juré de combattre le WICKED coûte que coûte. On ne veut pas perdre notre humanité, quel que soit le résultat final.

Elle croisa les mains sur ses genoux.

— On vous en dira plus un peu plus tard. Nous vivons loin dans le Nord. Il y a des milliers de kilomètres entre les Andes et nous. On appelle ça la Terre Brûlée ; elle est plus au moins centrée autour de l'équateur. Ce n'est plus qu'un désert de poussière, infesté de sauvages contaminés par la Braise. Nous essayons de la traverser, à la recherche du remède. Mais en attendant, nous sommes résolus à combattre le WICKED et à mettre un terme à ses expériences. (Elle dévisagea Thomas, puis Teresa.) Nous espérons que vous déciderez de vous joindre à nous.

Là-dessus, elle se détourna et regarda par la fenêtre.

Thomas adressa un regard inquisiteur à Teresa. Celle-ci se contenta de secouer la tête, avant de s'appuyer contre son épaule et de fermer les yeux.

— *Je suis trop fatiguée pour réfléchir,* dit-elle. *Pour l'instant, je suis simplement heureuse d'être en sécurité.*

— *J'espère qu'on l'est,* répondit-il. *Je l'espère vraiment.*

Bientôt, elle se mit à ronfler doucement. Lui-même savait qu'il n'arriverait pas à trouver le sommeil. Il était en proie à tant d'émotions qu'il ne parvenait pas à en identifier une seule. Néanmoins, c'était toujours mieux que la sensation de vide qu'il avait connue plus tôt. Il contempla la pluie et la nuit noire derrière la vitre, en retournant dans sa tête les mots « Braise », « maladie », « tests », « Terre Brûlée » et « WICKED ». Il espérait que leur situation s'améliorerait par rapport à celle qu'ils avaient vécue dans le Labyrinthe.

Mais alors qu'il était ballotté par les mouvements du bus, sentant la tête de Teresa rebondir contre son épaule à chaque cahot, l'entendant gémir au milieu des murmures des conversations, ses pensées revenaient en permanence au même sujet.

Chuck.

*

Deux heures plus tard, le bus s'arrêta.

Ils se trouvaient sur un parking boueux devant un bâtiment banal qui comportait plusieurs rangées de fenêtres. Leurs sauveurs conduisirent les dix-neuf garçons et la fille à l'intérieur et les firent monter à l'étage, dans un immense dortoir où des lits superposés s'alignaient le long du mur. Des placards et des tables bordaient le mur d'en face. Les fenêtres étaient voilées par des rideaux.

Thomas découvrit tout cela avec détachement. Il était bien au-delà de la surprise et de l'émerveillement.

L'endroit était pourtant très coloré : les murs jaune vif, les couvertures rouges, les rideaux verts... Après la grisaille uniforme du Bloc, on aurait dit qu'on les avait conduits au cœur d'un arc-en-ciel. Devant un tel décor, devant ces placards et ces lits, ils éprouvaient un étrange sentiment de normalité. C'était presque trop beau pour être vrai. Minho déclara :

— J'ai l'impression de me retrouver au paradis.

Thomas avait du mal à éprouver de la joie. Mais Minho avait raison.

Le chef de leurs sauveurs laissa les blocards entre les mains du personnel tout sourires : un petit groupe de neuf hommes et femmes en pantalon noir et chemise blanche, aux cheveux, au visage et aux mains parfaitement propres.

Les couleurs, les lits, le personnel… Thomas sentit un bonheur impossible tenter de s'insinuer en lui. Une grosse tache sombre subsistait néanmoins, un puits de noirceur qui ne se comblerait peut-être jamais : le souvenir de Chuck et de sa mort brutale. Son sacrifice. Malgré ça, malgré ce que la femme leur avait raconté dans le bus, Thomas se sentit en sécurité pour la première fois depuis sa sortie de la Boîte.

On leur attribua leurs lits, on leur distribua des habits et un nécessaire de toilette et on leur servit un dîner. De la pizza. Une bonne pizza bien grasse à s'en mettre plein les doigts. Thomas, en proie à une faim dévorante, en savoura chaque bouchée. Autour de lui, la satisfaction et le soulagement des blocards étaient palpables. La plupart demeuraient silencieux, comme s'ils redoutaient de faire tout disparaître rien qu'en parlant. Mais on voyait des sourires sur tous les visages. Thomas était si habitué au désespoir qu'il trouvait presque troublant de voir autant de mines réjouies. Surtout lorsque lui-même avait tant de mal à se sentir heureux.

Quand on vint leur dire après le repas qu'il était l'heure d'aller au lit, personne ne protesta.

Lui pas plus que les autres. Il avait l'impression qu'il pourrait dormir durant un mois.

CHAPITRE 62

Thomas partagea un lit superposé avec Minho, qui insista pour dormir en haut; Newt et Poêle-à-frire étaient juste à côté. Le personnel, qui avait attribué une chambre séparée à Teresa, l'entraîna avant même qu'elle ait pu souhaiter bonne nuit à ses amis. Elle n'était pas partie depuis trois secondes qu'elle manquait déjà à Thomas.

Il s'installa confortablement entre ses draps.

— Hé, Thomas, l'appela Minho depuis la couchette du haut.

Il était si épuisé que sa réponse fut presque inaudible:

— Oui?

— À ton avis, qu'est-ce qui est arrivé à ceux qui sont restés au Bloc?

Thomas n'y avait pas réfléchi. Il avait été trop préoccupé par Chuck, et à présent par Teresa.

— Je ne sais pas. Mais vu le nombre de victimes qu'il a fallu rien que pour venir jusqu'ici, je n'aimerais pas être à leur place. Les Griffeurs doivent probablement se régaler.

La désinvolture avec laquelle il disait ça le stupéfiait lui-même.

— Tu crois qu'on est en sécurité avec ces gars-là? demanda Minho.

Thomas prit le temps de réfléchir. Il n'y avait qu'une seule réponse à donner.

— Oui, je pense.

Minho ajouta quelque chose mais Thomas ne l'écoutait plus. Assommé de fatigue, il se remémorait son bref séjour dans le Labyrinthe, son expérience de coureur et à quel point, dès son premier soir au Bloc, il avait désiré cette nomination. Il avait l'impression que tout ça remontait à un siècle, ou qu'il l'avait tout simplement rêvé.

Des murmures flottaient à travers le dortoir, mais pour Thomas ils semblaient provenir d'un autre monde. Il fixa les lattes du sommier au-dessus de lui et sentit qu'il s'endormait. Comme il voulait encore parler à Teresa, il lutta contre le sommeil.

— *Ta chambre est bien ?* demanda-t-il. *J'aurais tellement préféré que tu sois là.*

— *Ah oui ?* répliqua-t-elle. *Avec tous ces garçons qui puent ? Merci bien.*

— *Hum, tu n'as pas tout à fait tort...*

Il la sentit rire et regretta de ne pas pouvoir en faire autant. Il y eut un long silence.

— *Je suis vraiment désolée pour Chuck,* finit-elle par dire.

Son chagrin le submergea, et il ferma les yeux en s'enfonçant dans cette nuit de souffrance.

— *Il était tellement énervant, par moments,* dit-il.

Il repensa à la soirée où Chuck avait effrayé Gally dans la salle de bains.

— *Mais ça fait mal. Comme si j'avais perdu mon petit frère.*

— *Je sais.*

— *Je lui avais promis...*

— *Arrête, Tom.*

Il aurait bien voulu que Teresa lui remonte le moral, trouve une formule magique pour atténuer sa peine.

— *Arrête avec cette histoire de promesse. La moitié d'entre nous s'en est tirée. On serait tous morts si on était restés dans le Labyrinthe.*

— *Chuck ne s'en est pas sorti, lui,* rétorqua Thomas.

Il se sentait d'autant plus coupable qu'il aurait volontiers échangé n'importe quel blocard du dortoir contre Chuck.

— *Il est mort pour te sauver. C'était son choix. Ne gaspille pas la chance qu'il t'a donnée,* dit Teresa.

Thomas sentit les larmes s'accumuler sous ses paupières; l'une d'elles roula le long de sa tempe jusque dans ses cheveux. Une longue minute s'écoula sans qu'ils ne disent rien. Puis il reprit:

— *Teresa?*

— *Oui?*

Il avait un peu peur de lui dire ce qu'il pensait, mais il le fit quand même.

— *J'aimerais me souvenir de toi. Enfin, de nous. Tu sais… comme on était avant.*

— *Moi aussi.*

— *J'ai l'impression qu'on était…*

Il ne savait plus comment l'exprimer.

— *Je sais.*

— *Je me demande ce qui nous attend demain.*

— *On le découvrira dans quelques heures.*

— *Oui. Allez, bonne nuit, Teresa.*

Il aurait voulu lui dire plus, beaucoup plus. Mais les mots ne venaient pas.

— *Bonne nuit,* dit-elle alors que les lumières s'éteignaient.

Thomas roula sur le flanc, heureux qu'on ne puisse pas voir l'expression sur son visage.

Pas vraiment un sourire, pas tout à fait du bonheur. Mais presque.

Et pour l'instant, «presque» lui suffisait largement.

ÉPILOGUE

Note de service du WICKED, 27/01/232, 22 h 45
À : Mes associés
De : Ava Paige, chancelière
Sujet : Considérations sur les épreuves du Labyrinthe, groupe A

Je crois que nous serons tous d'accord pour convenir que les épreuves ont été un succès. Vingt survivants, tous parfaitement qualifiés pour la suite du programme. Les réactions aux variables ont été satisfaisantes et encourageantes. Le meurtre du garçon et le « sauvetage » nous ont offert un excellent final. Nous avions besoin de les pousser à leurs limites pour connaître leurs réactions. Honnêtement, je suis stupéfaite de constater qu'en fin de compte, envers et contre tout, nous avons pu réunir un tel échantillon de gamins qui n'ont jamais baissé les bras.

Curieusement, le fait de les voir ainsi se croire tirés d'affaire est peut-être le plus pénible à observer. Mais ce n'est pas le moment d'avoir des scrupules. Pour le bien de tous, nous devons continuer.

J'ai une préférence concernant la désignation de leur chef, mais je m'abstiendrai de la mentionner, ne voulant pas influencer la décision. Pour moi, en tout cas, le choix est évident.

Nous sommes tous conscients de l'enjeu. Pour ma part, je me sens encouragée. Rappelez-vous ce que la fille a écrit sur son bras avant de perdre la mémoire. L'idée à laquelle elle a choisi de se raccrocher : WICKED *is good*, le méchant est bon.

Tôt ou tard, les sujets se rappelleront et comprendront tout ce que nous leur avons infligé et prévoyons encore de leur faire subir. La mission du WICKED est de servir et de préserver l'humanité, à n'importe quel prix. En ce sens, oui, nous sommes « bons ».

Faites-moi part de vos réactions. Les sujets vont se voir accorder une nuit de repos avant la mise en œuvre de la phase 2. Pour l'instant, autorisons-nous à nourrir un espoir.

Les résultats du groupe B ont été tout à fait extraordinaires eux aussi. Il me faut encore un peu de temps pour traiter les données, mais nous pourrons en discuter demain matin.

À demain, donc.

REMERCIEMENTS

À mon éditrice et amie Stacy Whitman, pour m'avoir ouvert les yeux sur tout ce qui m'échappait.

À Jacoby Nielsen, fan fidèle, pour son retour et son soutien permanent.

À mes collègues auteurs Brandon Sanderson, Aprilynne Pike, Julie Wright, J. Scott Savage, Sara Zarr, Emily Wing Smith et Anne Bowen, pour être là.

À mon agent, Michael Bourret, pour avoir fait de mon rêve une réalité.

Un grand merci également à Lauren Abramo et à toute l'équipe de Dystel & Goderich.

Et à Krista Marino, pour son travail de correction qui dépasse l'imagination. Tu es un génie, et ton nom mériterait de figurer sur la couverture avec le mien.

À BLOG OUVERT

LE BLOG DES LECTURES
ADOS ET JEUNES ADULTES

Des scoops,
des avant-premières
et des exclusivités
pour lire, découvrir, partager…

www.ablogouvert.fr

Ouvrage composé par
PCA – 44400 Rezé

Cet ouvrage a été imprimé
en Allemagne par

GGP Media GmßH,
à Pößneck

Dépôt légal : octobre 2012
Suite du premier tirage : juin 2015

www.pocketjeunesse.fr
• POCKET JEUNESSE

12 avenue d'Italie – 75627 Paris Cedex 13